El hombre que creó a Jesucristo

Robert Ambelain

El hombre que creó
a Jesucristo

Colección Enigmas del Cristianismo

México, D.F. 1991

Título original: *La vie secrete de saint Paul*
Traducción al español por: María Luz Roviera
De la edición en francés de Editions Robert Laffont, París, Francia.

Derechos reservados:

© 1972 Editions Robert Laffont, S.A.
© 1985 Ediciones Martínez Roca, S.A., Barcelona, España
© 1985 Ediciones Roca, S.A.
General Francisco Murguía 7
06170 México, D.F.

Edición hecha con autorización y por cuenta de Ediciones
Martínez Roca, S.A., Gran Vía 774, 7a. planta, 08013 Barcelona,
España, para Ediciones Roca, S.A.

ISBN 968-21-0421-1
ISBN 84-270-0941-0 (Ediciones Martínez Roca, S.A.)

Impreso en México

Printed in Mexico

Índice

Tercera parte: Las llamas de Roma

La costumbre romana consiste en tolerar ciertas cosas y en silenciar otras...

GREGORIO VII, carta del 9 de marzo de 1078 a Hugues de Die, legado pontificio

¡Desde tiempos inmemoriales es sabido cuán provechosa nos ha resultado esa fábula de Jesucristo!

LEÓN X, carta al cardenal Bembo

NOTA: La carta de Gregorio VII la cita Pierre de Luz en *Histoire des Papes* (*Imprimatur*, Albin Michel, París, 1960, tomo I, p. 148). La carta de Juan de Médicis, alias León X, citada por Pico de la Mirandola, dice lo siguiente en latín: «*Quantum nobis notrisque que ea de Christo fabula profuerit, satis est omnibus seculis notum...*». Su tercer sucesor, Alejandro Farnesio, alias Pablo III, confiaría al duque de Mendoza, embajador de España en Roma, que al no haber podido descubrir ninguna prueba de la realidad histórica del Jesucristo de la leyenda cristiana, se veía obligado a sacar la conclusión de que se hallaban ante un dios solar mítico más.

Advertencia

La Historia es una ciencia que, para merecer ese calificativo, tiene la obligación de ser exacta, de reposar sobre documentos y sobre su confrontación, sobre severos controles cronológicos y sobre datos que puedan probarse.

A menudo la leyenda no es otra cosa que su deformación, ampliada por amor a lo maravilloso, y alimentada a veces expresamente, en provecho de intereses de lo más materiales.

Así pues, la Historia es para los adultos, y la Leyenda para aquellos que todavía no lo son, o lo son de forma incompleta. Fue por eso por lo que el académico Marcel Pagnol pudo decir en su estudio definitivo sobre *Le Masque de Fer*: «El primer deber del historiador consiste en restablecer la verdad destruyendo la Leyenda. Sin él, la historia de los pueblos no sería más que un extenso poema, donde los hechos, engrandecidos y dramatizados por la imaginación de las multitudes, enormemente embellecidos o inventados por los aduladores de los reyes, brillarían, en color de oro y de sangre, en medio de una luminosa bruma».

En estas páginas a veces se encontrarán citas de documentos repetidas. Éstas nos han parecido indispensables, ya que cada uno de los capítulos de esta obra constituye un todo, y el mismo argumento puede verse requerido como testimonio en diferentes circunstancias y con diferentes fines. Y ese argumento puede haberlo olvidado el lector...

Como decíamos en nuestra obra *Jesús o el secreto mortal de los templarios*[1] un verdadero lavado de cerebro dogmático ha impregnado, por las buenas o por las malas, durante más de quince siglos, la psique hereditaria del hombre occidental, y a menudo, sin que él se diera cuenta, lo ha hecho más o menos refractario a la crítica, o incluso a la lógica más evidente.

1. Martínez Roca, S. A., Barcelona, 1982.

11

Contra esa verdadera tortura intelectual, que todavía sigue vigente en nuestra época, el historiador deseoso de servir a la verdad se ve obligado a utilizar los mismos argumentos.

Y se excusa de antemano por ello, aunque, como decía también Marcel Pagnol: «Esas repeticiones no son elegantes, pero este libro no es una obra literaria. No es sino la instrucción de un caso criminal, en la cual la precisión y la oportunidad de una observación tienen a menudo mucha más importancia que la pureza del estilo».

¿Qué añadir a estas palabras?

ROBERT AMBELAIN

Junio de 1970

Introducción
¿Hijo del deseo o hijo del tumulto?

Costobaro y Saulo tenían también consigo gran número de guerreros, y el hecho de que fueran de sangre real y parientes del rey les hacía gozar de una gran consideración. Pero eran violentos y siempre estaban dispuestos a oprimir a los más débiles...

FLAVIO JOSEFO
Antigüedades judaicas, XX, 8.

Guinneth-Saar, el «Jardín de los príncipes»...

Los rabinos denominan a este valle *Kinnereth*, según el antiguo nombre que figura en sus escrituras, pero los kanaim, o zelotes, por odio a los incircuncisos privilegiados que tienen allí sus ricas mansiones, lo llaman *Gehenne-Aretz* (de lo que los gentiles hicieron *Genesaret*, debido a una mala pronunciación), es decir el «valle de la aridez», del mismo modo que denominan «negrura» a Menfis, la capital religiosa del odiado Egipto, cuando el mismo nombre en egipcio hierático significa «blancura». Juego de palabras, inversión, que a la vez quiere ser maldición, pero que no puede hacer olvidar el viejo *dict* rabínico: «De los siete mares que creó el Eterno, el de *Kinnereth* constituye su mayor gozo...».

En este valle afortunado, situado en la orilla occidental del mar de Galilea, crecen libremente las palmeras datileras, los limoneros, los naranjos, que mezclan sus aromas al de los altos eucaliptos plateados. Todos los árboles frutales (ciruelos, albaricoqueros, melocotoneros e higueras) se asocian a los olivares para ofrecer al hombre el beneficio de sus sabrosos frutos, como si temieran ser desbancados por sus hermanos aristocráticos (adelfas rosas y blancas, con perfume de miel, áloes, ágaves) y todas las variedades de flores silvestres (narcisos, anémonas, etc.). Y cuando llega la primavera, pronto anunciada por el

13

presuntuoso almendro, predomina por encima de todos esos olores el aroma voluptuoso de la acacia silvestre, el árbol que, según Salomón, vela sobre las cenizas de Adoniram, prodigioso derrumbador de las columnas del Templo y esposo secreto de Balkis la misteriosa.

En medio de toda esta flora embriagadora se cruzan, al borde de la orilla, los rosados flamencos, los cormoranes, las pollas de agua, los patos salvajes y los pelícanos; a veces incluso algunos ibis rojizos, aventurados lejos del piadoso Egipto. Durante el día, muy arriba en el cielo, el vuelo del águila real se cruza con el del lento buitre, y cuando llega la noche con su luz rosada, en los aromáticos maquis, compuestos de enebros, madroños y lentiscos, se desliza silencioso e indolente, pero con la vista y el oído al acecho, el ágil y majestuoso guepardo.

Mar adentro, hacia el norte, unas velas blancas inmóviles esperan que el viento de la tarde, procedente del mar de Fenicia, muy próximo, al oeste, permita a los pescadores desplegar su destreza de marinos y conducir a Cafarnaúm y Betsaida los pescados que sus redes han capturado.

Éste es el cuadro que nos ofrece de día, en el año 8 del reinado de Tiberio César, el mar de Galilea y sus encantadoras playas alrededor de la desembocadura del Zaimon, que constituye el eje del valle de *Guinneth-Saar*. Pero una vez de noche, el ambiente es completamente distinto.

A la hora en que comienza este relato de restitución, un poco de luz se refleja sobre las aguas turbias del lago, pues la luna, en su cuarto menguante, ilumina vagamente la cadena montañosa que bordea la orilla oriental. Innumerables estrellas salpican con su brillo el oscuro terciopelo azul del cielo de Galilea, y los pastores, si conocen las constelaciones, pueden ver ascender por oriente a *Ibt-al-Jauza*, el Hombro del Gigante, estrella que los gentiles llaman Betelgeuse, mientras que *Yed-Alphéraz*, el Hombro del Corredor celeste, a quien los mismos denominan por entonces Markab, culmina en el cenit. La noche es fresca y suave, y la humedad se condensa poco a poco.

En una pequeña península que se adentra en las aguas se yergue una masa oscura. Elevados muros, de más de diez codos de altura, en ligera pendiente que termina en un camino de ronda, sostienen y aíslan un promontorio cubierto por una amplia terraza enlosada. El único acceso posible lo constituye una estrecha puerta de bronce, que se abre hacia una escalera interior tallada en la roca. Sobre esa terraza se eleva una gran mansión de tipo griego, con tres pisos de pérgolas superpuestas. Alrededor de las columnatas de sostén de estas últimas se enroscan y trepan plantas aromáticas: jazmín y madreselva. Está abierto un único batiente hacia la brisa nocturna que llega de las montañas de la orilla oriental, y de esa abertura sale un tímido haz de luz rojiza, que se extiende sobre la terraza como un mantel de sangre seca. La silueta oscura de un arquero de Nubia en cuclillas e inmóvil frente al parapeto, como una estatua, es lo único que rompe la monotonía del lugar.

Y a intervalos casi regulares, con la monótona cadencia de un eco, se eleva un clamor en el silencio de la noche, un grito que parece caminar a lo largo del camino de ronda, que decrece y que luego vuelve a empezar en *crescendo* para terminar muy cerca: «*Schemero... Schemero... Schemero...*»[1]. Son los centinelas, que intercambian el grito de alerta reglamentario, uno detrás de otro, a fin de mantenerse en contacto y despiertos.

Y es que esta mansión es la de Cypros, princesa herodiana, la segunda que lleva este nombre, esposa de Antipater II, sobrino de Herodes el Grande, y su aislamiento a casi una milla romana de distancia de Tiberíades, la nueva ciudad que erige en honor del emperador Tiberio su hermanastro Herodes Antipas, tetrarca de Galilea, exige una severa vigilancia diurna y nocturna.

Porque no es raro ver descender de los valles perdidos de la alta Galilea a clanes de montañeses peludos y barbudos, armados con lanzas, con las cortas *sicca* y el pequeño escudo redondo. Éstos, drogados por el *boanerges*, el «hijo del trueno», la terrible seta alucinógena,[2] caen sobre las ricas residencias de la dinastía idumea y de sus más importantes oficiales, tanto por amor al pillaje y a la guerra como por odio a los «incircuncisos». Porque entre los galileos es donde se reclutan principalmente aquellos a quienes los ocupantes romanos llaman *sicarii*, los griegos de la Decápolis, *zelotes*, y los judíos de las diversas sectas, *kanaim*.

Por eso los arqueros nubios y los guardianes sirios que forman la pequeña guarnición de la mansión de Cypros y de Antipater (una cincuentena de hombres, a lo sumo) tienen siempre a punto la hoguera para dar la señal de alerta, que les bastará con encender por la noche o hacer humear durante el día, a fin de avisar a la guarnición de Tiberíades, apenas se deje oír a lo lejos el ritmo sordo y lancinante de los tamboriles de combate kanaítas.

Esta noche su atención está más alerta que de costumbre, ya que se ha señalado una importante concentración zelote en la orilla sur del mar de Galilea, allá donde el Jordán reanuda su curso. Entre esos hombres, los observadores han reconocido a varios hijos de Judas el Gaulanita, y entre ellos el famoso Ieschuah. De manera que los arqueros negros de la guardia conservan el arco a punto, con su cuerda alrededor del hombro derecho, y el carcaj de cuero a la espalda, al alcance de la mano, bien provisto de flechas de hierro dentado; de su

---

1. En arameo: «Centinelas... Centinelas...». Hasta el siglo XIX los ejércitos europeos conservaron el uso de ese grito de control: «¡Centinelas! ¡Estad alerta!».

2. *Boanerges:* antiguo término acadio que significa «hijo del trueno» y que designa a una seta alucinógena, la *Amanita muscaria*, que por aparecer inmediatamente después de la tormenta, fue denomina así por los pueblos primitivos de Sumeria y Acadia. La utilizaban para obtener visiones. Jesús, Santiago y Juan hicieron uso de ella, como lo prueban los evangelios: Marcos, 3, 17 y 21. (Cf. JOHN M. ALLEGRO, *Le Champignon sacré et la Croix*, Albin Michel, París, 1971.

cintura pende, además, la corta y ancha espada de reglamento. Los mercenarios sirios, por su parte, van armados de una gruesa lanza de hierro, una larga espada y un escudo de madera, recubierto de cuero de rinoceronte o de hipopótamo, pieles llegadas del alto Nilo por la ruta de las caravanas; así están a prueba de dardos y venablos. Todos llevan un casco de metal redondo, sin visera ni cimera.

Pero todo parece en calma. Demetrios, el jefe de la guardia, acaba de volver de su ronda con algunos hombres y dos guepardos sujetos con correas. Y es que esta noche no es como las otras, y Demetrios, un griego de la cercana Decápolis, lo sabe mejor que nadie: Cypros, esposa de Antipater, va a alumbrar a un nuevo hijo. El primero fue una niña. Y si la opinión de la matrona es acertada, el acontecimiento se producirá antes del alba. Por eso Demetrios ha extendido su ronda hasta las tiendas montadas cerca del lago, donde acampan los arqueros negros y los lanceros sirios que no se hallan esta noche de servicio en la mansión. Penetremos con él en ésta.

En una amplia estancia, cuya puerta está abierta de par en par sobre la terraza, lámparas de bronce provistas de aceite de nafta prodigan una luz danzarina. Un trípode de plata sostiene una cazoleta de bronce con brasas rojizas sobre las que se han echado virutas de madera de sándalo, y su azulado y aromático humo se eleva despacio y oblicuamente hacia la puerta abierta. Gruesos tapices venidos de muy lejos, unos de Catay y otros de Ecbatana, Edesa o Nyssa, están tirados al azar, los unos sobre los otros, cubriendo las anchas losas de mármol blanco. A lo largo de las paredes se alinean irregularmente cofres de maderas preciosas, con maravillosas incrustaciones de nácar o de marfil. Altos y pesados cortinajes de lino, hechos de varias telas gruesas juntas, y cuyos bordados y matices armonizan con el destino y la decoración de la estancia a la que están encarados, separan la cámara principesca de las salas colindantes.

Sentadas en el suelo, sobre sus talones, algunas sirvientas judías o beduinas esperan en silencio. La matrona acaba de palpar una vez más el abdomen de la parturienta. Ésta se halla tendida, con su camisón de seda carmesí levantado hasta las axilas. Quizás sea hermosa, pero sus rasgos, deformados por la angustia y los primeros dolores, no permiten juzgarlo en este momento. El lecho de bronce es alto; sus anchas tiras de cuero oloroso, que apenas unas gruesas mantas separan de los riñones de la paciente, no hacen sino acrecentar con su dureza los sufrimientos de ésta.

—Uakhaiti, ¿ha regresado el señor? —pregunta en voz baja y cansada.

—No, Lallah.[3] El señor Antipater se ha quedado en Tiberíades, al lado del Tetrarca, y hay pocas posibilidades de que esté aquí antes de que amanezca —responde la joven.

3. *Uakhaiti:* hermanita, en árabe. *Lallah:* señora, en árabe.

La mujer suspira, luego prosigue:

—Uakhaiti, toma tu laúd y cántame la canción de Débora la profetisa, el *Canto de la Victoria*. Mi madre, la reina Mariamna, lo hizo cantar cuando yo nací, pues esperaba dar a luz a un hijo, y no a una hija, como asimismo lo esperaba mi padre, el rey Herodes.[4]

Y Uakhaiti, hermana de leche de Cypros II, como indica su sobrenombre, toma su laúd y canta:

—«¡Despiértate! ¡Despiértate, Débora! Despiértate, despiértate... Y clama un canto nuevo... ¡Oh, Dios! Cuando Tú saliste de Seis, cuando Tú avanzaste por los campos de Idumea, la tierra tembló, los cielos se abrieron, y los montes se derrumbaron ante Ti... Los reyes vinieron... Combatieron... Entonces combatieron los reyes de Canaán... En Taanac, en las aguas de Meguiddo... Pero no se llevaron ningún botín y ningún dinero... El torrente de Kison los arrastró... El torrente de los viejos días... El torrente de Kison... ¡Oh alma mía! Pisotea a los héroes... Entonces los cascos de los caballos resonarán en la huida... En la huida precipitada de los guerreros...»[5]

Cuando expiran los últimos acordes del laúd, la parturienta murmura, doliente:

—¡Ojalá pudiera alumbrar a un niño! Sigue cantando, Uakhaiti... Sigue cantando la gloria futura de mi hijo...

Y Uakhaiti improvisa un nuevo canto, que evoca por adelantado las grandes hazañas del joven príncipe que, sin lugar a dudas, va a nacer. Imagina, a lo largo de los años, las expediciones nocturnas que llevará a cabo a la cabeza de sus soldados, mientras en su ciudad las mujeres pasarán la noche enfebrecidas, esperando, celosas de las violaciones cometidas por sus esposos. Ve la huida precipitada de los guerreros nabateos, en medio de los gritos de horror de los niños y de los gemidos de las parturientas, traqueteando a lomos de camellos, y las agotadoras persecuciones, de oasis en oasis. Y para concluir, el incendio del campamento enemigo.

Todo esto lo cantaba Uakhaiti con voz apacible, sin ningún gesto inútil, y una tierna sonrisa bailaba sobre sus labios cuando evocaba las futuras matanzas. Y con la misma calma que ella, las otras mujeres batían sordamente las palmas siguiendo un ritmo regular, a fin de crear el acompañamiento evocador de los tambores de combate.

Durante ese tiempo la matrona había estado muy atareada en vistas al inminente alumbramiento. Primero había atado al muslo izquierdo de la hija de Herodes el Grande la piel abandonada por una víbora del desierto durante su muda.

4. Cypros II era judía por parte de su madre, Mariamna, e idumea por parte de su padre, Herodes el Grande.
5. Jueces, 5, 1-31. Débora, profetisa, esposa de Lapidot, era entonces juez en Israel. Condujo a los guerreros de Neftalí y de Zabulón a la victoria sobre los cananeos. Ese canto de guerra perpetúa su gloria.

—Lo mismo que esta piel fue expulsada sin dolor, que esta mujer ponga en el mundo a su hijo —había murmurado en fenicio.

Después, por encima de la cabeza de Cypros, fijó en la tapicería mural un pergamino que llevaba inscrito, en hebreo arcaico, transcrito con el cálamo y la tinta rural por un *cohen* del Templo, el exorcismo tradicional contra las diablesas enemigas de las parturientas: «¡No nos atormentes, Lilith!... ¡Aléjate, Nahema!...». Pero ¿cederían las dos diosas del Abismo ante la orden de un oscuro teúrgo? ¿O se vengarían de otra manera sobre el propio niño? ¿Lo convertirían en enemigo mortal de la religión que había osado afrentarlas?

Por último, como el hijo precedente había nacido muerto, la matrona había colocado junto a la cama una olla de barro, nueva, de la que había hecho saltar cuidadosamente el fondo. Apenas saliera la criatura del vientre materno, y franqueara el umbral vaginal, se le haría pasar rápidamente por esta abertura. De esta manera habría franqueado un doble umbral, y no habría de temer franquear ya otro hasta el término normal de sus días. Así pues, se habían tomado todas las precauciones para asegurar a la hija de Herodes el Grande un alumbramiento feliz.

Pero mientras se efectuaban todos estos preparativos se habían precipitado los acontecimientos: Cypros, con los rasgos deformados por el dolor, estaba dando a luz. De su boca torcida se escapaba un gemido ininterrumpido, sus brazos estaban abiertos en un gesto patético, y con las manos arañaba sin cesar los cobertores ya manchados por las aguas amnióticas. Su tórax de pesados senos, sacudido por torsiones espasmódicas, hacía olvidar el rápido vaivén de sus muslos, tan separados como si se tratara de un descuartizamiento, y de sus rodillas, que se levantaban y bajaban sin descanso. Sus negros cabellos, pringosos de sudor graso, le cubrían medio rostro, y su boca, muy abierta, intentaba conservar el aire como en una agonía desesperada. Por fin, los riñones se arquearon bruscamente, el vientre se combó un poco más, y un clamor llenó la estancia: proyectado brutalmente a las manos de la matrona, acababa de venir al mundo un recién nacido, y ésta, haciéndolo pasar por el fondo de la olla, tiraba de él hacia sí.

Entonces aumentaron, estridentes, los gritos de alegría histérica de las sirvientas. Era un niño... A partir de ese momento se apresuraron a liberarlo del último lazo materno, aunque sin lavarle las sanies uterinas, según costumbre, ya que con estas impurezas se tenía que ahuyentar a los malos espíritus que podían penetrar en él con su primera inspiración.

—Mira, Lallah... —dijo la matrona presentándole al niño, al que sostenía desnudo frente a ella, sujetándolo por las axilas—. ¡Mira! Tu hijo lleva en el hueco entre los riñones el «signo del bandido»... Puedes estar segura de que será un temible guerrero...

Entonces la madre, a pesar de su debilidad, empezó también a lanzar exclamaciones de alegría:

—¡Saúl, hijo mío! ¡Ojalá seas más grande que todos ellos! Aretas te pagará tributo... Los brazos de tus esposas estarán cargados de brazaletes, y harás la razzia de todas las tiendas, desde Petra hasta Tophel... ¡Escuchad, mujeres! Este niño arrebatará todos los camellos a nuestros enemigos, y sobre ellos se llevará a sus mujeres y sus hijas, que dará como esclavas a sus guerreros... ¡De sus lanzas hará gavillas, y sobre esas espigas de muerte plantará sus cabezas! ¡Y con sus escudos enlosará los cementerios de nuestros padres! Tras él, las ciudades de nuestros enemigos arderán, con sus palacios y sus templos...

Luego volvió a caer sobre su manchado lecho, agotada por semejante esfuerzo. Entonces las sirvientas volvieron a Cypros sobre su costado derecho, y se dejaron caer con todo su peso sobre la cadera de ésta, una detrás de otra. Después la vendaron con una banda ancha de lino, desde debajo de los senos hasta el pubis, apretando con todas sus fuerzas.

Durante ese tiempo, la matrona había estado aplicando un fuerte masaje al cráneo del bebé, a su rostro, apretándole la nariz y estirándole los labios, sin prestar atención a sus gritos. A continuación, tal como se había hecho con la madre, lo inmovilizó estrechamente, como a una momia egipcia, desde los pies hasta la garganta, manteniéndole los bracitos pegados a lo largo del cuerpo con ayuda de una venda ancha de lino. Por último, tras haber extraído por succión algunas gotas de leche del seno izquierdo de Cypros, lo colocó junto a ella, para su primera mamada, y se fue, acabada su función. Las sirvientas se sentaron de nuevo sobre sus talones, en silencio.

—¿Así que le llamarás Saúl, Lallah? —preguntó tímidamente Uakhaiti.

—Sí —respondió la herodiana, fatigada—. Porque es un viejo nombre de Idumea, y es deseo del señor Antipater que se llame así. Entre los reyes que reinaron sobre el país de Edom[6] mucho antes de que los hubiera entre los hijos de Israel, dicen nuestras crónicas que Saúl, de Rejobot, junto al río, reinó después de Semla, y que cuando murió, Baaljamán, hijo de Acbor, reinó en su lugar.[7] Además, ese nombre significa «deseado», y sólo el Señor de los Cielos[8] sabe cuánto he deseado yo a este hijo...

—Ese nombre significa también «tumulto», Lallah... —prosiguió Uakhaiti—, de manera que los deseos que has formulado ahora para tu hijo probablemente le serán concedidos por los dioses...

Luego bajó la voz y murmuró algunas palabras al oído de Cypros.

—Hazla pasar —dijo ésta con un suspiro.

Algunos instantes más tarde, una mujer de edad indefinible vesti-

6. Edom era el antiguo nombre de Idumea, el reino de Esaú, hermano gemelo de Jacob.
7. Génesis, 36, 36-38.
8. Traducción del nombre de *Baal-Samín*, dios supremo de los idumeos y de los nabateos.

da de negro, con el rostro medio velado, penetraba en la habitación. Tras inclinarse respetuosamente ante el lecho de la herodiana, sacó de una bolsa que llevaba una escudilla de tierra cocida, llena de una espesa capa de brea solidificada. Luego lanzó sobre las brasas de la cazoleta de bronce un grueso puñado de un perfume compuesto por *kussubra*, *luben*, *djaui* y *helbênah*,[9] y a continuación pasó y volvió a pasar lentamente el plato de barro por el aromático humo, mientras canturreaba a media voz una monótona salmodia. Después regresó junto a la cama, se acurrucó sobre los talones, tomó la mano izquierda de Cypros, que seguía amamantando al recién nacido, y se concentró en la superficie negra y brillante, sin dejar de canturrear su encantamiento. De pronto, se calló.

Su rostro se había crispado, los ojos estaban dilatados, su mano apretaba más convulsivamente que antes la mano de la herodiana. Esta mujer era fenicia, y la habían hecho venir en secreto desde Ptolemaida, la antigua Akka, (hoy Acre), porque las adivinas corrían peligro de ser condenadas a muerte en tierras de Israel. Pero ante la suma prometida, había cedido, y Uakhaiti, escoltada por dos guardias sirios, había ido a buscarla varios días antes.

Con voz ronca, cambiada, una voz que parecía pertenecer a un ser interior e invisible, Orpa, la adivina, habló:

—Este niño tomará las armas muy joven... Lo veo cabalgar con guerreros siendo todavía un niño... No conoce derrotas... ¡Cuántos cautivos! ¡Cuántos cautivos! Cuánta sangre y lágrimas hará derramar... Pero una mujer se cruza en su camino, una joven... Le corta el camino... Él pierde su fortuna con los dioses... Su gloria se borra por un tiempo... Ahora es él el perseguido, el vencido... Se diría que las puertas se cierran ante él... No obstante, atraviesa los mares... Y conoce de nuevo el poder. Lo veo al lado de un gran príncipe... En una ciudad inmensa... Y allí trata con poderosos señores... Lleva a cabo una guerra secreta... Y veo arder esa gran ciudad... Y son los hombres de tu hijo quienes la han incendiado.

Se calló repentinamente, como horrorizada.

—¡Habla! —ordenó Cypros—. ¿Qué más ves?

—Nada, Lallah... —dijo prudentemente la mujer—. Las llamas me deslumbran, no veo nada más... Cuánto fuego... Más fuego todavía... Veo arder a los hombres...

—Pero ¿y mi hijo? —preguntó Cypros—. ¿Qué ha sido de él?

—Huye... Se embarca a bordo de una nave... Va a ocultarse muy lejos de la gran ciudad... Está salvado...

Cypros había palidecido, y un rictus implacable crispaba sus labios.

—Uakhaiti, llama a Demetrios —ordenó.

Uakhaiti tomó un mazo de madera de ébano depositado delante de un gong de cobre ricamente trabajado y lo hizo resonar por cuatro veces

9. *Kussubra*: coriandro; *luben*: incienso macho; *djaui*: benjuí; *helbênah*: gálbano.

consecutivas. Un breve instante más tarde, el griego aparecía a la puerta de la terraza, acompañado por dos guardianes.

—Uakhaiti, dile que ordene propinarle cincuenta latigazos a esta maldita, por haber osado decir que mi hijo acabaría como un cobarde... Después, que la conduzca a Jerusalén, al *cohen-ha-gadol*,[10] quien seguro que obtendrá del procurador Valerius Gratus el permiso para ejecutarla por bruja...

Pero cuando los mercenarios sirios la apresaban, a pesar de su resistencia, e intentaban arrancarla fuera de la estancia, la mujer, espumeando de rabia, todavía halló la posibilidad de escupir en dirección a Cypros, y gritó:

—¡No te lo he dicho todo! A tu hijo le cortarán la cabeza en la ciudad que habrá hecho incendiar... Y tirarán su carroña al osario legal...

Cypros iba a responder, sin duda con órdenes todavía más despiadadas, cuando de pronto, en los grandes cipreses que había allí cerca, un ave nocturna ululó tres veces. Pálidas de miedo, las sirvientas se habían levantado, y Uakhaiti se lanzó a los pies del lecho de la herodiana, murmurando:

—¡Lallah! ¡Por todos los dioses! Ten piedad de tu hijo... No agraves ese presagio... No irrites a los *baalim*...

Muda, desesperada, la herodiana no la oía; contemplaba fijamente al niño, que, en su seno, se había dormido al fin.

10. *Cohen-ha-gadol*, en hebreo: sumo sacerdote.

Primera parte

El gran sueño de Saulo-Pablo

Las ensoñaciones engendran la vanidad...

Eclesiastés, 5, 6

1

Pablo, el apóstol tricéfalo

Las leyendas de los narradores del tiempo pasado son
lecciones para el hombre de hoy.

Las mil y una noches, Introducción

Del estudio atento de los Hechos de los Apóstoles, de las Epístolas de Pablo, de los diversos apócrifos atribuidos a él, así como de las *Homilías Clementinas*, las *Antigüedades judaicas* y la *Guerra de los judíos*, de Flavio Josefo, en resumen, de todos los textos antiguos que nos han llegado sobre él, se desprende finalmente una conclusión, muy desconsoladora para los creyentes a quienes se les va a presentar, y es que el Pablo del Nuevo Testamento es un personaje epónimo, en el que los escribas anónimos de los siglos IV y V fundieron y amalgamaron literalmente palabras y acontecimientos pertenecientes a, por lo menos, tres personajes diferentes, dos de los cuales fueron imaginados a su antojo, y sólo uno de ellos fue real.

En la época en que, por orden de Constantino, y bajo la vigilancia de altas autoridades de la Iglesia, como Eusebio de Cesarea, se unificaban los textos evangélicos, que cuando eran «conformes» se copiaban de nuevo en series de cincuenta ejemplares[1] y a continuación eran enviados a todas las iglesias del Imperio (sin omitir la confiscación de los antiguos textos, a los que éstos habían reemplazado), literalmente se «creó» a *Cristo*, dios encarnado para la salvación de los hombres.

Sin embargo, para dar un valor inatacable a esta creación y poder justificarla, no podían utilizarse los «testimonios apostólicos» habituales. De manera que se fabricó un personaje nuevo, mediante la fusión de tres personajes antiguos. Los textos y los documentos de los que

---

1. *Cincuenta* es el número de Pentecostés (*pentékostés*). Es decir, del·Espíritu Santo. Nuestros falsificadores carecían de complejos...

éstos eran, indiscutiblemente, los autores fueron refundidos y recompuestos. Y como eran anteriores a los nuevos evangelios «canónicos», aportaban a este personaje imaginario un reflejo de autenticidad histórica. En esa época, y a lo largo de todos esos siglos, la mano de hierro de los poderes temporales bajo las órdenes de la Iglesia, *perinde ac cadaver*, se hallaba siempre dispuesta a silenciar definitivamente a todo investigador mal pensante.

Por eso es por lo que monseñor Ricciotti puede decirnos, con toda lealtad, en su *Saint Paul, apôtre*:

a) «Las fuentes que permiten reconstruir la vida de san Pablo se hallan en su integridad en el Nuevo Testamento; fuera de éste no se encuentra prácticamente *nada*. Los elementos que pueden descubrirse en algunos otros documentos no sólo son muy poco numerosos sino, además, extremadamente dudosos.» (p. 90).

b) «El año de nacimiento de Pablo no se desprende de ningún documento...» (p. 149).

c) «En cuanto al año del martirio de Pablo, los testimonios antiguos son vagos y poco concordantes [...] No se sabe nada respecto al día de su muerte...» (p. 671).

También el abad Loisy, sin negar formalmente la existencia histórica del personaje, concluyó que no puede saberse nada válido sobre él. Bruno Bauer y una buena parte de la escuela exegética holandesa van más lejos, y concluyen que se trataba de un personaje imaginario o epónimo.

Nosotros, por nuestra parte, nos contentaremos con quedarnos con el hombre que nos presenta el texto de los Hechos de los Apóstoles, y pasarlo por el cedazo de las verificaciones racionales, dejando a las diversas Iglesias la responsabilidad de la impostura histórica, bien sea total o parcial, si es que la hay.

Para empezar, pues, nos permitiremos plantear un cierto número de cuestiones.

Si Saulo-Pablo es judío, y según los historiadores católicos, nacido «en los primeros años de la era cristiana, *si no un poco antes incluso...*» (cf. monseñor Ricciotti, *Saint Paul, apôtre*, p. 149), cuenta aproximadamente unos treinta y cinco años de edad cuando se produce la muerte del diácono Esteban, en el año 36 de nuestra era. Entonces se concibe perfectamente que pudiera:

a) encontrarse al mando de un cuerpo de policía (Hechos de los Apóstoles, 8, 3, y 9, 1);

b) obtener del pontífice de Israel, en este caso Gamaliel, una orden que le permitiera operar lejos de Jerusalén en misión de búsqueda de cristianos (el problema sobre si esta acción era o no lícita será discutido en otro lugar);

c) haber aprobado la condena y ejecución de Esteban, en virtud de su edad y su función (Hechos de los Apóstoles, 8, 1, y 22, 20).

Pero entonces, en el curso de esta ejecución, no puede lógicamente ver reducido su papel al de un simple joven judío a quien tan sólo se le confía la guardia de las vestiduras de los encargados de la lapidación. Porque *si es judío*, y de unos treinta y cinco años de edad, hace mucho que tiene la mayoría de edad religiosa y civil en Israel, y por lo tanto *debè* participar, *legalmente*, en la lapidación, ya que *se encuentra en el lugar* (Deuteronomio, 17, 7). Para él es obligatorio.

En caso negativo, *es que no es judío*, sino idumeo, como demostraremos más adelante.

Por otra parte, si en el año 36 está al mando de un cuerpo especial de policía a las órdenes del Sanedrín y del pontífice, y si ya cuenta unos treinta y cinco años de edad, probablemente ejerció ya dicha profesión en los años 34 y 35, cuando tuvo lugar la detención de Jesús en el monte de los Olivos. Y en este caso, debió de ser inevitablemente él quien se hallaba al mando del destacamento de soldados que acompañó a la cohorte de los veteranos y al tribuno que la dirigía durante el combate final, tras la ocupación del dominio de Ierahmeel, donde se había atrincherado Jesús.[2] *Por lo tanto, conocía a este último, participó en su captura y le corresponde parte de la responsabilidad de su muerte.* Y él, o bien Lucas, su «secretario», o el escriba anónimo autor de los Hechos de los Apóstoles, mintió al hacer creer que no lo había visto antes... Es más, en este caso incluso debió de proporcionar el cuerpo de guardia que habría reclamado el Sanedrín para la vigilancia de la tumba de Jesús, y que fue incapaz de asegurarla. Así pues, Saulo-Pablo no ignoraba que el cadáver había sido robado, hecho cuya prueba aportamos ya en la obra citada.

Además, el nacimiento de Pablo «en los primeros años de la era cristiana, *si no un poco antes incluso...*», implicaría una mentira más por parte del autor de los Hechos, a saber, que no es posible que Saulo-Pablo hubiera sido *criado con Menahem y Herodes el Tetrarca*, como declara el texto de los Hechos (13, 1),[3] ya que dicho Herodes Agripa II nació en el año 27 de nuestra era, y murió en Roma en el año 100. Y en el año 27 *Saulo-Pablo tendría ya veintisiete años...*

Si ahora analizamos cuidadosamente las Epístolas llamadas «paulinas», de ellas se desprenden dos facetas diferentes respecto a su autor:

— una de ellas nos sitúa en presencia de un *helenista*, de un *prosélito* de la Diáspora, que es ciudadano romano, habla y escribe en griego, y se muestra como un implacable adversario de los tabúes legales del judaísmo, en especial de la circuncisión; se llama Pablo, *en griego Paulos*;

— la otra cara es la de un judío piadoso y de buena raza, proceden-

---

2. Cf. R. AMBELAIN, *Jesús o el secreto mortal de los templarios*, ya citada, p. 239.
3. *Op. cit.*, pág. 302, para la justificación y la exégesis de dicho pasaje. Ese versículo es muy importante.

te de la tribu de Benjamín (antaño una de las dos tribus militares de Israel), y que se llama Saulo, *en griego Saulos*.[4]

Cada uno de estos dos hombres tiene su doctrina. El primero, formado por la cultura griega, ve a Cristo como un ser divino, descendido a través de los «cielos» intermedios adoptando forma humana, muerto en la cruz, resucitado *en espíritu* para asegurar la victoria del Espíritu (*pneuma*) sobre la Materia (*hylee*), y así aportar a los hombres su liberación espiritual, lejos de la servidumbre de «poderes» intermedios e inferiores.

En el segundo se traslucen las tradiciones nazarenas y ebionitas; ve en Jesús a un hombre de carne y hueso, nacido de una mujer de la estirpe de David, sometido a la Ley, muerto en la cruz, resucitado *en carne*, y luego deificado.

El «tercer hombre» será un mago, y nos lo presentan como Simón el Mago.

Tenemos aquí a tres personajes y tres doctrinas absolutamente contradictorias. Vamos, pues, a abrir el expediente de esta investigación sobre «san Pablo, apóstol de los gentiles». Y prevenimos de antemano al lector de que va a ir de sorpresa en sorpresa, tal y como ya sucedió también en el anterior volumen, ya citado, en lo referente a Jesús. Porque van a formularse numerosos interrogantes.

Fue, efectivamente, formulándose preguntas sobre la identidad de Epafras, compañero de cautiverio de Pablo (Epístola a Filemón, 23), como san Jerónimo nos aportó lo que él llama la «fábula» (*sic*) del nacimiento de Pablo, entonces Saulo, en Giscala, en la alta Galilea, y no en Judea: «¿Quién es Epafras, el compañero de cautiverio de Pablo? [...] Nosotros hemos recogido la siguiente fábula [*fabula*]: Se dice que los padres del apóstol Pablo eran de Giscala, en Judea, y cuando la provincia fue devastada enteramente por el ejército romano, y los judíos se dispersaron por todo el universo, fueron transferidos a Tarso, en Cilicia. Pablo, entonces todavía un joven [*adolescentem*], siguió la suerte de sus padres». (Cf. Jerónimo, *Comentarios sobre la Epístola a los Filipenses*, XXIII - M. L. XXVI, 617-643.)

Primera cuestión: La deportación de los habitantes de Giscala tuvo lugar durante la represión llevada a cabo por Varus (quien crucificó a dos mil prisioneros judíos en las colinas de los alrededores de Jerusalén), es decir en los años 6 al 4 *antes* de nuestra era. Ahora bien, se nos dice que en aquella época Pablo era todavía un joven (*adolescentem*). Así pues, habría nacido hacia el año 21 antes de nuestra era, y contaría alrededor de quince años cuando se produjeron esos acontecimientos. Esto parece difícilmente compatible con la cronología clásica, ya que en este caso habría contado 57 años cuando se produjo la lapidación de

---

4. Hay que señalar que, cuando Pablo habla de su raza, de su nación, no dice «nosotros» ni «los nuestros», sino «los judíos». Y esta expresión despectiva es la prueba de que no era israelita de órigen.

Esteban, en el año 36 de nuestra era. Y entonces, ¿cómo pueden decir los Hechos de los Apóstoles: «Y los testigos depositaron sus mantos a los pies de un joven llamado Saulo» (Hechos, 7, 58), si ese «joven» tenía 57 años? Además, en este caso habría muerto a los 88 años (en el 67 de nuestra era), cosa difícilmente compatible con su actividad y sus numerosos viajes. Continuemos.

Más adelante, en ese mismo capítulo, san Jerónimo vuelve a las palabras de Pablo, y las comenta *in extenso*: «Soy hebreo, de la *descendencia de Abraham*, circunciso del octavo día, *del linaje de Israel*, de la tribu de Benjamín, hebreo hijo de hebreos y fariseo...». (Cf. II. Corintios, 11, 22, y Filipenses, 3, 5). Y Jerónimo observa finalmente: «*Magis judeum quam Tarsensem...*», es decir: «Todo esto demuestra que era más judío que tarsiota».

Segunda cuestión: ¿Por qué Pablo experimenta la necesidad de precisar que, «de la descendencia de Abraham», él es «del linaje de Israel»? Porque si, ya en aquella época (siglos IV y V), en ciertas esferas eruditas se sabía que él tenía orígenes *idumeos, y que fue príncipe, de la casa de los Herodes*, los escribas anónimos que pusieron las palabras en su boca quisieron a toda costa echar tierra sobre el asunto.

En efecto, en este caso habría sido también «de la descendencia de Abraham», pero por la línea de Ismael, el primer hijo de Abraham, tenido por su esclava Agar, sirvienta de su estéril esposa, Sara, y que fue el tronco de la nación árabe. Y entonces no sería judío, y no podían atreverse a insinuar que Jesús hubiera tomado como decimotercer apóstol a un no judío. Así que el escriba anónimo que «arregla» el texto primitivo de los Hechos en el siglo IV o V también se empeña a toda costa en hacer desaparecer esa molesta verdad. De ahí la anormal insistencia sobre el carácter hebreo de Pablo, precisión repetida en tres ocasiones, y subrayada además por la indicación de la tribu y la secta.

Continuemos, y observemos que, acto seguido, san Jerónimo se mostrará mucho más categórico en lo referente al nacimiento en Giscala: «El apóstol Pablo,[5] llamado antes Saulo, debe contarse aparte de los doce apóstoles. Era de la tribu de Benjamín *y de la ciudad de Giscala*, en Judea. Cuando ésta fue tomada por los romanos, emigró con sus padres a Tarso, en Cilicia, y luego fue enviado por ellos a Jerusalén, para que estudiara allí la Ley, y fue instruido por Gamaliel, hombre muy sabio, al que Lucas recuerda». (Cf. Jerónimo, *De viris illustribus*, M. L. XXIII, 615-646.)

Tercera cuestión: Jerónimo nos ha precisado más arriba que la población de Giscala fue deportada a Cilicia, y los padres de Pablo, con su hijo todavía adolescente, a Tarso, más concretamente. Ahora bien,

---

5. «Hay que entender el término *apóstol* en el sentido que tenía en el judaísmo, antes de adoptar un sentido cristiano. Para los judíos, un apóstol era un enviado del Sanedrín de Jerusalén, encargado de percibir el impuesto del Templo en las sinagogas de la Dispersión, y de ejercer un control sobre su ortodoxia.» (Cf. ROBERT SAHL, *Les Mandéens et les origines chrétiennes*, p. 135.)

la *deportación colectiva* de la población de una ciudad o de un pueblo, a consecuencia de una represión romana y (generalmente) por haber prestado ayuda o abastecido a guerrilleros zelotes, los convertía en *esclavos*. Pero éstos no eran necesariamente vendidos por separado a particulares, sino que, en el caso de una deportación colectiva a un lugar concreto, se convertían en «*esclavos del César*», es decir del Imperio. Los siervos de la Edad Media, los de la Rusia zarista hasta finales del siglo XIX, ligados a una tierra, sujetos a servicios e impuestos «a voluntad», casados según antojo de la autoridad tutelar, al igual que los deportados a Siberia, reproducen bastante bien ese carácter de «*esclavos del César*».

Pero *todo hijo de esclavos era a su vez esclavo*, de manera que ¿cómo pudo Pablo, entonces Saulo, abandonar *libremente* su ciudad de *residencia obligatoria*, para ir a instalarse a Jerusalén, «a los pies de Gamaliel» (Hechos, 22, 3), en calidad de estudiante? Es difícil imaginar a los romanos, de por sí recelosos e inclinados al castigo fácil, tolerando semejantes fantasías por parte de los deportados.

Cuando Pompeyo hubo vencido al último rey de la dinastía asmonea, Aristóbulo, y lo hubo hecho degollar según costumbre al final de su «desfile de la victoria» en Roma, gran número de prisioneros judíos de los que figuraban en el cortejo fueron convertidos en esclavos: «Los hijos y las hijas de Israel viven allí en un cautiverio horrible. Su cuello muestra *la incisión*, marca distintiva en el seno de las naciones». (Cf. *Salmos de Salomón*, II, 6).[6] Esta «incisión», que sustituía al collarín de hierro de antaño, el cual obstaculizaba la labor del esclavo, la efectuaban con un hierro candente; iba del lado izquierdo del cuello al derecho, y era más acentuada en la nuca, de donde el segundo nombre por el que era conocida: «yugo». Constituía el «signo del esclavo». Los rituales católicos hablan todavía del *yugo de Cristo*, que sería «suave y ligero», ya que en los primeros siglos se hablaba de los «esclavos de Cristo». (Cf. *Confesión de san Cipriano*, 16.)

Por otra parte, cuando el escriba anónimo hace decir a Saulo-Pablo que tiene la *civitas romana* por su nacimiento (Hechos de los Apóstoles, 22, 28), comete un nuevo error. Porque ignora que el emperador Augusto precedentemente había prohibido conferir este privilegio a un liberto (y por lo tanto menos todavía a un esclavo) *que hubiera llevado cadenas*: «En lo que concierne a los esclavos, no contento con haber multiplicado los obstáculos para tenerlos apartados de la *libertad simple*, y mucho más aún de la *libertad completa*,[7] al determinar con minuciosidad el número, la situación y las diferentes categorías de aquellos que podían ser manumitidos, añadió todavía que *jamás ningún género de libertad podría conferir la calidad de ciudadano a un*

---

6. Los *Salmos de Salomón* son de finales del siglo I antes de nuestra era, de autores desconocidos.
7. *Infra*, p. 31.

esclavo que hubiera estado encadenado o sometido a la tortura». (Cf. Suetonio, *Vida de los doce Césares: Augusto*, XL.)

Ahora bien, todo deportado llevaba cadenas durante su traslado (Flavio Josefo, en su *Guerra de los judíos*, III, V, precisa que, efectivamente, en el equipo reglamentario de todo soldado romano figuraba un juego de cadenas). Por consiguiente, si los padres de Saulo-Pablo, e incluso él mismo, fueron deportados de Giscala, en Galilea, a Tarso, en Cilicia, llevaron los *vincula* romanos durante un viaje de más de cuatrocientos kilómetros, efectuado evidentemente a pie. ¡Y por lo tanto es de lo más dudoso que los convirtieran en *civis romanus* a su llegada!

Cuarta cuestión: Admitiendo que Pablo hubiera obtenido, con el tiempo, los recursos financieros y la asistencia privada (la indispensable protección administrativa) que le permitieran convertirse en *liberto*, ¿cómo pudo acabar *decapitado*, como un ciudadano romano, después de haber sido condenado a muerte en el año 67 en Roma? Porque los *libertos*,[8] por el mismo hecho de su condena a muerte, perdían esta calidad, y *al volver a convertirse en esclavos*, eran crucificados. Así pues, si Pablo pudo convertirse en *liberto*, no murió por la espada sino, según los términos de la ley romana, crucificado. Pero si realmente fue decapitado, eso significa que jamás fue deportado a Tarso, y que no descendía de deportados. Y entonces se plantea el problema de sus *verdaderos orígenes*, y también el porqué de ese enmascaramiento por parte de los escribas anónimos del siglo IV.

Los *libertos* ordinarios culpables de un crimen volvían a caer en la esclavitud, y entonces eran sometidos a los castigos reservados a los *esclavos*. Existían dos categorías de *libertos*:

a) aquellos a los que su amo había hecho liberar por la *vindicta*, es decir delante de un pretor o un procónsul, quien tocaba entonces al esclavo al que había que manumitir con una varilla denominada *vindicta*. Éstos quedaban realmente liberados;

b) los que no habían sido liberados sino por la simple decisión de su dueño, que quedaban entonces sujetos por un último nexo jurídico a la esclavitud.

Se trata de sutilezas de la ley romana que nos aporta Tácito en sus *Anales*, XIII, xxvii y xxxii).

Y, en efecto, contrariamente a lo que se afirma a menudo, ¡*el liberto* no gozaba *ipso facto* de la ciudadanía romana! ¿Cómo vamos a creer que un esclavo oscuro e iletrado, liberado por un acto de reconocimiento o por pura benevolencia por parte de su amo, se convertía en *ciudadano romano*, mientras que príncipes extranjeros, vasallos de Roma, no lo eran?

Además, el *civis romanus* no podía ser ni apaleado, ni azotado, ni crucificado, ni sometido a esclavitud. La *lex Valeria* del año 509 antes

8. Se trata aquí de libertos ordinarios, *que no son ciudadanos romanos.*

de nuestra era prohibía ya golpear a un ciudadano romano sin una decisión popular previa y decisiva, y la *lex Porcia*, del año 248 también antes de Cristo, no permitía usar los azotes en ningún caso.

Ahora bien, los *libertos* corrientes condenados a muerte eran *crucificados*, porque recaían en la esclavitud por el mismo hecho de haber sido condenados. Tácito nos lo cuenta en sus *Anales* (XIII, xxvi): su manumisión era siempre condicional, y el amo ofendido por uno de ellos tenía siempre el derecho legal de relegarlo «más allá de la centésima milla, en las orillas de la Campania». Por otra parte, *nos relata casos de crucifixión de libertos*.[9] Nada de todo ello habría podido aplicárseles si la manumisión inicial hubiera implicado la ciudadanía romana; es perfectamente evidente. Pero si uno de ellos, además de su liberación de la esclavitud, se beneficiaba ulteriormente de dicho privilegio, como los libertos célebres, los Narcisos y los Palantes, entonces gozaba de éste con todas las ventajas secundarias enumeradas arriba.

Por consiguiente, admitiendo que el padre de Saulo-Pablo, o que él mismo, hubiera tenido la suerte de pasar de *«esclavo de César»* deportado a Tarso a hombre libre, ello no significa que fuera ciudadano romano.

De modo que si Pablo fue realmente de Tarso, en Cilicia, y en este caso, antiguo deportado y esclavo, hijo de deportados y esclavos, no pudo ser decapitado, sino lisa y llanamente crucificado.

Según la ley romana, el hijo seguía la suerte del «vientre que le había llevado». Así pues, el hijo de una mujer libre y de un esclavo *nacía libre*. El hijo de un hombre libre y de una esclava *nacía esclavo*.[10]

Este principio imprescriptible del derecho romano condicionó, como se ve, la suerte de Pablo.

Quinta cuestión: Admitiendo que Pablo se hubiera convertido a lo sumo en un liberto, ¿cuándo y cómo pudo llegar a ser *ciudadano romano*, título del que el Pablo de los Hechos está no poco orgulloso, si damos crédito a sus anónimos redactores? Voltaire, quien poseía una gran erudición, nos dice lo siguiente a este respecto: «¿Era Pablo ciudadano romano, como él presume? Si procedía de Tarsis, en Cilicia, ¡Tarsis no fue *colonia romana* hasta cien años más tarde! Todos los expertos en historia antigua están de acuerdo en este punto. Si era de la pequeña ciudad o aldea de Giscala, como creyó san Jerónimo, esta ciudad se hallaba en Galilea, ¡y seguro que los galileos no eran ciudadanos romanos!...» (Cf. Voltaire, *Diccionario Filosófico*, voz «Pablo».)

Porque esta deportación, verdadero *cautiverio localizado*, la atestigua todavía Focio, sabio exégeta del siglo IX, que fue patriarca de Cons-

---

9. Cf. TÁCITO, *Anales*, XIII, xxxii. En caso de asesinato del amo por parte de sus esclavos, *todos los esclavos y todos los libertos eran crucificados*.

10. No obstante, la *lex Minucia* estipulaba que el hijo de una romana y de un extranjero (*peregrinus*) seguía la condición de su padre. Sin duda cuando la concepción y el nacimiento habían tenido lugar en el extranjero.

tantinopla: «Pablo [...] por sus antepasados carnales, tenía como patria Giscala (actualmente es una aldea de Judea, pero antaño fue una pequeña ciudad) [...] Cuando tuvo lugar la conquista romana, sus padres, al igual que la mayoría de los restantes habitantes, *fueron conducidos en cautividad* a Tarso». (Cf. Focio, *Ad amphilocium*, CXVI.)

Observemos, de pasada, que los autores antiguos situaban Giscala en Judea, ya que confundían a ésta con Palestina en general. En realidad, Giscala se encontraba en la alta Galilea.

Por último, Epífano, refutando la tesis de los *ebionitas* (una de las primeras sectas judeo-cristianas, junto con los *nazarenos*), quienes afirmaban que «el hombre de Tarso (*sic*) no era judío de origen, sino hijo de prosélitos», nos dice que: «El apóstol Pablo, aunque nacido en Tarso, no era en modo alguno ajeno a la raza judía». (Cf. Epífano, *Contra Haereses, Panarion*, XXX.)

Aquí Epífano llega muy lejos, como veremos a continuación. Ya el simple hecho de reconocer que había nacido en Tarso era hacer de él un judío de la *Diáspora*.

Sexta cuestión: Los Hechos de los Apóstoles nos dicen que la conversión de Saulo-Pablo tuvo lugar *en el camino que llevaba de Jerusalén a Damasco*: «Saulo, respirando todavía amenazas de muerte contra los discípulos del Señor, se llegó al *sumo sacerdote* pidiéndole cartas de recomendación para las sinagogas de Damasco, a fin de que, si allí hallaba quienes siguiesen este camino, hombres o mujeres, los llevase atados a Jerusalén.

»*Cuando estaba de camino, sucedió que, al acercarse a Damasco,* se vio de repente rodeado de una luz fulgurante del cielo; y al caer a tierra oyó una voz que decía: "Saulo, Saulo, ¿por qué me persigues?". Él contestó: "¿Quién eres, Señor?".» (Hechos, 9, 1-5.)

Tomemos ahora la *Confesión de san Cipriano*. Cipriano, obispo de Cartago, muerto en el año 240 durante la persecución de Decio (fue decapitado), fue objeto a finales del siglo IV de un panegírico, redactado en forma de trilogía: *Conversión, Confesión, Martirio*. Veamos lo que leemos en la *Confesión*: «Entonces Eusebio dijo: "El apóstol de Cristo llamado Pablo *sin duda no fue un mago*",[11] pero se contó también entre los más ardientes perseguidores de los esclavos de Cristo. Había *consentido*[12] en la muerte de Esteban. Además, con órdenes escritas del *gobernador*, expulsó de su país y de todo el territorio de la ciudad a aquellos que, en Damasco, adoraban a Cristo. *Pero se convirtió* y pasó a ser su instrumento de elección, como él mismo confesó: "He obtenido la misericordia de Cristo porque yo había obrado por ignorancia". Y en los Hechos de los Apóstoles está escrito que muchos de aquellos que habían practicado las malas artes, después

---

11. Observemos esa negación, es importante, y tendremos que volver a tratar sobre ella.

12. Tengamos también en cuenta este término, por la misma razón.

de quemar sus libros de magia, se entregaron a Cristo». (Cf. Cipriano, *Confesión*, 16.)

Esta nueva alusión a las *artes mágicas* es muy importante: volveremos a ella cuando tratemos el problema de *Simón de Samaria* y *Saulo-Pablo*, ambos adversarios de *Simón-Pedro*. Porque no deja de ser extraño que Cipriano y después Eusebio hubieran relacionado discretamente a Saulo con la magia...

Por otra parte, en los Hechos de los Apóstoles hemos leído que era el sumo sacerdote quien había entregado a Pablo las cartas para su misión. En la *Confesión* quien lo hace es el gobernador, y este término, en los textos del Nuevo Testamento, es sinónimo de procurador. La diferencia es importante, pues permite precisar la autoridad judicial de la que dependía realmente Pablo. En los Hechos es el judaísmo. En la *Confesión* es la de los ocupantes romanos. ¿Cómo explicar esta diferencia? ¿Es Pablo el jefe de una policía «paralela» al servicio de Roma, o está al mando, como *estratega* del Templo, de los elementos de la milicia levítica?

Séptima cuestión: Además, en los Hechos la conversión se produce «en el camino de Damasco». (La expresión ha permanecido como sinónima de conversión en general.) Y en la *Confesión* tiene lugar mucho después de la operación policiaca montada, dirigida y ejecutada por Pablo.

Ahora bien, el texto de la citada *Confesión* fue redactado hacia 360-370, aunque los manuscritos que han llegado hasta nosotros son muy posteriores. Y ese texto cita los Hechos de los Apóstoles, ya lo hemos visto; por lo tanto, éstos existían ya en aquella época. Pero ¿cómo explicar esta diferencia considerable en el relato de la conversión de Pablo? ¿Fue Pablo objeto de esa extraordinaria «audición» antes de penetrar en la ciudad de Damasco para efectuar allí una redada de cristianos, o su conversión fue posterior a dicha operación?

La respuesta es fácil. En los años 360-370, época de la redacción de la *Confesión*, existe ya una versión de los Hechos de los Apóstoles en manos de las comunidades cristianas. Pero es muy diferente de la nuestra de hoy, ya que los escribas anónimos de los siglos IV y V todavía no habían practicado sus innumerables apaños. En cuanto al pasaje de la *Confesión de san Cipriano* citado antes, es de suponer que debía de ser conforme con el correspondiente de los Hechos de los Apóstoles de la época, ya que, al estar muy difundida y ser muy apreciada en las Iglesias orientales, si hubiera contradicho a los Hechos, la *Confesión* no habría sido tolerada por los obispos de estas Iglesias.

Octava cuestión: Ahora le toca el turno al problema referente a la naturaleza de las relaciones de Pablo con los grandes de su mundo, y sobre todo al de su ciudadanía romana.

Si era un oscuro judío, hijo de deportados que habían pasado a ser esclavos del Imperio, y esclavo también él mismo, al menos durante un tiempo (suponiendo su ulterior manumisión), ¿cómo reconocerle la calidad de *ciudadano romano*, calidad que deja estupefacto al tribuno de las cohortes Claudio Lisias, gobernador de la ciudadela *Antonia*, en Jerusalén?: «El tribuno se le acercó y dijo: "Dime, ¿tú eres romano?". Él respondió: "Sí". Añadió el tribuno: "¡Pero si a mí me costó una fuerte suma adquirir esta ciudadanía!". Pablo replicó: "Yo la poseo de nacimiento"». (Hechos, 22, 27-28.)

Teniendo en cuenta lo que hemos visto precedentemente (y por el momento), aquí alguien miente. O bien es Pablo, o bien el escriba anónimo que redactó ese pasaje de los Hechos. Porque si Pablo es realmente ciudadano romano, comprenderemos con facilidad lo que pronto seguirá, y ese privilegio se explicará como corolario del verdadero origen de Pablo. *Pero si es simplemente un oscuro judío, todo lo que seguirá será mendaz*, ya que, en esta hipótesis, no hay ninguna plausibilidad en esos episodios de la vida de nuestro personaje.

En materia de herencia, la ley romana exigía la *búsqueda* de la condición del difunto: si era hombre libre, liberto o esclavo; y en ello se tardaba un período de tiempo bastante largo. Calístrato parece decir que se trataba de un plazo de unos cinco años. *Porque el esclavo no heredaba de sus progenitores*. Pablo, deportado y por lo tanto esclavo, hijo de deportados esclavos, ¡no podía en modo alguno heredar de sus padres la calidad de ciudadano romano que ellos mismos no podían poseer! Este plazo de investigación sobre los orígenes de un difunto fue reducido por Tito después del año 80 de nuestra era. (Cf. Suetonio, *Vida de los doce Césares: Tito*, VIII.) En la época de Pablo era todavía muy largo, lo que subraya la importancia de la conclusión legal en materia de herencia.

NOTA: Giscala se llama en la actualidad Gush Halav (en árabe: El-Ysch). Está situada a unos cuatro kilómetros, aproximadamente, de la frontera del Líbano, al noroeste del lago Tiberíades, *y en Galilea*.

2

Los extraños protectores de Pablo

En la adversidad de nuestros mejores amigos encontramos algo que no nos desagrada.

LA ROCHEFOUCAULD, *Maximes*

En los Hechos de los Apóstoles leemos lo siguiente: «Había en la iglesia de Antioquía profetas y doctores. Entre ellos estaban Bernabé y Simeón, llamado Niger,[13] Lucio de Cirene, Menahem, hermano de leche del tetrarca Herodes, y Saulo». (Hechos, 13, 1.)

Este Menahem es de línea davídica y real. Es nieto de Judas de Gamala, bisnieto de Ezequías, sobrino de Jesús, nieto de María, primo del difunto Judas Iscariote, de triste memoria.[14] Es él quien levantará al estandarte de una nueva rebelión judía en el año 64, bajo el procurador Gessio Floro. Ahora bien, en los manuscritos antiguos no hay ni mayúsculas ni minúsculas, no hay puntos y aparte, no hay ninguna puntuación. Nuestras divisiones en capítulos y en versículos son desconocidas. Es decir, que el redactor antiguo está obligado a componer su frase de tal forma que no subsista en ella ningún equívoco. Y la del texto que sigue no permite ninguna duda, en su griego clásico: «*Manahn te Hródon toú Tetraárkon sûntrophos kaí Saúlos*».

13. Conviene plantearse una pregunta: ¿quién es ese Simón, apodado *Niger*? ¿Es el mismo personaje que el jefe zelote del mismo nombre, citado en la *Guerra de los judíos* de Flavio Josefo y que se vio mezclado en los acontecimientos del sitio de Jerusalén en el año 64? Es muy probable, pues el cardenal Jean Deniélou, en su *Théologie du Judéo-Christianisme*, observa que: «... parece ser que aquí la palabra *galileos* es otro término para designar a los zelotes...» (*op. cit.*, p. 84), y «... parece que Galilea fue uno de los focos principales del zelotismo...» (*op. cit.*, p. 84). Ahora bien, todavía en el siglo IV, bajo la pluma de Juliano el Apóstata, el término *galileo* servía en el lenguaje corriente para designar a los *cristianos* (JULIO CÉSAR, *Cartas*). Y el historiador protestante Oscar Cullmann observa en su obra *Dieu et César* que «A los galileos mencionados en Lucas, 13, 1, hay que asimilarlos con los zelotes». ¡No puede estar más claro!

14. Cf. R. AMBELAIN, *Jesús o el secreto mortal de los templarios*, ya citada, capítulo 25.

Así pues, ese Menahem fue «criado con Herodes el Tetrarca y Saulo», lo que demuestra, silogismo inatacable teniendo en cuenta la construcción misma del texto griego, que Saulo fue también «criado con Herodes el Tetrarca y Menahem».

A primera vista este hecho parece inverosímil. El nieto del rebelde que sublevó a Galilea contra Arquelao, hijo y sucesor de Herodes el Grande, en el año 6 antes de nuestra era, criado con el nieto y el sobrino nieto de este último...

Sin embargo, parecerá menos sorprendente si recordamos una tradición, recogida por Daniel Massé a lo largo de sus investigaciones, que afirma que ciertas alianzas matrimoniales habían acercado a las familias davídica y herodiana (*infra*, p. 68). Además, Menahem pudo haber sido criado con Herodes Agripa II y Saulo-bar-Antipater un poco como un rehén discreto. Cuando el emperador Claudio hizo de Herodes Agripa I, en el año 41 de nuestra era, el rey de Judea y de Samaria, «llamó» a su hijo, futuro Herodes Agripa II, a Roma, a su lado. Discreta manera de hacer que su padre permaneciera como dócil vasallo de Roma... Y probablemente eso sucedió con Menahem. Además, ello le ahorraba una estricta vigilancia por parte de las autoridades romanas, siempre prestas a hacer ejecutar a los «hijos de David» a la más mínima alarma, como cuenta Eusebio de Cesarea. (Cf. Eusebio de Cesarea, *Historia eclesiástica*, III, xii, xix, xxv, xxxii.)

Un último detalle refuerza esta hipótesis. Cuando Pilato se enteró de que Jesús era galileo de nacimiento, lo mandó comparecer ante Herodes Antipas, tetrarca de Galilea y Perea (Lucas, 23, 6-12). El procurador esperaba que Herodes asumiría la responsabilidad de hacer desaparecer a Jesús, puesto que éste se proclamaba «rey de los judíos», y por consiguiente era rival de Herodes Antipas. Recordaba, sin duda, el rumor público, también referente a Jesús: «Sal y vete de aquí, porque Herodes Antipas quiere matarte» (Lucas, 13, 31). Asesinato que hubiera sido discreto, evidentemente, y que nada *oficial* habría podido relacionar con la mano de este último.

Pero no sucedió nada de eso. Herodes Antipas se contentó con burlarse de Jesús, cambió sus ropas, probablemente ya hechas jirones después del combate de los Olivos y de su captura, por «un ropaje luciente y lo remitió a Pilato» (Lucas, 23, 11). Y estas ropas, que los historiadores de la Iglesia estiman que eran blancas, eran las que en aquella época revestían los tribunos militares antes del combate, o las que llevaban en Roma los candidatos que pretendían ascender a una elevada función pública. Por lo tanto no había nada de infamante en el pensamiento de Herodes Antipas; devolvía a Pilato un candidato a la realeza judía, restituyéndole las vestiduras que autentificaban su pretensión; reconocía, por lo tanto, el valor de ésta. Pero al mismo tiempo rehusaba condenarlo a muerte o encarcelarlo; por el contrario, daba a Pilato un testimonio que permitía a este último mandar ejecutar a Jesús, en función de esta misma pretensión. Con esta actitud, Herodes

Antipas, idumeo de nacimiento, es decir árabe, aplicaba el viejo proverbio de esas regiones: «La mano que no puedes cortar hoy, bésala». Hábil astucia por parte de ese beduino supersticioso, que no quería afrontar la venganza póstuma de aquel mago que era a sus ojos Jesús, ni la otra, más tangible aún, de la población judía fiel a los «hijos de David».

Así pues, no hay nada extraordinario en el hecho de que Menahem, nieto de Judas de Galilea y de María, su esposa, y sobrino de Jesús, fuera criado con Herodes Agripa II y Saulo-bar-Antipater. Pero esto descarta definitivamente la leyenda de un Saulo judío de origen y nacido en Tarso.

Porque no dejaría de ser bien extraño que un oscuro judío pasara su infancia en compañía de pequeños príncipes, y es de lo más evidente que esto no sucedió en Tarso, ya que es impensable imaginar que los príncipes herodianos dieran a criar a sus hijos en Asia Menor y en Cilicia, *que era provincia de deportación*. De hecho, los tres niños fueron criados en Tiberíades y en Cesarea Marítima. Sin embargo, la presencia de Menahem, de la línea davídica, entre dos miembros de la línea herodiana, refuerza la tesis de Daniel Massé, según la cual la quinta esposa de Herodes el Grande, Cleopatra de Jerusalén, era viuda de un «*hijo de David*», y pariente de María, la madre de Jesús.

En Antioquía —nos encontramos ahora en los años 45-46 de nuestra era, y Jesús hace unos diez años que ha muerto—, Menahem y Saulo, que habían sido criados juntos, siguen estando en relación, y teniendo en cuenta lo que prepara Menahem, es decir la enésima revolución judía, nos hallamos en pleno corazón *zelote* en esa bendita «iglesia» de Antioquía, y nuestros «profetas» y nuestros «doctores» son en realidad agitadores y doctrinarios, herederos espirituales de Judas de Gamala y de su asociado, el *cohen* Saddoc.[15]

Recordemos que, en esa cuarta secta descrita por Flavio Josefo en sus *Antigüedades judaicas* (XVIII, 1), la política nacionalista, heredada de la tradición macabea, está estrechamente asociada a la mística religiosa, heredada de la tradición esenia. Los *zelotes*, no lo olvidemos, estaban constituidos por la fracción extremista de los *esenios*, que después de la ruptura definitiva se agravó todavía más al rechazar gran parte de sus reglas más rígidas: no beber vino, no admitir los sacrificios de animales, observar una limpieza corporal absoluta y, sobre todo, *no cometer actos de «bandolerismo»*, término de gran importancia en su juramento de entrada. Cosa de la que los *zelotes* no se privaban en absoluto.

Pero entendámonos bien. Cuando citamos al esenismo como crisol inicial donde se elaboró la doctrina zelote difundida por Judas de Gamala y el *cohen* Saddoc, no se trata de afirmar que un buen día centenares de sicarios salieron de las comunidades esenias, sino sola-

---

15. Cf. *Jesús o el secreto mortal de los templarios*, p. 94.

mente los doctrinarios primitivos. Ignoramos sus nombres. Con toda seguridad fueron anteriores a nuestra era. Pero existe un *romanticismo* sin ningún fundamento histórico en torno a los esenios, y el público en general relaciona fácilmente con ellos cualquier cosa, generalmente basándose en fuentes de la más extremada fantasía.

Millar Burrows, jefe del departamento de Lenguas y Literaturas del Oriente Próximo de la universidad de Yale, y dos veces director de la Escuela Norteamericana de Investigaciones Orientales, en Jerusalén, y A. Dupont-Sommer, catedrático de la Sorbona y jefe de estudios en la Escuela de Estudios Superiores, ambos especialistas en manuscritos del mar Muerto, se ciñen a esta opinión. Flavio Josefo, en su *Guerra de los judíos*, nos habla de su admiración por el heroísmo desplegado por los esenios en la guerra nacional contra los romanos, y los manuscritos del mar Muerto atribuidos a dichos esenios describen rituales de una estrategia militar donde las *técnicas de combate* derivan de una doctrina mística. Veamos algo que confirma lo que Flavio Josefo nos dice en el segundo libro de su *Guerra de los judíos*, en el capítulo XII: «La guerra que hemos sostenido contra los romanos ha hecho ver de mil maneras distintas que su valor es *invencible*». Y el manuscrito eslavo de la misma obra precisa que esos mismos esenios «cuando viajan nunca olvidan llevar consigo sus armas, a causa de los bandidos». Como vemos, no son mansos corderillos, como ciertos mistagogos quisieran hacernos creer. Es más, a finales del siglo II (hacia el 190), Hipólito de Roma, en el libro IX de sus *Philosophumena*, nos dice lo siguiente respecto a los esenios: «Los esenios se dividen en cuatro clases, según su antigüedad en la secta y *su celo para la observación de la Ley*. Algunos se niegan a llevar consigo dinero o a franquear una puerta de ciudad, con el pretexto de que las monedas o las puertas están adornadas con imágenes. *Otros, llamados zelotes o sicarios, llegan incluso a degollar en lugares apartados a todos aquellos que blasfeman de la Ley*, a menos que éstos consientan en hacerse circuncidar. La mayoría de los esenios son muy longevos, muchos alcanzan incluso los cien años de edad. Esta longevidad la atribuyen a su piedad, su sobriedad y su continencia. *Con todo, desafían valerosamente a la muerte cuando se trata de defender la Ley*».

Este largo pasaje demuestra con claridad que una fracción esenia había constituido la secta de los *celadores* (o *zélotès* en griego, y *kanaim* en hebreo), más conocida por el nombre de *sicarios* o *zelotes*, que esta secta llevaba a cabo *un combate armado contra los incircuncisos* (romanos e idumeos) y que no vacilaba en suprimir a sus adversarios degollándolos con la *sicca*, método del que nos informa Flavio Josefo (cf. *Guerra de los judíos*, II, v, manuscrito eslavo).

Volviendo a Pablo, hemos de recordar —pues es muy importante— que fue criado en su niñez con Menahem, nieto de Judas de Gamala, sobrino de Jesús, y que en el año 44, en Antioquía, formaba parte del mismo cenáculo zelote que éste. Y ambos fueron los «hermanos de leche» de Herodes el Tetrarca. Todo esto es muy raro para un oscuro judío, reconozcámoslo, pero sobre todo descarta la leyenda de la infancia en Tarso, en Cilicia.

Por otra parte, en 52-53 Pablo está en Corinto. Cuenta unos treinta años de edad. Los judíos de estricta observancia, hartos de la propaganda herética y cismática que no cesa de hacer en sus sinagogas, quieren encarcelarlo. Pero, *sin esperar a que Pablo hubiera abierto la boca para justificarse*, Galión, *hermano de Séneca* (preceptor y luego consejero de Nerón César, y de este modo uno de los hombres más poderosos del Imperio), procónsul de la provincia de Acaya y residente en esa misma ciudad de Corinto, rechaza la queja de los judíos y los hace expulsar del pretorio *manu militari*, aunque luego les permite linchar a Sóstenes, jefe de la sinagoga local, convertido por Pablo a la nueva forma de mesianismo místico (Hechos, 18, 12-17).

Afortunado Pablo, pues le basta con *ser reconocido* por el procónsul de Acaya, «amigo de César», para ver barrer a sus adversarios por la guardia proconsular, y eso sin haber tenido que abrir la boca siquiera. Afortunado judío oscuro...

Porque ese Galión, «*amicus Caesaris*», no es un simple funcionario. Una inscripción ligeramente mutilada, descubierta en Delfos en 1905, reproduce una carta del emperador Claudio dirigida a los habitantes de esa ciudad, y fechada antes de julio del año 805 en Roma, es decir en el año 52 de nuestra era. Allí habla de «Junius Gallio, *mi amigo*, procónsul de la Acaya».

Así pues, el inesperado protector de Pablo en Corinto goza, además, del título envidiado en todo el Imperio romano: *amigo de César*. Y no es nada eso de la protección de un «*amicus Caesaris*»...

Pero, aunque se beneficia de extrañas y misteriosas protecciones, Pablo no ha terminado con los judíos de estricta observancia. En el año 58, en Jerusalén, los levitas de guardia en el Templo se apoderan de él, acusándole de haber profanado el santuario al haber introducido en él a un «no judío», Trófimo de Éfeso (Hechos, caps. 21, 22 y 23). A menos que se tratara de él mismo, «*no judío*» que había penetrado imprudentemente en lugares prohibidos a los *gentiles*.

Cuando se disponían a lapidarlo, Claudio Lisias, tribuno de las cohortes y gobernador de la *Antonia*, la ciudadela vecina al Templo, al enterarse de lo que sucedía acudió *en persona*, con «*varios centuriones y sus soldados*» (por lo tanto *varias centurias de legionarios*) para detener a Pablo y encarcelarlo. Y el tal Pablo se da a conocer. Cambio a la vista. El tribuno Lisias lo mandó desatar (pero ¿estaba atado?; podemos ponerlo en duda), y *le autorizó a amonestar largamente a la enfurecida multitud judía, bajo la protección de los legionarios*. Luego le condujeron al interior de la *Antonia*, libre de ataduras y fuera de cualquier tipo de calabozo.

Fue entonces cuando su sobrino, al haberse enterado en la ciudad de que entre los *zelotes* se tramaba un complot para asesinarlo, acudió

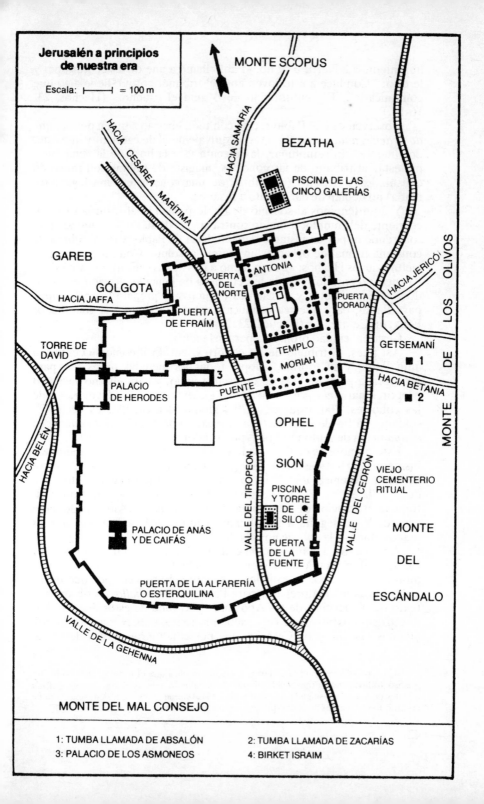

Jerusalén a principios de nuestra era

Escala: ├────┤ = 100 m

MONTE SCOPUS

BEZATHA

PISCINA DE LAS CINCO GALERÍAS

HACIA SAMARIA

HACIA CESAREA MARÍTIMA

GAREB

GÓLGOTA

HACIA JAFFA

TORRE DE DAVID

PALACIO DE HERODES

HACIA BELÉN

PUERTA DEL NORTE

PUERTA DE EFRAÍM

ANTONIA

4

TEMPLO

MORIAH

PUENTE

3

PUERTA DORADA

HACIA JERICÓ

GETSEMANÍ

1

2

HACIA BETANIA

OPHEL

SIÓN

VALLE DEL TIROPEÓN

PALACIO DE ANÁS Y DE CAIFÁS

PUERTA DE LA ALFARERÍA O ESTERQUILINA

PISCINA Y TORRE DE SILOÉ

PUERTA DE LA FUENTE

VALLE DEL CEDRÓN

VIEJO CEMENTERIO RITUAL

LOS OLIVOS

MONTE DE

MONTE

DEL

ESCÁNDALO

VALLE DE LA GEHENNA

MONTE DEL MAL CONSEJO

1: TUMBA LLAMADA DE ABSALÓN

2: TUMBA LLAMADA DE ZACARÍAS

3: PALACIO DE LOS ASMONEOS

4: BIRKET ISRAIM

libremente a advertir a su tío. «Pablo llamó a uno de los centuriones y le dijo: "Conduce a este joven ante el tribuno, porque tiene algo que comunicarle". El centurión lo llevó ante el tribuno.» (Hechos, 23, 16-18.)

Observemos que Pablo recibe con toda libertad a quien quiere, *que da órdenes a un centurión*, grado equivalente al de capitán, y que éste, dócilmente, sin refunfuñar, las ejecuta y, a la hora de la cena, va a molestar al tribuno de las cohortes, magistrado militar con rango de cónsul. Los *veteranos* (miembros de una cohorte en una legión romana) no debían de dar crédito a sus ojos.

Y aquí tenemos al sobrino de Pablo poniendo al tribuno Lisias al corriente del complot tramado contra la vida de su tío. El tribuno no se sorprende ni por un instante de la audacia de Pablo, y da al sobrino la consigna formal de observar un secreto absoluto. Continuemos con la lectura de los Hechos: «Luego llamó a dos de sus centuriones y les dijo: "Tened preparados para la tercera hora de la noche doscientos soldados, setenta jinetes y doscientos arqueros, y preparad *cabalgaduras* para Pablo, para que sea conducido sano y salvo ante el gobernador Félix, en Cesarea".» (Hechos, 23, 23-24).

Cesarea, ciudad prohibida para los judíos...

Así pues, el tribuno de las cohortes, tan dócil como su centurión ante Pablo y su sobrino, adopta todas las medidas necesarias para proteger la preciosa vida de un oscuro judío, y para ello no vacila en proporcionarle *el equivalente de una escolta casi real*: 200 veteranos de las cohortes, 200 arqueros y 70 legionarios a caballo, es decir 470 soldados, a fin de *ponerlo bajo la máxima protección de la autoridad ocupante*, la de Antonius Félix, procurador romano de Judea.[16]

Este hombre es el afortunado esposo de Drusila, princesa idumea, bisnieta de Herodes el Grande, hermana del rey Agripa y, con su hermana Berenice, una de las más hermosas mujeres de la aristocracia de aquella época. Y a fin de asegurarle a Pablo un viaje sin tropiezos, toma la precaución de llevar para él *varios caballos*. ¡Afortunado judío oscuro! Y no seguirá a la columna según es habitual: a pie, con las manos atadas a la cola de un caballo...

Aquí vuelve a plantearse un enigma. Porque, para ir de Jerusalén a Cesarea Marítima, los 70 legionarios a caballo no disponen sino de una montura cada uno, su caballo de siempre. Entonces ¿por qué el tribuno Lisias manda preparar para Pablo *varios caballos*? Volvamos al texto de los Hechos de los Apóstoles: «Al cabo de estos días, hechos nuestros preparativos de viaje, subimos a Jerusalén. Nos acompañaron algunos discípulos de Cesarea, que nos condujeron a casa de un tal

16. La presencia de 70 legionarios a caballo implica que el tribuno de las cohortes precisó todavía del permiso del tribuno de caballería, que estaba al mando del *ala legionaria*, la cual no se hallaba acuartelada en la *Antonia*, ni en Jerusalén, sino fuera de las murallas. ¡Cuántas molestias por ese judío desconocido!

Mnasón, cierto chipriota antiguo discípulo, en donde nos alojamos» (Hechos, 21, 15-16).

Primera constatación, Saulo-Pablo, que se dice que pasó su juventud «a los pies de Gamaliel», el sumo sacerdote, y en Jerusalén no conoce a nadie allí. Y tienen que ser unos discípulos de Cesarea quienes se ocupen de hospedarlo, a él y a *su séquito*.

Segunda constatación, los manuscritos griegos originales nos dicen literalmente: «un *antiguo* discípulo». ¿Antiguo? Pero ¿de qué escuela y de qué corriente? Probablemente un helenista que antaño se encontraba en Antioquía y que había abandonado Jerusalén a causa de las persecuciones producidas después de la muerte de Esteban (cf. Hechos, 11, 19-20).

Tercera constatación, los caballos previstos exclusivamente para Pablo ¡están destinados *a llevar su impedimenta!*[17] Se les colocarán albardas, con un cesto en cada flanco; y los famosos libros y pergaminos, sin omitir el misterioso manto sobre el que volveremos a hablar, citados en la Segunda Epístola a Timoteo (4, 13), con todo lo que suele llevar consigo un viajero, todo eso seguirá a Pablo hasta su nueva residencia. ¡Cuánta solicitud por parte de un tribuno de las cohortes para con un judío cualquiera, hay que ver! Ni aunque fuera ciudadano romano, pues de éstos ya había en aquella época *millones*, dispersados por todo el Imperio. Resulta difícil imaginar al tribuno de las cohortes, magistrado con categoría de cónsul, prodigándose de esta guisa con cada uno de ellos... A fin de cuentas la *Antonia* no era una agencia de viajes, abierta a todo individuo del Imperio que arguyera su calidad de *civis romanus*.

A menos que, teniendo en cuenta lo que el lector sin duda empieza a sospechar, Claudio Lisias aplicara allí ya, *anticipadamente*, el famoso refrán de la Restauración: «¿Dónde puede uno encontrarse mejor que en el seno de su propia familia?». (Cf. Marmontel, *Lucile*.)

El pequeño ejército que escolta a Pablo saldrá, pues, de noche, a la tercera hora (o sea, a las nueve de la noche), de la Ciudad Santa, y emprenderá ordenadamente el camino hasta Antipatrix, ciudad fundada antaño por Herodes el Grande, situada a unos sesenta kilómetros de Jerusalén, y a unos cuarenta y seis de Cesarea. Allí hará alto, y a la mañana siguiente la tropa de a pie regresará a Jerusalén, dejando que los setenta legionarios de a caballo escolten a Pablo hasta Cesarea Marítima.

Aquí tenemos, pues, a nuestro Pablo en lugar seguro, junto al procurador Antonio Félix. Éste era un *liberto*, hermano de otro *liberto* célebre, Palante, favorito de Agripina y ministro de Nerón César. Este Félix, codicioso, brutal y disoluto, gozaba, según nos dice Tácito, «de

---

17. Quizá se tratara de la misteriosa compañera que volveremos a encontrar más adelante.

43

un poder casi principesco con un alma de esclavo». Era de hecho, con todo su horror, el prototipo del advenedizo.

En Cesarea no encierran a Pablo en un calabozo, claro está, sino que le alojan «en el pretorio de Herodes», *bajo la protección de una guardia.* (El palacio construido antaño por Herodes el Grande se había convertido, según era costumbre entre los romanos, en la residencia oficial del procurador; por eso recibía el nombre de *pretorio*, lugar donde se impartía la justicia.)

Cinco días más tarde, el sumo sacerdote Ananías acudió con algunos sanedritas y un abogado romano, un tal Tértulo, a Cesarea, y compareció ante Félix. Éste mandó llamar con toda cortesía a Pablo, y le cedió la palabra, después de las acusaciones que formulara contra él Tértulo. Este último tampoco se andaba por las ramas, pues según él: «¡Hemos hallado que este hombre es una peste, que excita a sedición a todos los judíos del mundo entero, que es además *jefe principal de la secta de los nazarenos*!» (Hechos, 24, 5).

Como vemos, en el año 58 no se hablaba ya de Simón-Pedro o de Jacobo-Santiago como de jefes del mesianismo. Y con razón, ya que Tiberio Alejandro, procurador de Roma, los había hecho crucificar en el año 47 en Jerusalén, «como hijos de Judas de Gamala».[18]

Pablo respondió durante largo rato a la acusación de Tértulo, y Félix, hábilmente, aplazó su decisión a una fecha posterior, sin determinarla concretamente. Luego: «Mandó al centurión que le custodiase, aunque dejándole cierta libertad y *permitiendo que los suyos le asistiesen*». (Hechos, 24, 22-23.)

Pero ¿quiénes eran los suyos?

Algunos días más tarde, Félix va a visitar a Pablo, acompañado de su esposa Drusila, y allí Pablo tendrá todo el margen que apetezca para discutir, de manera muy mundana, tanto con ella como con su esposo, sobre los temas que le interesaban. Y ese procurador, escandalosamente enriquecido, tanto por las exacciones cometidas en el uso de sus funciones como por su rico y halagador matrimonio, ese procurador codicioso halagará a Pablo durante dos años, conservándolo bajo su protección, ya que: «*Esperaba que Pablo le diera dinero. Por eso le mandaba llamar muchas veces para conversar con él*». (Hechos, 24, 26.)

¡De manera que ese «oscuro judío» es lo bastante rico por sí mismo, por sus secretos o por su familia para hacer concebir esperanzas en un tímido procurador! Cosa que resulta simplemente increíble cuando uno piensa en las costumbres de la época y en los métodos de los procuradores romanos. Si se hubiera tratado de un rescate, la permanencia en el fondo de un tenebroso calabozo, encadenado a los muros, con pan y agua reducidos al más estricto mínimo, habría sido

18. Cf. FLAVIO JOSEFO, *Antigüedades judaicas*, XX, v, 2.

una medida más que suficiente para ablandar al detenido más avaro. Pero no se produce nada de eso. Antonio Félix, que tiene el derecho de vida o muerte más total por mor de sus funciones, está rebosante de consideraciones para con ese misterioso agitador.[19]

Pasarán dos años, que cubrirán el fin de la procura de Félix, y éste es reemplazado por Porcio Festo, en el año 60. Esperando entonces que desapareciera la protección de que gozaba Pablo, y confiando en embaucar fácilmente al nuevo procurador, los judíos de Jerusalén piden a éste que haga llegar a Pablo a esa ciudad para que sea al fin juzgado. Como se ve, los meses han pasado, pero el Sanedrín no ha olvidado la importancia del asunto. Y según nos dicen los Hechos (25, 3), «preparaban una emboscada para matarle en el camino».

Por lo visto Porcio Festo ha sido puesto al corriente por su predecesor, antes de la partida de éste, ya que sospecha lo que preparan los judíos, y les declara que Pablo permanecerá en Cesarea, y que sólo escuchará a algunos de los principales de entre ellos si tienen algo que decir sobre el particular. Y así se hace. Es entonces cuando Pablo, que evidentemente no ignora que van a soltarlo sin dificultades pero que de ese modo volverá a estar sometido a la amenaza de una emboscada imprevisible, idea la treta de conseguir que le *autoricen a ir a Roma, a expensas de Roma y bajo la protección de Roma.*

Para eso le basta con el *«cesare apello»*, es decir con solicitar que le envíen *«ante César».* Aquí la victoria es doble.

En efecto, al declinar Porcio Festo su competencia, Pablo ya no podía escapar al proceso ante el Sanedrín si no era reclamado el *privilegio, reservado exclusivamente a los ciudadanos romanos,* de poder hacerse juzgar, *en causa criminal,* por el tribunal imperial con sede en Roma.

Y esto nos demuestra dos hechos notables:

a) nuestro «oscuro judío» es realmente *ciudadano romano,* lo cual subraya todo lo que hemos establecido anteriormente contra la deportación a Tarso y su nacimiento de padres judíos, originarios de Giscala, ya que declarar todo esto en falso implicaba la muerte por decapitación;[20]

b) se trata, efectivamente, de un caso de agitación política, oculta bajo un aspecto *externamente religioso,* como subrayaban los miem-

---

19. Es muy posible que Félix, que conocería a Saulo-Pablo como mago (como pronto veremos), supusiera que era también alquimista. ¡Era lo normal! Y la capital de la alquimia antigua, Alejandría de Egipto, estaba muy cerca de Judea.

20. La *lex papia,* del año 65 antes de nuestra era, decretaba la pena de muerte contra quienquiera que usurpara la categoría de ciudadano romano. Y Claudio César había lanzado un edicto según el cual la ejecución se efectuaría por decapitación con hacha (los *lictores*), en la llanura del Esquilino, en Roma, y que luego el cuerpo sería arrojado directamente a la fosa de infamia.

bros del Sanedrín, ya que la *ley Julia* calificaba de «*crimen majestatis*» todo lo que constituyera, de cerca o de lejos, «un atentado contra el pueblo romano o el orden público», y declaraba culpable de este crimen a «quienquiera que, con la ayuda de hombres armados, conspire contra la república, o por el cual nazcan sediciones».

Por otra parte, si Pablo era de hecho un «no judío» de origen (y lo demostraremos pronto), si fue circuncidado de adulto, podía ser perseguido según los términos de las leyes romanas en caso de que esta circuncisión hubiera sido efectuada a *petición suya*, después de haber sido admitido a la *ciudadanía romana*.

Las leyes del Imperio no prohibían a un ciudadano romano su conversión al judaísmo, pero no aceptaban todas sus consecuencias. Si un prosélito se hallaba frente a una de las obligaciones de las que los judíos de raza estaban dispensados (como el servicio militar, por ejemplo), no estaba cubierto por el privilegio judaico. Tampoco podía rehusar participar en el culto a los dioses del Imperio sin correr el riesgo de ser acusado de ateísmo. Y por este motivo una mujer podía siempre sufrir la acusación de impiedad hacia las divinidades de su casa original. Bajo Tiberio César, una tal Fulvia fue juzgada de este delito por su esposo Saturnino (cf. Jean Juster, *Les Juifs dans l'Empire romain, leur condition juridique, économique et sociale*). Bajo Nerón, Pomponia Graecina fue también sometida a un tribunal doméstico, acusada de *superstitio externa*, superstición extranjera (cf. Tácito, *Anales*, XIII, 32). Por último, una severa ley, la *Lex Cornelia de sicariis et veneficis*, castigaba la castración, y siempre se podía identificar la circuncisión con una variedad de castración, teniendo en cuenta sus repercusiones fisiológicas en el campo sexual. Y así se hizo bajo el reinado de Adriano (cf. Espartiano, *Historia del emperador Adriano*, XIV, 2).[21]

Sin lugar a dudas, Pablo no ignoraba nada de todo esto, y en caso necesario siempre podía haber alguien que le delatara ante la autoridad ocupante. Ahora bien, en Roma, ante el tribunal imperial, Pablo sabe que gozará de la influyente protección de Séneca, hermano del procónsul Galión, quien tan misteriosamente lo ha protegido en Corinto. Y pone todo su interés en ser conducido a la capital del Imperio. ¿Quién, en aquella época, no acariciaría semejante sueño?

Sin duda Pablo dispone de los medios materiales. Si el procurador Antonio Félix esperó largo tiempo a que dicho Pablo le recompensara económicamente por sus favores, es que sabía que nuestro hombre estaba en condiciones de poder hacerlo.

---

21. La *circuncisión*, al apagar poco a poco la sensibilidad glandular, incita a menudo a los individuos que han sido sometidos a ella a buscar preferentemente el coito *anal* y la sodomía, ya sea homosexual o heterosexual. En el Imperio romano se castigaba ésta basándose en la ley *Scantinia*, que se remontaba al año 149 antes de nuestra era.

Pero oficialmente, desde su circuncisión (y pronto veremos en qué ocasión tuvo lugar), Pablo es judío. Y eso no puede negarlo, ya que desde aquel momento lleva impresa la marca en su carne.

Ahora bien, en el año 19 de nuestra era Tiberio había expulsado a los judíos de Italia, exceptuando tan sólo a aquellos que abjuraran en un plazo de tiempo determinado. (Cf. Flavio Josefo, *Antigüedades judaicas*, XVIII, iii, 5. Tácito, *Anales*, II, 85. Suetonio, *Vida de los doce Césares: Tiberio*, 36.)

Después el emperador Claudio había reiterado, a su vez, la misma orden de expulsión en el año 50. Paulo Orosio, historiador eclesiástico del siglo IV, nos dice lo siguiente: «En ese mismo año, noveno de Claudio, Flavio Josefo cuenta que los judíos fueron expulsados de Roma, por inspiración del ministro Sejuán». (Paulo Orosio, *Historia adversus paganos*, Claudius Cesar.) No obstante, aconsejamos al lector que no busque este episodio del noveno año de reinado de Claudio en Flavio Josefo, ya que toda una parte de sus *Antigüedades judaicas* referente al reinado de dicho emperador fue censurada por los monjes copistas. Este hecho lo encontrará únicamente en Suetonio, *Vida de los doce Césares: Claudio*, XXV, aunque sin señalar la época exacta: «Como los judíos se sublevaban continuamente, instigados por un tal *Chrestos*, los expulsó de Roma».

Se trata, con toda evidencia, de judíos mesianistas que se han pasado al cristianismo, y ese *Chrestos* es, de hecho, el *Christos*, a quien Suetonio cree todavía vivo, confundiendo resurrección y vida normal. Y es que, efectivamente, los escritores profanos de los dos primeros siglos de nuestra era escribían con regularidad *Chrestus* y *Chrestiani*, como observa acertadamente Henri Ailloud en su traducción de Suetonio, en lugar de *Christus* y *Christiani*.

Por consiguiente, en Italia, y más concretamente en Roma, los únicos judíos que pueden residir son los que se hallan en estado de esclavitud. La elección del «cesare apello» es, por consiguiente, un golpe de mano magistral por parte de Saulo-Pablo.

Por último, y como coronación a esas relaciones y esas halagadoras protecciones, resulta que después de Félix y Drusila, acuden a Cesarea Marítima el rey Herodes Agripa II y la princesa Berenice, su hermana, quien, tras haber enviudado de Herodes de Calcis, vive incestuosamente con él. Ambos son hermanos de Drusila y, por lo tanto, cuñados del procurador Félix. Las dos mujeres son célebres por su belleza. La familia está, pues, completa, y podemos suponer que fue Pablo el motivo de esta reunión. ¿Curiosidad? Indudablemente, pero también hay otro motivo, que pronto conoceremos. El tono de las conversaciones es bastante amistoso, y la llegada de la pareja real debió de causar sensación: «Así que al día siguiente llegaron Agripa y Berenice con gran pompa, y entraron en la sala de la audiencia, rodeados de los tribunos y de los personajes de más relieve de la ciudad». (Hechos, 25, 23.)

Esos tribunos eran cinco, y cada uno de ellos estaba al mando de una de las cinco cohortes de veteranos acantonados en Cesarea. ¡Cuánto interés y cuánta preocupación por ese supuesto «tarsiota», antiguo deportado, antiguo esclavo del Imperio!

NOTA: Sobre la importancia del número de *ciudadanos romanos* en el Imperio, señalemos que los *veteranos* legionarios, que habían abandonado su *cohorte* para retirarse, recibían un título con el reconocimiento del pueblo romano, título que recibía el nombre de *honesta missio*. Implicaba un cierto número de privilegios diversos, *entre los cuales se hallaba el de la ciudadanía romana*, si el veterano no la poseía ya con anterioridad, adquirida por algún acto de guerra. Es decir, que la calidad de *civis romanus*, con la que se arma tanta alharaca en torno a Saulo-Pablo, no era en sí nada extraordinario.

48

3

El viaje a Roma

Roma [...] Lugar donde confluye y encuentra numerosa clientela todo cuanto de espantoso y vergonzoso hay
en el mundo.

TÁCITO, *Anales*, XV, XLIV

El viaje de Pablo a Roma se efectuó bajo los mejores auspicios, como todo lo anterior. Fue confiado al centurión Julio, de la cohorte de la *1.ª Augusta*, legión compuesta por mercenarios sirios y a la que, por ese motivo, se denominaba *Legión siria*. Con ellos se embarcó Aristarco, un macedonio nacido en Tesalónica que debía de ser ya un colaborador de Pablo, dado que más tarde será su compañero de cautiverio. Y también había otros prisioneros, éstos auténticos, que eran o bien guerrilleros zelotes, o bien criminales de derecho común, destinados a los crueles juegos circenses o a sus fieras.

Así pues, la *Navem Adramyttium* levó anclas y abandonó Cesarea a principios del otoño del año 60, para hacer escala a la mañana siguiente en Sidón, Fenicia. El centurión Julio, evidentemente cumpliendo órdenes recibidas antes, dejó a Pablo en libertad para que fuera a visitar a «sus amigos y recibir sus buenos oficios». Como vemos, los favores continúan.

Ahorraremos al lector las peripecias que acompañaron al viaje de Pablo, habida cuenta de que la navegación marítima no era cosa fácil en aquella época. Podrá encontrarlas en los Hechos de los Apóstoles, de 27, 1, a 28, 16.

Por fin tenemos a Pablo desembarcado en Pozzuoli, en el golfo de Nápoles. Y las bufonadas de los escribas anónimos de los siglos IV y V van a continuar. Júzguese: «Donde encontramos hermanos, que nos rogaron que permaneciéramos con ellos siete días. Y así fue como llegamos a Roma. Los hermanos de esta ciudad, *informados de nuestra*

49

llegada, vinieron a nosotros hasta el Foro del Apio y las Tres Tabernas. Pablo, al verlos, dio gracias a Dios y cobró ánimo. Cuando entramos en Roma, permitieron a Pablo morar en casa propia, con el soldado que le custodiaba». (Hechos, 28, 13-16.)

Estamos, pues, obligados a admitir que en Pozzuoli el centurión Julio fue invitado por los hermanos, y que él, *oficial romano encargado de una misión*, aceptó permanecer una semana entera en un lugar plagado de judíos mesianistas, y por consiguiente sospechosos. ¿Y por qué prodigio se encontraban en Italia? Los decretos de Tiberio y de Claudio no fueron derogados en ningún momento. De manera que se trataba de judíos *esclavos*. ¿Y están ellos en condiciones de ofrecer invitaciones para una semana? ¿Y puede un legionario romano arriesgarse en semejante ambiente? ¡Increíble!

A continuación otros judíos, esta vez romanos, vienen al encuentro de Pablo, y nada menos que hasta el Foro de Apio, en la vía Apia, es decir a 64 kilómetros de Roma. Otros van sólo hasta Tres Tabernas, que está a 49 kilómetros de la capital. Ida y vuelta representan cerca de 134 kilómetros para los primeros, y cerca de 100 kilómetros para los segundos. Un gran honor para un oscuro judío. Además, esos judíos esclavos disponen de mucha libertad. Continuemos formulando una pregunta: ¿cómo pueden existir ya «hermanos», es decir *cristianos*, en Roma, si algunos versículos más tarde los Hechos de los Apóstoles nos dicen lo contrario?: «Al cabo de tres días convocó a los judíos principales.[22] Cuando estuvieron reunidos les dijo: Hermanos, sin haber hecho nada contra nuestro pueblo ni contra las costumbres de nuestros padres, fui preso en Jerusalén y entregado a los romanos.[23] Después de haberme interrogado, éstos quisieron ponerme en libertad porque no había nada contra mí que mereciera la muerte. Mas como los judíos se oponían, me vi obligado a apelar al César, aunque sin querer acusar de nada a mi nación. Por eso he querido veros y hablaros, pues sólo *por la esperanza de Israel* llevo estas cadenas. Ellos le respondieron: Nosotros no hemos recibido de Judea ninguna carta acerca de ti, ni ninguno de los *hermanos* que hayan llegado aquí nos ha comunicado o hablado de ti nada malo. Pero querríamos oír de tu boca lo que tú piensas, *pues acerca de esa secta nos es conocido que en todas partes se la contradice*». (Hechos, 28, 17-22.)

Planteemos ya un cierto número de observaciones, muy embarazosas para nuestros anónimos redactores de los Hechos:

a) Pablo, prisionero, tiene la posibilidad y la autoridad suficiente para permitirse convocar a los judíos más notables. Es sorprendente;

b) los llama *hermanos*, al igual que a aquellos que han acudido a su encuentro en Tres Tabernas y en el Foro de Apio; por lo tanto no establece diferencias entre ellos, lo que prueba que son los mismos;

---

22. ¡Cuánta autoridad!

23. Releyendo lo que los Hechos nos dicen sobre el particular (véase el capítulo anterior), se podrá juzgar sobre la veracidad de este relato.

c) no habla de una religión nueva a esos notables, sino de una *esperanza, propia de Israel*. ¿Y qué esperanza, si no es la del fin del yugo romano? Esta esperanza es el inamovible *mesianismo*;

d) Pablo no lleva ningún tipo de cadenas, está simplemente obligado, *cuando se desplaza a la ciudad*, a llevar una cadena corta, que une su muñeca derecha a la muñeca izquierda del legionario que le custodia, *mientras dura dicho desplazamiento*. En su casa, en su residencia romana, está libre de ataduras. Ésa es la costumbre en la «*custodia militaris*», especie de cautiverio bajo palabra y honorífico;

e) los *hermanos* «llegados» a Roma y de los que hablan los judíos notables no son los cristianos, ya que inmediatamene después los citados notables declaran no saber nada del nuevo partido al que pertenece Pablo, y sólo saben que *en todas partes* encuentra oposición. Y esos *hermanos* son forzosamente judíos, ya que están en contacto inmediato con los otros. Por lo tanto no hay *cristianos* en Roma en ese momento, al menos en el sentido que damos ahora a dicho término, aparte los que encontraremos en el palacio de Salomé II, reina de Armenia;

f) por último, no se trata de una religión nueva, sino de un partido. San Jerónimo, en su *Vulgata* latina, utiliza el término *secta*, que significa tanto una facción política como un partido o una secta religiosa. Los manuscritos griegos más antiguos utilizan la palabra *airesis*, que significa asimismo secta, partido, facción, con el sentido de *herejía* (que se desprende de ella), y eso en todos los campos, tanto político como religioso. Por consiguiente no es muy fácil precisar lo que en ese debate se sobreentiende por dicho término.

Al llegar de Pozzuoli, por Tres Tabernas, Pablo debió de pasar por Velletri y atravesar los montes Albanos, desde lo alto de los cuales contempló por primera vez Roma, capital del Imperio romano.

Al descender de los montes Albanos por la vía Apia, penetró en la ciudad por la Puerta Capena, situada entonces aproximadamente en el emplazamiento de la actual Puerta de San Sebastián. Según un pequeño número de manuscritos, el centurión Julio entregó a Pablo y a los otros prisioneros al oficial que debía recibirlos. Este hombre debía de ser el *praefectus castrorum*, que probablemente estaba al mando del campamento de los *milites peregrini* o *castra peregrinorum*, lo que nosotros llamaríamos «campamento de las tropas de paso» en lenguaje militar moderno.

Inmediatamente después fue transferido al *castro pretorio*, campamento principal de los pretorianos, no lejos de la Vía Nomentana, y por último fue entregado al oficial que representaba al prefecto del pretorio. Y allí vamos a encontrarnos todavía con una nueva sorpresa.

Este cargo lo ocupaba por entonces Afranio Burro, y, ¡oh azar!, casualmente era gran amigo de Lucio Anneo Séneca y, con éste, consejero de Nerón César, después de haber sido ambos sus preceptores. El lector convendrá con nosotros que el «azar» hace bien las cosas. Afranio Burro era estoico, y por lo tanto admirador del sistema filosófico fundado por Zenón de Citium, a finales del siglo IV antes de nuestra era. Y Séneca era también estoico.

Pues bien, el *elogium*, es decir el informe de Porcio Festo sobre ese *civis romanus* que era Pablo, no podía sino ser favorable; el comportamiento del procurador, del rey Agripa y de la princesa Berenice para con nuestro hombre lo hacían prever. Las conclusiones verbales de estos personajes también. Festo, interrumpiendo a Pablo, le dice amistosamente: «¡Tú deliras, Pablo! Las muchas letras te han vuelto loco», y el rey Agripa bromea con él, y le declara: «Poco más, y me persuades de que me haga cristiano» (Hechos, 26, 24-28).

Ambos lamentan sinceramente que Pablo haya hecho el «*cesare apello*», ya que, según declara el rey Agripa a Festo: «Podría habérsele puesto en libertad, si no hubiera apelado al César». (Hechos, 26, 32.) No sospechan que Pablo tiene su plan, bien establecido, largo tiempo madurado, y que apunta en realidad a lograr llegar a la capital del Imperio, *si consideramos lo que sabe de los proyectos de Menahem, desde que tuvieron lugar sus conciliábulos en Antioquía, y que no ignora que se ha fijado ya una fecha para su realización.* Cosa que pronto constataremos, *al resplandor de las llamas de Roma...*

Volviendo al *elogium* de Porcio Festo, dicho informe se perdió en el naufragio que sufrieron durante la travesía, mar adentro, frente a las costas de Malta. Pero es un detalle que carece de importancia, ya que el centurión Julio, al verse privado de tan capital documento, lo reemplazaría fácilmente por la exposición detallada de las instrucciones recibidas de boca del procurador Festo antes de su partida; y la benevolencia que estaba encargado de manifestar para con su prisionero en todas las circunstancias abogaba inequívocamente en favor de este último. Tanto más cuanto que Pablo, en su Epístola a los Romanos, ya había tomado por su cuenta la delantera. ¡Júzguese!

Cuando estaba en Corinto, donde como se ha visto recibió protección —y con cuánta prontitud— del procónsul Galión durante el invierno de 51-53, varios años antes de esta fecha ya había redactado y expedido la famosa carta a los «hermanos» de Roma (lo que prueba que ya tenía dispuesto su plan, bien madurado). Ahora ya sabe a qué puerta llamar, sabe de antemano qué protecciones eventuales le esperan allí. Basta con leer atentamente las salutaciones finales: «Saludad a los de la casa de Aristóbulo, saludad a Herodiano, mi pariente. Saludad a los de la casa de Narciso, que están en el Señor.» (Cf. Pablo, Epístola a los Romanos, 16, 10-12.)

¿Quiénes son los de la «casa de Aristóbulo»? ¿Quién es «Herodiano, mi pariente»? ¿Quiénes son los de «la casa de Narciso»? En definitiva, protectores tan poderosos como los que ya había encontrado en Jerusalén y en Cesarea. Y es evidente que en Corinto, Galión, *hermano de Séneca*, le había orientado sobre el interés que tenía para él que fuera a Roma; y al llegar allí, Pablo es recibido, siempre por mediación de Galión, por Afranio Burro, prefecto del pretorio, amigo de Séneca y, como hemos dicho, consejero y ex preceptor de Nerón César, como aquél. Es obvio que los creyentes verán en ello un milagro más, la mano de la Providencia, pero el historiador lúcido lo que ve es simplemente un plan bien organizado.

En efecto, «los de la casa de Aristóbulo» son los servidores de Aristóbulo III, favorito de Nerón, que en el año 54 recibió de éste el reino de la Pequeña Armenia; luego, en el año 60, una parte de la Gran Armenia, y por último, en el 70, recibirá el reino de Calcis. Es el segundo marido de Salomé II, nieta de Herodes el Grande y amiga de Jesús, a quien ayudó con sus denarios en la campaña antirromana, y de quien el *Evangelio según Tomás* relata estas asombrosas palabras: «Salomé dijo: "¿Y tú quién eres, hombre? ¿De quién has salido para *haberte metido en mi cama y haber comido en mi mesa?*" Y Jesús le dijo: "Yo soy aquél que se ha producido de Aquél que es su igual. Me han dado lo que es de mi Padre". Y Salomé respondió: "¡Soy tu discípula!".». (*Evangelio de Tomás*, LXV, manuscrito copto del siglo IV, descubierto en Khenoboskion, en el Alto Egipto, en 1947, traducción de Jean Doresse, Plon, París, 1959.)[24]

De ese nuevo matrimonio, Salomé II y Aristóbulo III tuvieron tres hijos, tres varones: Herodes, Agripa y Aristóbulo. Herodiano (el «pequeño Herodes») es su hijo mayor. Y si Pablo (todavía Saulo) se declara pariente suyo, es que lo es asimismo de Aristóbulo III y de Salomé II. Y efectivamente, como pronto veremos, ¡eran primos! De manera que estamos muy lejos del «oscuro judío», el lector tendrá que reconocerlo.

Los de la «casa de Narciso» son aquellos que, ganados para la nueva ideología, son libertos o esclavos en la mansión principal de uno de los favoritos de Claudio César. Ese Narciso, *Claudii Narcissus libertus* en su nombre latino, es decir «Claudio Narciso, el liberto» (se tomaba el nombre del antiguo amo que los había manumitido), a la muerte de Claudio César y al advenimiento de Nerón, en el año 54, cayó en total desgracia, cosa que le fue fatal: «Sin más demoras, Narciso, liberto de Claudio, cuyas querellas con Agripina ya he relatado, es empujado a la muerte en un encarcelamiento riguroso y sujeto a violencia, con gran pesar de Nerón, cuyos vicios, aún secretos, se acomodaban maravillosamente a su avaricia y su prodigalidad». (Tácito, *Anales*, XIII, 1.)

Con gran rapidez Pablo contará con afiliados en el propio palacio de Nerón, y éstos se hallarán en el año 64, durante el incendio de Roma, en situación de sostener la fábula de que Nerón componía un poema sobre el incendio de Troya mientras contemplaba las llamas que

24. Cf. *Jesús o el secreto mortal de los templarios*, p. 295.

devoraban su capital. Porque esta fábula será la única explicación dada por los verdaderos incendiarios, como pronto veremos. En realidad Nerón se encontraba en Antium, su ciudad natal, cuando se produjo el incendio, y la noticia no le llegó hasta el cuarto día; entonces cubrió en pocas horas los 50 km que separan esa ciudad de Roma, quemando etapas. Inmediatamente adoptó todas las medidas para ayudar a los siniestrados, haciendo distribuir víveres y abriéndoles las puertas de todas sus mansiones y jardines.

Volviendo a los afiliados (íbamos a decir a los cómplices) que rápidamente tendrá Pablo en el palacio de Nerón César, citaremos simplemente la Epístola a los Filipenses, redactada en el año 63, el que precedió al incendio de Roma: «Os saludan los hermanos que están conmigo. Os saludan todos los santos, *y principalmente los de la casa del César*». (Pablo, Filipenses, 4, 22.)

Pero no se piense que nuestro hombre sólo tenía contactos con esclavos o libertos de rango inferior. Ya hemos visto que en Corinto se había beneficiado instantáneamente, sin haber abierto la boca siquiera, de la protección de los pretorianos del gobernador de la Acaya, Galión. Hemos visto cómo lo acogía en Roma Afranio Burro, prefecto del pretorio, amigo de Séneca, de quien era hermano Galión. No dudaremos en afirmar que, en Roma, estaría efectivamente en contacto con el propio Séneca. Sigue siendo una prueba bastante válida de estas relaciones la correspondencia apócrifa que se les atribuye. Se conservan catorce cartas, ocho de ellas de Séneca a Pablo, y seis de Pablo a Séneca. Son apócrifas, lo cual se constata por su composición, su trivialidad, y también por el hecho de que el falsificador imaginó que las cartas de los dos corresponsales se hallaban milagrosamente reunidas. Pues bien, en la realidad cotidiana las dos partes de una correspondencia, *envíos y respuestas*, están siempre separadas, o incluso dispersas, a causa del propio alejamiento de sus recíprocos destinatarios.

De todos modos, la existencia de una correspondencia apócrifa da por sentado que existía una correspondencia auténtica. Que esta última se perdiera o fuera destruida, que las cartas de Pablo a Séneca fueran confiscadas durante el proceso de este último, involucrado en la conspiración de Pisón en el año 66 (Cayo Calpurnio Pisón, quien conspiró contra Nerón y murió en el año 65), es un hecho plausible, o incluso probable. Asimismo, que las de Séneca a Pablo fueron confiscadas cuando éste fue detenido en Troas, a la entrada de los Dardanelos, en el año 66, o que resultaran destruidas durante el incendio de Roma, en el 64, es también otro hecho plausible.

De cualquier manera, no puede olvidarse que san Jerónimo hace alusión a una correspondencia entre esos dos hombres, y que la considera auténtica. Si se trataba o no del mismo lote de cartas es un misterio que no podemos aclarar en el estado actual de nuestra documentación.

Veamos lo que dice san Jerónimo en el año 362: «Lucius Annaeus Séneca [...] Yo no lo situaría en la lista de los autores cristianos si no me incitaran a ello esas cartas, *leídas por tan gran número de gente*, de Pablo a Séneca, y recíprocamente. En esas cartas, dicho maestro de Nerón, el hombre más poderoso de su tiempo, declara que desearía ocupar entre los suyos el rango que ocupa Pablo entre los cristianos. Fue condenado a muerte por Nerón dos años antes de que Pedro y Pablo recibieran la corona del martirio». (Cf. Jerónimo, *De viris illustribus*, XII.)

Lo mismo tenemos en san Agustín. En una carta escrita en el año 414, es decir veinte años después de san Jerónimo, a Macedonius, declara: «Con razón Séneca, que vivió en tiempos de los apóstoles, *y de quien incluso se leen las cartas que dirigió a san Pablo*, exclama: Ése, que odia a todo el mundo, que odia a los malvados...».

Lipsius, cuando cita al *pseudo-Linus*, confirma a su vez la existencia de una correspondencia entre Pablo y Séneca: «El propio preceptor del emperador, al ver en Pablo una ciencia civina, trabó con él una amistad tan fuerte que apenas podía pasar sin su conversación. De manera que, cuando no tenía la posibilidad de *conversar con él cara a cara*, le enviaba y recibía frecuentes cartas». (Cf. Lipsius, *Acta apostolorum apocrypha*, tomo I.)

Concluyamos, pues, que existió una correspondencia entre Pablo y Séneca, pero que no ha llegado hasta nosotros. Y si Pablo contaba con afiliados dentro de la «casa del César», debió de ir allí con frecuencia, a fin de conversar con ellos, y la protección de Galión, así como la de Afranio Burro, implican la de Séneca, es evidente. Lipsius no inventa nada.

Y ahora podemos abordar la última cuestión: *¿Quién era Pablo en realidad?* La respuesta no es sencilla, aunque sí de lo más sorprendente.

Al comienzo de este estudio sobre «*el hombre de Tarso*», le hemos aplicado el calificativo de «*tricéfalo*». Y en efecto, los escribas de los siglos IV y V amalgamaron palabras, hechos y acontecimientos correspondientes a tres existencias distintas, a tres personajes completamente extraños unos a otros.

Si el «*príncipe de los Apóstoles*», Simón-Pedro, no puso jamás los pies en Roma, si no murió allí con Pablo durante la primera persecución contra el cristianismo, no obstante es innegable que existió. Y su crucifixión en Jerusalén en el año 47, junto con su hermano Jacobo-Santiago, en su calidad de «hijos de Judas de Gamala», por orden de Tiberio Alejandro, procurador de Judea, lo prueba sobradamente.[25]

No puede decirse lo mismo de Pablo, salvo si se busca, en lo referente a su fin terrestre, el de los tres personajes que lo componen. Y no es fácil, reconozcámoslo. Es bastante sencillo demostrar esta «composición» última, al menos en lo que respecta a dos de sus «componentes». Y para el tercero, ahí está la Historia.

25. Cf. *Jesús o el secreto mortal de los templarios*, pp. 88-89.

4

Un príncipe herodiano llamado Shaul

Afortunado aquel que no les conoce apenas, ¡y más
afortunado aquel que no tiene nada que ver!

VOITURE, *Poésies*, los príncipes

Ya lo hemos visto, estamos forzados a rechazar la ciudad de Tarso, por no haber desempeñado ningún papel en la vida de nuestro personaje. Sabemos que debió de huir de Damasco de noche, en un cesto grande (Hechos, 9, 25). Pero Pablo no hace responsables de ello a los judíos, él mismo los descarta: «En Damasco, el gobernador del rey Aretas puso guardias en la ciudad de los damascenos para prenderme. Pero fui descolgado por una ventana, *en una espuerta*, a lo largo del muro, y así escapé de sus manos». (Pablo, II Corintios, 11, 32.)

En esa época Damasco pertenecía, en efecto, a Aretas IV, rey de la Arabia nabatea. En el año 36 de nuestra era Tiberio César había emprendido inútilmente una campaña contra ese soberano. Al año siguiente, por consiguiente en el 37, Calígula sucedió a Tiberio, y según buen número de historiadores serios, cedió Damasco al rey Aretas, en testimonio de una paz libremente consentida. Esta hipótesis viene confirmada por el hecho de que, a pesar de que existen monedas damascenas con la efigie grabada de Tiberio, no hay ninguna con la imagen de Calígula o de su sucesor Claudio.

Sobre el motivo de dicha tentativa de apresamiento de Pablo por los guardias del etnarca de Aretas IV tendremos ocasión de volver.

Sea como fuere, el sobrenombre de *tarsiota* dado a Pablo tiene su origen simplemente en el medio que utilizó para su huida. Porque en griego *tarsós* significa «nasa, cesto, espuerta». Saulo de Tarso significa, en realidad, «Saulo del cesto», apodo humorístico. Cosa que ya hacían presagiar las afirmaciones contradictorias sobre su nacimiento en Giscala, en la alta Galilea.

Pero entonces *¿quién es Pablo?* Volvamos a los Hechos de los Apóstoles:

«Ellos, gritando a grandes voces, se taparon los oídos y se arrojaron a una sobre Esteban, lo arrastraron fuera de la ciudad y lo apedrearon. Los testigos depositaron sus mantos *a los pies de un joven llamado Saulo.* Y mientras le apedreaban, Esteban oraba, y decía: Señor Jesús, recibe mi espíritu...» (Hechos, 7, 57-59.)

«Saulo había aprobado la muerte de Esteban...» (Hechos, 7, 60.)

«A Esteban algunos hombres piadosos lo llevaron a enterrar e hicieron sobre él gran luto. Por el contrario, *Saulo devastaba la Iglesia*, y entrando en las casas, arrastraba a hombres y mujeres y los hacía encarcelar...» (Hechos, 8, 2-3.)

«Saulo, respirando *todavía* amenazas de muerte contra los discípulos del Señor, se llegó al sumo sacerdote pidiéndole cartas de recomendación para las sinagogas de Damasco, a fin de que, si allí hallaba quienes siguiesen ese camino, hombres o mujeres, los llevase atados a Jerusalén...» (Hechos, 9, 1-2.)

Esos cuatro extractos de los Hechos de los Apóstoles no constituyen, como se ve, y en buena lógica, sino una amalgama de contradicciones.

Veamos algunos detalles sobre la *lapidación judicial* en Israel: A cuatro codos del lugar del suplicio se le retiraban al condenado sus vestiduras, a excepción de una sola, que lo tapara por delante, si era un hombre, y por delante y por detrás si era una mujer. Ésta es la opinión del rabino Judá, pero los rabinos declaran que tanto al hombre como a la mujer se les debía lapidar desnudos. La altura del emplazamiento era la de dos alturas de hombre. Uno de los testigos (acusador) tumbaba al condenado, de manera que quedara sobre los riñones; si se daba la vuelta, el testigo lo devolvía a la posición deseada. Si a causa de esta caída moría, la Ley se consideraba satisfecha. Si no, el segundo testigo (acusador), cogía la piedra y se la lanzaba apuntando al corazón. Esta *«primera piedra»* (véase Juan, 8, 7) debía ser lo suficientemente pesada como para que fueran necesarios dos hombres (los *dos testigos* requeridos por la acusación) para levantarla: «Dos de ellos la levantan en el aire, pero uno solo la lanza, de manera que golpee más fuerte». (*Sanedrín*, 45, b.) Si el golpe resultaba mortal, se había hecho justicia. Si no, *la lapidación incumbía colectivamente a todos los israelitas.* Porque está escrito: «La primera mano que se levantará contra él para matarlo será la mano de los *testigos*; a continuación será la mano *de todo el pueblo».* (Deuteronomio, 17, 7.)

Lo que damos aquí es un resumen de las reglas judiciales de la lapidación tal como están prescritas por el *Talmud*, y mucho antes por el Pentateuco en su Deuteronomio.

Pues bien, si un «joven llamado Saulo» se limita a montar guardia delante de las vestiduras de los *testigos*, es que no participa en la lapidación. Para esta anomalía sólo hay dos posibles explicaciones.

La primera es que el joven es un chiquillo de menos de doce años, y por consiguiente todavía carece de la mayoría de edad legal para estar sujeto a todas las obligaciones de la Ley judía. Sobre este particular remitimos al lector al capítulo 12 de nuestro anterior volumen, capítulo titulado «Jesús entre los doctores».[26] Pero en ese caso, ¿cómo podía tener voz en el capítulo, y aprobar la condena de Esteban? ¿Y cómo puede, poco después, «devastar la Iglesia, y entrando en las casas», con una inevitable escolta de gente armada (necesariamente *levitas* del Templo, puestos a su disposición por el *estratega* de éste), arrastrar a las gentes y hacerlas encarcelar? ¿Y cómo se atreve este chiquillo a presentarse frente al pontífice de Israel y pedirle cartas de recomendación para operar en Damasco, ciudad que pertenece a otro reino?

Para todas estas inverosimilitudes (y esta palabra es todavía demasiado débil para calificar semejantes estupideces), queda otra explicación. La encontraremos en Flavio Josefo. Pero antes recordemos que la *Confesión de san Cipriano* daba por sentado que las cartas de recomendación de que disponía Saulo-Pablo para actuar en Damasco le habían sido entregadas por el *gobernador*, término sinónimo al de *procurador* en los textos neotestamentarios, y no por el *sumo sacerdote*. De modo que Saulo estaba a las órdenes de las autoridades romanas de ocupación, y no de las autoridades religiosas judías. Y ahora veamos lo que dice Flavio Josefo, o al menos lo que los monjes copistas han tenido a bien dejarnos: «Una vez muerto Festo, Nerón dio el gobierno de Judea a Albino y al rey Agripa [...] Costobaro y Saulo tenían también consigo *gran número de guerreros, y el hecho de que fueran de sangre real y parientes del rey* les hacía gozar de una gran consideración. Pero eran violentos y siempre estaban dispuestos a oprimir a los más débiles. Fue principalmente entonces cuando comenzó la ruina de nuestra nación, pues las cosas iban de mal en peor». (Flavio Josefo, *Antigüedades judaicas*, XX, 8.)

¿No le recuerda esto nada al lector? ¿Tendremos que volver a consultar los pasajes, antes citados, de los Hechos (8, 3, y 9, 8), donde vemos a Saulo y a sus hombres armados penetrando en las casas, tanto en Jerusalén como en Damasco, y arrancando de ellas a las gentes para meterlas en prisión? ¿Ese Saulo de los Hechos no será el mismo que el de las *Antigüedades judaicas*?

Pues bien, ahora nos encontramos en el año 63 de nuestra era, noveno año del reinado de Nerón, dato precisado indiscutiblemente por la muerte del procurador Porcio Festo y la llegada de su sustituto: Albino Lucayo, más tarde puesto por Nerón al frente de la Mauritania Cesarea, y que, al haberse sospechado que pretendía proclamarse rey bajo el nombre de Juba, fue degollado cuando desembarcó, por orden de Vitelo. (Cf. Tácito, *Historias*, II, 78-79.)

Así pues, en el año 63 Saulo todavía no se habría convertido, mien-

26. Cf. *Jesús o el secreto mortal de los templarios*, pp. 123-125.

tras que los exégetas de la Iglesia aseguran que su conversión dataría de aproximadamente el momento de la lapidación de Esteban, ¡o sea en el año 36! Pero continuemos escrutando a Flavio Josefo: «Los grandes, viendo que la sedición había llegado a tales extremos que su autoridad ya no era capaz de reprimirla, y que los males que cabía temer de la parte de los romanos recaerían principalmente sobre ellos, decidieron, a fin de no olvidar nada para intentar disuadirlos, enviar diputados a Floro, de los cuales Simón, hijo de Ananías, era el jefe, y otros al rey Agripa, los principales de los cuales eran *Saulo, Antipas y Costobaro*, parientes de este príncipe, para rogar al uno y al otro que acudieran con tropas a Jerusalén, a fin de apagar las sediciones antes de que cobraran todavía más fuerza». (Cf. Flavio Josefo, *Guerra de los judíos*, II, 31.)

Según ese pasaje nos encontramos en el año 66, «antes del 15 de agosto», y Gessio Floro es procurador desde el año 63. Menahem, nieto de Judas de Gamala, quien fue criado «con Herodes el Tetrarca y Saulo» (Hechos, 13, 1), aparecerá en la escena política y unificará a los sediciosos al apoderarse de la plaza fuerte de Massada, y los judíos la conservarán hasta el año 73, fecha de la toma de esta plaza y del célebre suicidio colectivo de sus defensores.

Pero prosigamos: «Tras un hecho tan infortunado acaecido a Cestio, *varios de los principales de los judíos* salieron de Jerusalén, *como habrían salido de una nave a punto de naufragar.*[27] *Costobaro y Saulo, que eran hermanos*, y Felipe, hijo de Joaquín, que había sido general del ejército del rey Agripa, se retiraron con Cestio. Y en otro lugar diré cómo Antipas, que había sido asediado con ellos en el palacio real, al no querer huir, murió en manos de esos sediciosos. *Cestio envió entonces a Saulo y a los otros* [Costobaro y Felipe, hijo de Joaquín] *junto a Nerón*, que entonces se hallaba en Acaya, para informarle de su derrota y hacer recaer las culpas sobre Floro, a fin de calmar su cólera contra él, haciéndola recaer sobre otro». (Cf. Flavio Josefo, *Guerra de los judíos*, II, 41.)

Ese Cestio Galo es entonces gobernador de Siria, mientras que Gessio Floro es tan sólo procurador de Judea, sometido a la autoridad del primero, desde el año 63. Nos hallamos «después del 8.º día de noviembre, año 12 del reinado de Nerón César», es decir en el año 66, ya que Josefo es todavía gobernador de Galilea, y Juan, de Giscala, pronto entrará en escena.

Ahora nos encontramos frente al doble callejón sin salida en el que

27. Según Eusebio de Cesarea, los miembros de la Iglesia de Jerusalén abandonaron la ciudad antes de la guerra que iba a estallar, y se retiraron a una ciudad de Perea llamada Pella. (Cf. Eusebio de Cesarea, *Historia eclesiástica*, III, v, 3.) Se trata, evidentemente, del mismo episodio, pero bajo la pluma de Eusebio los *«principales de los judíos»* se convierten en «cristianos». De hecho, confiesa que la noticia había sido transmitida *«por profecía, a los notables del lugar»*, por lo tanto a los judíos, y no a los cristianos.

se extraviaron imprudentemente los escribas anónimos de los siglos IV y V, al censurar, interpolar y extrapolar a diestra y siniestra, con el único fin de asentar una impostura que en aquella época podía esperar durar (dado el analfabetismo de las masas), pero que no resiste a la crítica racional de nuestra época. Recapitulemos, pues:

1) Es indiscutible que el Saulo de los Hechos y de las Epístolas, que fue criado con Menahem y Herodes el Tetrarca, que oprime y apresa a los cristianos, que es pariente de Herodiano, hijo primogénito de Aristóbulo III, rey de Armenia, y de Salomé II, su esposa, y que por lo tanto es primo de estos últimos, que tiene relaciones entre «los de la casa del César» y «los de la casa de Narciso», que es protegido por Galión, «amigo del César» y procónsul de Acaya, hermano de Séneca, el Saulo a quien el tribuno Lisias da una escolta de 470 soldados, y que a continuación es protegido por el procurador Félix, que discute amigablemente con el rey Agripa y las princesas Drusila y Berenice, que es acogido por el prefecto del pretorio, Burro, en persona, consejero de Nerón junto a Séneca, que conversa y mantiene correspondencia con este último, es indiscutible, decíamos, que ese Saulo es el mismo que el Saulo hermano de Costobaro, ambos «príncipes de sangre real», porque son nietos de Salomé I, hermana de Herodes el Grande (cf. Flavio Josefo, *Antigüedades judaicas, passim*), y que oprimen a determinados elementos de la población.

Y obtuvo fácilmente la calidad de ciudadano romano, si releemos con atención a Flavio Josefo: «Salomé, hermana de Herodes el Grande, legó por testamento a la emperatriz Livia, esposa de César Augusto, su toparquía, con Jamnia y los palmerales que había hecho plantar en Faraélida». (Flavio Josefo, *Guerra de los judíos*, II, XIII.)

Salomé I, abuela de Saulo y de Costobaro, murió en el año 14 de nuestra era. Sus lazos de amistad con la *domina augusta* eran normales, y eran fruto de los que los emperadores romanos manifestaron siempre para con su hermano Herodes el Grande. Así pudo obtener probablemente la ciudadanía romana para su esposo Costobaro I.

El Saulo de los Hechos y el Saulo de Flavio Josefo no son pues, inicialmente, sino una misma y única persona. Y si las fechas no coinciden *con exactitud*, es porque se ha censurado, interpolado y extrapolado a troche y moche, como veremos pronto al analizar los Hechos de los Apóstoles.

2) El Saulo del Nuevo Testamento, efectivamente, no es un judío de raza, por las razones siguientes:

a) ignoramos totalmente su nombre de circuncisión, «Saulo-bar-X...», igual que el de su padre. Ahora bien, las familias judías conservaban cuidadosamente su genealogía. Es obvio que se nos oculta alguna cosa;

b) todo judío tenía que poseer un oficio manual, y los rabinos igual que los demás. Esta costumbre era ley, y un viejo proverbio judío decía que un hombre sin oficio era considerado como un bandido en potencia. Pues bien, se nos dice que Saulo, para vivir, *tejía lonas para tiendas*: «... y como era del mismo oficio que ellos, se quedó en su casa y trabajaron juntos, pues eran ambos fabricantes de lonas». (Hechos, 18, 3.) El hombre que tiene el mismo oficio que Pablo es Aquilas, originario del Ponto, reino del Asia Menor del Nordeste. De modo que no es sino un judío de la Diáspora, procedente de una región donde se vive en tiendas. Su propio nombre no es hebreo. Ahora bien, Pablo, según se nos dice, viene de Jerusalén, donde ha realizado todos sus estudios rabínicos a los pies del gran doctor Gamaliel (Hechos, 22, 3), lo que representa toda su adolescencia y su edad madura hasta su conversión. *Y hace más de un milenio que los judíos se han vuelto sedentarios en Palestina. Al haber dejado de ser un pueblo nómada, ya no viven bajo tiendas, sino en aldeas y ciudades.* Numerosos rabinos son carpinteros y canteros. Pero tejer tiendas con pelo de cabra, destinadas a nómadas paganos, sería indigno de un judío legalista. Se trata de un oficio y una necesidad propios de aquellos que han salido de pueblos en gran parte dedicados al pastoreo, es decir de árabes, idumeos y nabateos.

Pues bien, el Saulo hermano de Costobaro es idumeo por parte de padre y por la filiación idumea paterna de éste, pero por parte de su madre y su bisabuela Cypros, es de filiación nabatea. Esta última, según nos dice Flavio Josefo, pertenecía a una de las más ilustres familias de Arabia (cf. Flavio Josefo, *Guerra de los judíos*, I, vi), familias a las que todavía hoy se conoce como las de los «señores de las grandes tiendas».

De todos modos, es difícil admitir que Saulo, príncipe herodiano *de sangre real*, se hubiera hallado jamás en la necesidad de aprender otro oficio que no fuera el de las armas, y no son los aristócratas ni los hombres en general quienes tejen las tiendas de pelo de cabra entre los árabes, pues esta tarea está reservada a las mujeres del pueblo o a los esclavos.

Por otra parte, cuando Saulo-Pablo conoce a Aquilas y Priscila, éstos acaban de llegar a Corinto, expulsados de Roma por el edicto de Claudio César (cf. Suetonio, *Vida de los doce Césares: Claudio*, XXV). Nuestro hombre se asocia a ellos en la fabricación y comercialización de tiendas, según se nos dice (Hechos, 18, 3).

Veamos ahora dos preguntas embarazosas:

I. ¿Qué plausibilidad tiene el hecho de que Aquilas y Priscila vivieran jamás en Roma, fabricando y vendiendo tiendas, cuando Italia no tenía ya ninguna población nómada? Los campesinos vivían en chamizos o en granjas importantes, y los ciudadanos habitaban en casas de varios pisos, hechas de madera o de piedra. El populacho vivía en las catacumbas.

II. ¿Qué plausibilidad hay en el hecho de que Aquilas, Priscila y Pablo vivieran en Corinto, ciudad griega, capital de la provincia romana de Acaya, célebre por su urbanismo, y que se mantuvieran a base de una fabricación y un comercio semejantes? En la Grecia antigua sucede lo mismo que en la Roma imperial: no existe el nomadismo. E imaginar que esas tiendas eran exportadas supone ignorar que los pueblos itinerantes de Asia Menor, de un tipo particular, viven desde siempre en una autarquía latente. Además, los importantes rebaños de cabras que acompañan a sus regulares migraciones cíclicas subvienen a las necesidades de sus artesanos. Cada clan familiar en el seno de cada tribu posee su «oficio» rudimentario, efectuado por las mujeres. Y por otro lado, ¿con qué moneda, con qué dinero hubieran saldado semejantes adquisiciones esas arcaicas etnias? Es indudable que los embutidos arvernos se vendían en Roma, y que los vinos de Grecia se exportaban, pero los únicos capaces de aprovecharlo eran la rica aristocracia romana y algunos plebeyos enriquecidos.

Nos vemos, pues, forzados a deducir que, una vez más, el escriba anónimo que redactó este pasaje de los Hechos de los Apóstoles dio rienda suelta a su imaginación también aquí, y que Saulo-Pablo jamás fabricó tiendas. *Disponía de otros recursos, y aquí tenemos la prueba*: «No he codiciado plata, oro o vestidos de nadie. Vosotros sabéis que a mis necesidades *y a las de los que me acompañan* han proveído estas manos». (Hechos de los Apóstoles, 20, 33-34.)

Resulta difícil imaginar a Saulo-Pablo trabajando interminables horas en un oficio como el de tejer para asegurar la cama y la mesa a unos colaboradores que se arrellanan mirándolo. Además, no era *cohen* (sacerdote) ni doctor de la Ley, al no ser judío. Por lo tanto no podía subsistir del diezmo sacerdotal en las comunidades que visitaba. Concluyamos pues que era rico, o que poseía unos recursos misteriosos.[28] Cosa que viene justificada por el hecho de que viviera en Roma durante dos años sin hacer ninguna otra cosa que lo que dicen los Hechos: «Pablo permaneció dos años enteros en la casa que había alquilado, donde recibía a todos los que acudían a él, predicando el reino de Dios y enseñando con toda libertad *y sin obstáculos* lo tocante al Señor Jesucristo». (Hechos de los Apóstoles, 28, 30.)

3) Al proceder de una familia de incircuncisos (es el reproche esencial que los judíos hacen a la dinastía idumea de los Herodes), el Saulo-Pablo del Nuevo Testamento es de entrada adversario de la circuncisión y de los tabúes judaicos, cosa que un *judío de raza*, presa tanto de un subconsciente hereditario como de la educación recibida en su primera infancia, jamás se atrevería a infringir, y menos aún a combatir.

Volvamos a leer las Escrituras:

Hechos (15, 1-35) — (21, 21);
Romanos (4, 9) — Gálatas (5, 2; 6, 12);
Filemón (3, 3) — Colosenses (3, 11);
Gálatas (6, 15) — I Corintios (7, 19).

28. Por eso el procurador Félix esperaba de él una recompensa (Hechos, 24, 26).

Podrá constatarse que esos textos son categóricos: Pablo es enemigo de los ritos judaicos esenciales. Y en su libro *Saint Paul, apôtre* (*imprimatur* del 12 de mayo de 1952), Giuseppe Ricciotti saca la conclusión: «El *evangelio particular* de Pablo no imponía esos ritos; es más, incluso los excluía». Por consiguiente, si «su evangelio» había sido aprobado, los ritos en cuestión se hallaban excluidos, al menos para aquellos que provenían del paganismo al que Pablo dirigía su mensaje.

Y ahora abordaremos un nuevo problema: ¿Qué hombre era ese Saulo idumeo, hermano de Costobaro, nieto de la hermana de Herodes el Grande (amiga de la emperatriz Livia), «*príncipe de sangre real*», jefe de la policía política judeo-idumea, y cómo y por qué acabó fundando ese *mesianismo místico*, después de haber sido el artífice de la muerte del *mesianismo político* de los zelotes? También aquí, según el viejo proverbio judicial, nos bastará con «buscar a la mujer». Pronto lo veremos. De todos modos, volviendo a la calidad de *civis romanus* que los falsificadores anónimos de los Hechos de los Apóstoles le atribuyen con vanidosa ostentación, en una época en que el cristianismo se ha convertido en la *religión del Estado*, veremos quizás aparecer todavía algunas briznas de verdad. Y con ello, algunas nuevas sorpresas para el lector...

5

Un extraño ciudadano romano

... Y me hago judío con los judíos para ganar a los judíos [...] Con los que están fuera de la Ley me hago como si estuviera fuera de la Ley...

PABLO, I Epístola a los Corintios, 9, 20-21

Anteriormente hemos admitido la afirmación de los Hechos según la cual Saulo-Pablo tenía la calidad de *civis romanus*, ciudadano romano. Vamos a examinar ahora el valor de dicha afirmación.

En primer lugar, es evidente que si nuestro hombre era judío de raza, no podía tener esta ciudadanía en aquellos tiempos. Ningún judío de Oriente era ciudadano romano, por la excelente razón de que, al aceptar esa dignidad, era expulsado *ipso facto* de la nación judía, y se le sometía a la terrible ceremonia del *herem*, o expulsión definitiva, que afectaba tanto a la vida presente como a la futura.

Todo ciudadano romano debía participar en el culto a los dioses del Imperio, en especial al de las divinidades tutelares de la ciudad de Roma, y le estaba prohibido participar en el dedicado a divinidades extrañas no reconocidas por el Senado romano, y menos aún en el de una divinidad ilícita. Es decir, que si el culto a Yavé, dios único, asimilado por Roma a Zeus, permitía a los más altos dignatarios del Imperio hacer ofrendas en el Templo de Jerusalén, a un judío de raza no le era posible hacer lo mismo con respecto a los *Dea Roma*, como Vesta, Apolo, Venus, antepasados de la *gens Julia*, los *Dea Genitri* y, especialmente, los *Dea Victoria*.

Pero ¿qué decir de un judío de raza que durante años se dedicó a hacer triunfar el culto a un cierto rebelde llamado Jesús, crucificado por un procurador romano por haber pretendido ser «rey de los judíos»? Y ese mismo judío de raza añadiría, además, injurias blasfematorias para con los dioses del Imperio: «¡Servís a dioses que no lo son!»

(Gálatas, 4, 8), o «Lo que sacrifican los gentiles, a los demonios y no a Dios lo sacrifican» (I Corintios, 10, 20).

¡Es sencillamente increíble!

En conclusión, volvemos a nuestras afirmaciones precedentes, a saber, que Saulo-Pablo no era judío de raza. De ello resulta que nada se opone a que fuera ciudadano romano. Pero entonces, ¿cómo?

Hemos sugerido la hipótesis de que Salomé I, su abuela, amiga de la emperatriz Livia, esposa del emperador Augusto, hubiera obtenido la ciudadanía romana para su familia. No es imposible. El emperador podía imponer fácilmente su voluntad en el Senado romano. Vespasiano hizo de Flavio Josefo un *civis románus*, lo que explica todavía mejor el odio de sus compatriotas, ya que eso implicaba un verdadero adulterio espiritual con respecto a la religión judía.

Pero hay también otros argumentos en favor de la romanización de Saulo-Pablo. Renan, quien obviamente no ignoraba la tesis que proclamaba a Jesús hijo de Judas de Gamala, pero que se guardó bien de emitirla teniendo en cuenta el clericalismo de la época, nos lo confiesa explícitamente: «Puede suponerse que su abuelo la había obtenido *por haber ayudado a Pompeyo durante la conquista romana...*». (Cf. Ernest Renan, *Les Apôtres*, p. 164.)

Se excluye la posibilidad de que el abuelo de Saulo-Pablo, de haber sido judío, fuera lo suficientemente influyente como para ayudar a *Cneius Pompeius Magnus* en su conquista de todo el Oriente Medio: Fenicia, Líbano, Palestina, que acabó con la toma de Jerusalén en el año 63 de nuestra era. Además, en aquella época no podría tratarse del abuelo de Saulo-Pablo, sino como mínimo de un bisabuelo: Antipater.

Antipater, idumeo, esposo de Cypros I, princesa nabatea, y primer ministro de Hircano II (rey sacerdote por quien Pompeyo sustituyó a Aristóbulo), empujó a éste por el camino de la colaboración con Roma. Maniobró hábilmente entre los dos partidos durante la guerra civil romana que enfrentó a César y Pompeyo, y al final se alió al primero y le envió a Egipto un ejército judío de refuerzo en el año 48 antes de nuestra era, liberando así a César de una situación dramática en el sitio de Alejandría, y salvándole incluso la vida. Fue, además, el primero en penetrar en Pelusa. Como recompensa fue nombrado administrador del Templo y procurador (en el año 47 antes de nuestra era). César nombró al primogénito de Antipater, Fasael, gobernador de Jerusalén, y Herodes, el benjamín, se convirtió en gobernador de Galilea. Veamos lo que nos cuenta Flavio Josefo: «El gran número de heridas que recibió fueron gloriosas marcas de su valor. Después de que César hubiera terminado los asuntos de Egipto y hubiera regresado a Siria, *honró a Antipater con la ciudadanía romana, con todos los privilegios que de ella derivaban, a lo que añadió tantas otras pruebas de su estima y de su afecto que lo hizo digno de envidia*». (Cf. Flavio Josefo, *Guerra de los judíos*, I, vii.)

¡Aquí tenemos, pues, a ese antepasado de Saulo-Pablo del que

Renan asegura que fue *civis romanus*! Lo que implica que nuestro autor sabía perfectamente a qué atenerse sobre los orígenes familiares del tal Saulo, y que se vio obligado a callar una parte de sus descubrimientos.

De todos modos, los espíritus más desconfiados no dejarán de decir que los hijos de Antipater, Fasael y Herodes, ya habían nacido cuando se hizo entrega de dicha dignidad a su padre. ¿Se hacía extensiva también a ellos? Porque en este particular el hijo seguía la condición de su padre en el momento de la concepción, en el caso de matrimonios legítimos, y Antipater no era *ciudadano romano* cuando ellos nacieron.

A esto responderemos que es impensable que César no hubiera hecho implícitamente extensiva esta calidad a los dos hijos. En primer lugar, siempre fue muy liberal en este aspecto. Por ejemplo, la *legio Alauda*, la famosa legión de l'Alouette, toda ella reclutada entre galos, recibió de él la categoría de *ciudadana romana*, extensiva a todos sus miembros, independientemente de su graduación. (Cf. Suetonio, *Vida de los doce Césares: César*, XXIV.)

Por otra parte, la Francia anterior a la Revolución de 1789 estaba regida por leyes y costumbres que procedían directamente del derecho romano. Pues bien, el ennoblecimiento de un plebeyo implicaba el de toda su descendencia, aun en el caso de que el nacimiento de sus hijos hubiera sido anterior a dicho ennoblecimiento. *Éstos eran ennoblecidos implícitamente a la vez que él.* Esta costumbre no tenía ninguna excepción.

Pero, seguirá objetándose, Saulo-Pablo era nieto de Herodes el Grande por línea femenina; en este caso, ¿era transmisible por vía materna dicha calidad, verdadera nobleza secundaria en el seno del Imperio romano? A esto seguiremos diciendo que sí. En todas las «*tierras y provincias del Sacro Imperio Romano Germánico*» (en Francia: Flandes, Champaña, Lorena, Borgoña, Delfinado, Provenza) existía la nobleza *uterina*, transmisible a través de las hijas, en virtud del derecho romano que decretaba que «el hijo sigue la suerte del vientre que le ha llevado».

Sin duda se volverá a argüir que Herodes llevaba simplemente los títulos de *amigo y aliado del pueblo romano*, y que eso no implica la ciudadanía romana. No debemos olvidar que, en esta época, Herodes el Grande es rey de Judea, de Samaria y de Galilea. Es un soberano vasallo de Roma, pero un soberano independiente, dueño de su reino. Esta función la ejerce, pues, libremente, en los términos citados; *amigo y aliado del pueblo romano* no implican por lo tanto (por pura cortesía) la sujeción que implicaría necesariamente la trivial definición de *ciudadano romano*. Estos términos lo elevan a un nivel muy superior, sustituyéndola.

Por otra parte, se manifestó siempre como *ciudadano romano*. Si reconstruyó el Templo de Jerusalén, si hizo reconocer a los judíos sus derechos más sagrados contra los griegos, ya antisemitas, en materia religiosa, se comportó asimismo como fiel observador de los deberes de un *civis romanus*, restaurando o construyendo numerosos santuarios paganos, corriendo con todos los gastos, especialmente el santuario de Apolo Pitio en Rodas (cf. Flavio Josefo, *Antigüedades judaicas*, XVI, v). Pues bien, a esto no estaba obligado en caso de no haber sido ciudadano romano, ya que tales manifestaciones propaganas no hacían sino aumentar el odio de los judíos integristas hacia él.

Creemos, pues, que es a esta filiación herodiana a la que Pablo podrá referirse cuando afirma ante el tribuno Lisias: «Pues yo la tengo por nacimiento». (Hechos de los Apóstoles, 22, 28.)

6

La dinastía idumea

La verdad de los dioses está en proporción con la sólida
belleza de los templos que se les ha levantado.

ERNEST RENAN,
Origines du Christianisme

No nos parece inútil dar una breve visión histórica de los orígenes
de toda la gran familia herodiana, ya que, para comprender el comportamiento de Saulo-Pablo, es importante conocer bien su herencia, su
psiquismo racial y sus creencias iniciales.

Julio el Africano, escritor cristiano del siglo III, en su *Carta a Arísti-
des*, reproducida parcialmente en las *Quaestiones ad Stephanum* de
Eusebio de Cesarea, recogió diversas tradiciones a este respecto en
obras anteriores, en especial las de Nicolás el Damasceno, Ptolomeo
de Ascalón y las *Memorias* de Hegesipo.

Julio el Africano nos precisa que fueron «parientes *carnales* del
Salvador», es decir familiares muy cercanos, hermanos, sobrinos, o
incluso la propia María, su madre, quienes aportaron dichas tradiciones sobre el origen de la familia de los Herodes. Y este hecho no hace
sino reforzar la hipótesis avanzada por Daniel Massé, como conclusión a sus propias investigaciones (y él había sido juez de instrucción), de que habían existido lazos «por alianza» entre la familia
herodiana y la de los «hijos de David». *La última esposa de Herodes
el Grande, Cleopatra de Jerusalén, viuda de un «hijo de David», se
habría casado en segundas nupcias con el citado Herodes*, según
Massé. (*Supra*: p. 37.)

Por muy sorprendente que resulte esta hipótesis, se halla seria-
mente sustentada por un hecho que la tradición cristiana reservada al
pueblo llano oculta cuidadosamente, y ese hecho es la *riqueza indiscutible de la familia davídica*, es decir la importancia de los bienes

poseídos por la de María, madre de Jesús, y las diversas rentas percibidas por este último.

Sobre éstas, remitimos al lector a nuestra obra precedente, al capítulo titulado «El diezmo mesianista».[29] Entre los bienes inmuebles de la familia podemos mencionar ya con certeza la casa familiar de Gamala, ese nido de águilas, cuna de la familia; la casa de Cafarnaúm, citada en Mateo (4, 13), y en Marcos (1, 29), que pertenecía a Simón y Andrés, *hermanos de Jesús*;[30] la de Séforis, destruida en los años 6 al 4 antes de nuestra era por las legiones de Varo, legado de Siria, cuando tuvo lugar la primera revolución de Judas de Gamala, esposo de María y padre de Jesús; podemos añadir la de Betsaida, «la ciudad de Andrés y de Pedro» (Juan, 1, 44), ya que, repitámoslo, son hermanos de Jesús.

También el abad Emile Amann, al traducir y comentar el *Protoevangelio de Santiago*, consagrado a María, sus orígenes y su infancia, observa que, según el texto: «Joaquín [el padre de María] es *enormemente rico*, y esto constituye una respuesta directa a las acusaciones judías sobre la pobreza de María». (Cf. E. Amann, *Le Protévangile de Jacques*, imprimatur del 1-2-1910, Letouzey éditeur, París, 1910, p. 181.)

Henos, pues, muy lejos de la familia mísera que nos presentan perpetuamente para enternecernos.

Veamos lo que dice sobre ello el Africano, reproducido por Eusebio de Cesarea: «Esto no se ha dicho ni sin pruebas ni a la ligera. Porque los familiares carnales del Salvador, *bien sea para vanagloriarse*[31] o simplemente por contarlo —pero, en todo caso, diciendo la verdad—, han transmitido también lo siguiente:

»Unos bandidos idumeos asaltaron la ciudad de Ascalón, en Palestina, y de la capilla de Apolo, que estaba levantada cerca de las murallas, se llevaron junto con el resto del botín al pequeño Antipater, hijo de un servidor del templo, Herodes, y lo hicieron prisionero. Al no poder pagar el sacerdote el rescate por su hijo, Antipater fue educado según las costumbres de los idumeos, y más tarde gozó del afecto de Hircano, sumo sacerdote de Judea. Luego fue enviado por Hircano en embajada junto a Pompeyo, y obtuvo en favor de aquél la libertad del reino que había sido arrebatado a Aristóbulo, su hermano. Él mismo tuvo la buena fortuna de ser nombrado *epimeleta* de Palestina.[32]

»Luego, tras ser asesinado Antipater a traición, a causa de los celos

---

29. Cf. *Jesús o el secreto mortal de los templarios*, pp. 162-183.

30. Cf. *Jesús o el secreto mortal de los templarios*, pp. 54-90. En una próxima obra, cuyo manuscrito está ya terminado, demostraremos que Andrés, hermano de Simón-Pedro (Mateo, 4, 18, y Juan, 1, 41), y por lo tanto hermano también de Jesús (Marcos, 6, 3), no es otro que Lázaro, el seudorresucitado.

31. *¿Para vanagloriarse?* He ahí la confesión de las relaciones familiares, mediante diversas alianzas matrimoniales, con la dinastía de los Herodes, por parte de esos familiares «carnales» de Jesús.

32. Función análoga a la de *procurador*.

provocados por su suerte, su hijo Herodes le sucedió, y más tarde éste fue llamado por Antonio y Augusto, en virtud de un decreto del Senado romano, para que reinara sobre los judíos. Sus hijos fueron Herodes y los otros tetrarcas idumeos. Y así se encuentra también en la historia de los griegos.[33]

»Hasta entonces, en los archivos se encontraban copiadas las genealogías de los verdaderos hebreos, y las de los prosélitos de origen, como Aquior el Amanita, Rut la Moabita, y las de las gentes salidas de Egipto y que se habían mezclado con los hebreos. Herodes, a quien la raza de los israelitas no interesaba en nada, hizo quemar los registros de esas genealogías, imaginándose que así podría parecer noble, por el hecho de que nadie podría remontarse en los registros públicos hasta sus orígenes, hasta los patriarcas o prosélitos o extranjeros mezclados, llamados *geores*.» (Eusebio de Cesarea: *Historia eclesiástica*, I, vii, 11-44.)

Lo que Flavio Josefo nos transmite en sus obras no por no ser rigurosamente idéntico deja de ser menos sensiblemente análogo. Veamos lo que dice este autor: «Un idumeo llamado Antipater, muy rico, muy emprendedor y muy hábil, era gran amigo de Hircano y enemigo de Aristóbulo. Nicolás el Damasceno lo hace descender de una de las principales casas de los judíos que regresaron a Judea desde Babilonia, pero lo dice por Herodes, su hijo, a quien la fortuna luego elevó al trono de nuestros reyes, como veremos en su lugar.[34]

»Antes lo llamaban, no Antipater, sino Antipas, como su padre, quien al ser nombrado por el rey Alejandro y la reina su esposa gobernador de toda la Idumea, entabló amistad con los árabes, los gazaenos y *los ascalonitas*, y se ganó su afecto mediante grandes regalos». (Cf. Flavio Josefo, *Antigüedades judaicas*, XIV, ii.)

«La esposa de ese Antipater, llamada Cypros, pertenecía a una de las más ilustres casas de Arabia. Tuvo de ella cuatro hijos varones: Fasael, Herodes, que después fue rey, José y Feroras, y una hija llamada Salomé. Su sabia conducta y su liberalidad le granjearon la amistad de varios príncipes, y especialmente del rey de los árabes, a quien confió sus hijos cuando estuvo en guerra con Aristóbulo.» (Cf. Flavio Josefo, *Guerras de los judíos*, I, vi.)

No obstante, existe una divergencia genealógica entre las tradiciones recogidas por Julio el Africano y las recibidas por Flavio Josefo. Veámoslas:

---

33. Nicolás el Damasceno y Ptolomeo de Ascalón.
34. Flavio Josefo, en su *Guerra de los judíos* (manuscrito eslavo), cuenta que cuando Herodes el Grande compareció ante Hircano por la muerte de Ezequías, Sexto Gésar, gobernador de Siria y pariente de Julio César, escribió a Hircano: «Exime a Herodes de todo proceso, *tanto si es culpable como si no*». Este hecho subraya el favor romano de que gozaba.

	Julio el Africano:		Flavio Josefo:
1.	Herodes, sacerdote de Apolo en Ascalón, de donde:	1.	N..., gobernador de Idumea, de donde:
2.	Antipater, amigo de Hircano, de donde el futuro rey:	2.	Antipater, alias Antipas, esposo de Cypros, de donde:
3.	Herodes el Grande.	3.	Herodes el Grande.

De cualquier manera, y como puede constatarse, Saulo y Costobaro, príncipes herodianos, nietos de Salomé I, hermana de Herodes el Grande, son árabes *idumeos* por su bisabuelo, y árabes *nabateos* por su bisabuela.

La cuna de la familia fue, sin lugar a dudas, Ascalón.[35] Esta ciudad, recuperada por Israel, formaba parte de la herencia de la tribu de Judá. Los árabes la llamaban Khirbet Askalon, es decir *«las ruinas de Ascalón»*. Benjamín de Tudela habla de ella como de una ciudad construida a orillas del mar Mediterráneo por Ezra «el Sacerdote», y que entonces denominaban Benibra.

Esta ciudad cananea fue conquistada por los faraones de Egipto en el año 1500 antes de nuestra era. Se rebeló contra sus ocupantes en 1280 a. C., pero esta rebelión fue sofocada por Ramsés II. Luego se convirtió en una de las cinco ciudades ocupadas por los filisteos, uno de los centros de su cultura, y por último en una plaza fuerte de Israel.

El comercio fue allí particularmente próspero en los tiempos de los grandes períodos bíblicos, en la época de los Jueces y de las dinastías reales. Según la tradición, Sansón, traicionado por Dalila, fue capturado allí por los filisteos y sucumbió durante el célebre episodio. Cuando el rey Saúl murió allí a manos de los guerreros filisteos, David se lamentó poéticamente en el célebre *«Cántico del Arco»*, que ordenó fuera enseñado a los niños de Judá, y que fue transcrito a continuación en el *Libro del Justo*, el cual se ha perdido: «¡El esplendor de Israel ha sucumbido en tus colinas! ¿Cómo es que cayeron los valientes? ¡No lo hagáis saber en Gat, y no lo anunciéis en los caminos de Ascalón, a fin de que no se gocen por ello las hijas de los filisteos, a fin de que no triunfen los hijos de los incircuncisos! ¡Oh montes de Gélboe! ¡Que ni el rocío ni la lluvia desciendan sobre vosotros, ni haya campos que den las primicias para las ofrendas! Porque es allí donde se mancilló el escudo de los héroes». (II Samuel, 1, 19-21.)

Los profetas Jeremías, Amos y Sofonio maldijeron a continuación a la ciudad, y llamaron sobre ella a la desolación. Fue sometida a los asirios por Sargón y Senaquerib. A partir de la conquista de Alejandro se convirtió en una opulenta ciudad helenística, entregada especialmente al culto a Derceto o Atergatis, diosa con rostro de mujer y cuerpo de pez.

35. Saulo-Pablo pudo nacer en Ascalón, ya que Salomé I recibió de César Augusto el palacio real de Ascalón (cf. Flavio Josefo, *Antigüedades judaicas*, XVII, xi, 5). Su sobrina y nuera Cypros II pudo muy bien haber alumbrado allí a sus hijos.

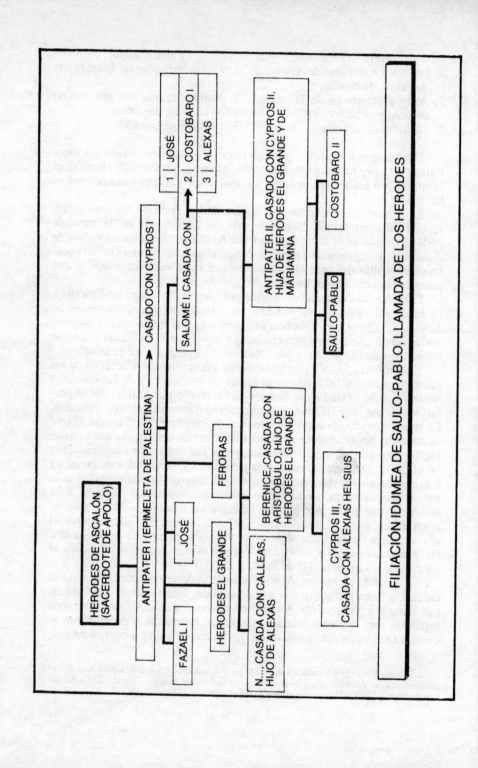

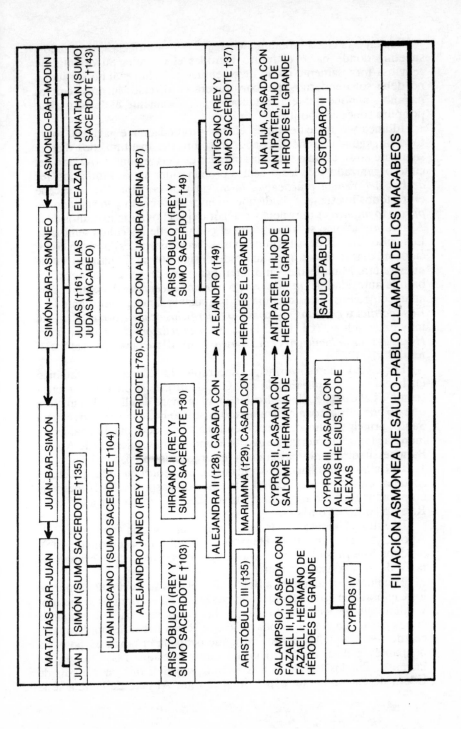

FILIACIÓN ASMONEA DE SAULO-PABLO, LLAMADA DE LOS MACABEOS

Fue en esta ciudad totalmente pagana por sus orígenes, su pasado y su etnia donde nació el futuro Herodes el Grande. Su orientación religiosa forzosamente debió de resentirse por ello, y al no ser judío, no debe sorprendernos que construyera en diversos lugares templos paganos, aunque hubiera restaurado magníficamente el de Jerusalén, por pura concesión política.

Idumea y Nabatea eran, en efecto, profundamente paganas, sobre todo la segunda. René Dussaud, miembro del Instituto, nos dice lo siguiente en su estudio sobre los pueblos de esas regiones: «Al lado del culto organizado y de los oráculos pronunciados en los santuarios, *los árabes del Yemen practicaban la magia y la brujería*. Como sucede entre todos los semitas, la distinción entre lo profano y lo sagrado, *lo puro y lo impuro* es muy neta y categórica [...] Los antiguos cultos de la Arabia meridional se integran en el conjunto de los cultos semíticos. Los cultos árabes del sur (mineanos, sabeos, himyaríes) nos son conocidos mediante textos que van desde el siglo VIII a. C. hasta el VII de nuestra era. Manifiestan, en primer lugar, una organización teocrática bajo la autoridad del *moukarrib*, o *príncipe-sacerdote*. A continuación aparecen reinos laicos dominados por alguna familia importante [...] *Los sacrificios cruentos, así como los sacrificios de incienso*, estaban allí muy extendidos». (Cf. René Dussaud, *Les religions des Hittites et des Hourrites, des Phéniciens et des Syriens*, cap. III: «Nabathéens et Safaïtes», París, 1945.)

Por cierto que esos príncipes sacerdotes los encontramos también en Israel en esa época (siglo I a. C.), dentro de la dinastía asmonea (como es el caso de Alejandro Janeo, el primero de ellos). De manera que no nos sorprendamos demasiado si pronto nos encontramos con un Saulo, príncipe idumeo, iniciado en los arcanos de la magia y sabiendo manejar tanto las fuerzas de Arriba como las más siniestras de Abajo. Para persuadirnos nos bastará con releer I Corintios, 5, 5, y I Timoteo, 1, 20. La atracción hacia el ocultismo se encuentra en todas las clases sociales, en todas las épocas, desde Salomón hasta Nicolás II, desde el emperador Rodolfo hasta Catalina de Médicis, sin olvidar a Gilles de Rais y a Erzsebet Bathory...

El culto a Derceto, o Atergatis, propio de Ascalón (junto con el de Apolo, ya que el abuelo de Herodes el Grande era sacerdote de éste), no debe hacernos olvidar aquellos otros, más sutiles, que gozaban del favor de toda la Arabia nabatea.

Tenemos, por ejemplo, a Bel-Samin, el dios supremo, el «Señor de los Cielos», que estaba flanqueado por Dusares, el Dionisos arabizado, y Allat, una especie de Atenea, si bien más venusiaca. En aquella época existía en Nabatea todavía lo que Roma había hecho desaparecer de todas aquellas partes en donde ocupaba el rango de potencia ocupante, es decir los sacrificios humanos asociados a las ofrendas de incienso. Por los textos de Ras Shamra sabemos que en ese país de Edom desempeñaba un papel ritual el *vino*. Al jugo de la viña se le asociaba, desgraciadamente, la *sangre* humana, cuya púrpura criminalmente ofrecida se hacía correr sobre las *piedras cúbicas* que servían de altar, en determinadas fiestas. ¿Había también *ágapes rituales*, en el curso de los cuales una parte de las ofrendas era consumida por el fuego, y así ofrecida a la deidad, y el resto era consumido por los sacerdotes o los fieles? Es probable. Un pasaje de Aelio Arístido, escritor del siglo II, nos dice que las comidas rituales celebradas en el templo de Serapis tenían por objeto establecer una estrecha comunicación psico-pneumática entre el dios y los participantes. Y Flavio Josefo nos dice lo mismo del culto a Anubis: «Cuando esto hubo sido acordado, dijo que venía de parte de Anubis, porque el dios, vencido por el amor que sentía por ella, la invitaba a ir a él. Ella acogió esas palabras con gozo, presumió ante sus amigos de la elección de Anubis y dijo a su marido que le habían anunciado el *ágape* y el *lecho* de Anubis. Su marido consintió en ello, porque había probado la virtud de su esposa. Ella fue, pues, hacia el templo, y *después de haber comido*, cuando llegó el momento de dormir, una vez estuvieron las puertas cerradas por el sacerdote del interior del templo, y las luces apagadas, el caballero Mundus Decius, que se había ocultado allí antes, no dejó de unirse a ella, y ella se entregó a él durante toda la noche, imaginándose que era el dios». (Flavio Josefo, *Antigüedades judaicas*, XVIII, iii, 4.)

Ese escándalo, que sacudió a Roma en el año 19, tuvo como epílogo, una vez conocido, una investigación por orden de Tiberio César, la destrucción del templo de Anubis, que fue arrasado, el exilio de Mundus Decius, amante de Paulina, sin ella saberlo, naturalmente, y la crucifixión de los sacerdotes y de la liberta Ide, su cómplice. Pero nos cuenta la importancia del *ágape ritual*. En esta circunstancia, precedía a la comunión carnal entre el dios y la bella Paulina, como una costumbre tan habitual como indispensable.

En el mundo antiguo, la noción de comunión con los dioses ingiriendo parcialmente aquello que les era ofrecido en holocausto ígneo era cosa corriente. En el culto al Dionisos tracio, los participantes desgarraban con sus manos y sus dientes el toro que simbolizaba al dios, y devoraban su carne, a fin de convertirse en *bacchi* y participar a continuación, después de la muerte, en la inmortalidad divina. En otros lugares podía tratarse de un cabrito, un cordero...; la víctima simbólica variaba según el dios.

Pero esta noción particular, aun cuando las formas antiguas de ese principio ritual hubieran caído en desuso a principios de nuestra era, y aunque se ofrecieran especies de sustitución en lugar de las antiguas víctimas vivientes (antaño humanas, luego animales), esta noción, decimos, había impregnado todo el paganismo árabe, y Saulo no podía escapar a ello.

Él mismo la desarrollaría más adelante, y es una prueba más de que no era un judío de raza, ya que dicha noción era totalmente.extraña al sacerdocio de Israel. Los sacerdotes tomaban para sí y para su familia ciertas partes de las víctimas ofrecidas, porque debían *vivir del altar*, simplemente, tanto de los donativos directos como de esos trozos extraídos. Pero jamás se sobrentendió que, al consumir el cordero sacrificado durante la gran Pascua anual, las familias judías devoraran a Yavé, el Dios de Israel, ¡el Eterno! Enunciar semejante hipótesis hubiera sido castigado como el peor de los sacrilegios.

Pues bien, Saulo sostiene dicha idea. Y no sólo la sostiene, sino que la enseña, la afirma, la justifica y la pone en práctica: «Os hablo como a hombres inteligentes. Juzgad vosotros mismos lo que os digo. El cáliz de bendición que bendecimos ¿no es acaso *la comunión con la sangre de Cristo*? El pan que fraccionamos ¿no es acaso *la comunión con el cuerpo* de Cristo? [...] Mirad a los *israelitas según la carne*: ¿por ventura los que comen de las víctimas no entran en comunión con el altar?». (Pablo, I Corintios, 10, 15-19.)

En este pasaje Saulo nos demuestra que:

a) cree en un uso de *origen absolutamente pagano*: la comunión con los dioses mediante la ingestión parcial de las ofrendas;

b) no se considera como un *israelita según la carne*, se sitúa aparte, con los *gentiles* a los que se dirige;

c) lo que enuncia es una enormidad: la comunión con el altar, es decir con el Dios de Israel, compartiendo las víctimas entre Dios y los sacerdotes. Y semejante ignorancia, semejante herejía son impensables por parte de un hombre que se vanagloria de haber pasado el tiempo de sus estudios a los pies de Gamaliel, nieto del gran Hillel, y célebre doctor (Hechos de los Apóstoles, 22, 9).

Más aún, desarrolla su teoría eucarística justificándola mediante esas mismas costumbres paganas que recordábamos antes: «¿Qué digo, pues? ¿Que la carne sacrificada a los ídolos es algo, o que un *ídolo* es algo? En modo alguno. Yo digo que lo que sacrifican los gentiles, a los *demonios* y no a Dios lo sacrifican. Pues bien, yo no quiero que vosotros entréis en comunión con los *demonios*. No podéis beber el cáliz del Señor y el cáliz de los *demonios*. No podéis participar en la mesa del Señor y en la mesa de los *demonios*. ¿O queremos provocar los celos del Señor? ¿Somos acaso más fuertes que él?». (Pablo, I Corintios, 10, 19-22.)

Ahora, en apoyo de nuestras conclusiones, citaremos dos autoridades de la exégesis liberal: «Las pretendidas palabras de la institución eucarística sólo tienen sentido en la teología de Pablo, *que Jesús no había enseñado*, y en la economía del "misterio" cristiano, *que Jesús no había instituido*». (Cf. Abad Alfred Loisy, *L'initiation chrétienne*, p. 208.)[36]

---

36. El abad Alfred Loisy (1857-1940) fue catedrático de Hebreo en el Institut Catholique de París, y luego catedrático de Sagradas Escrituras, hasta 1889. Se vio obligado a abandonar su cátedra en-1893, y fue nombrado profesor en la École Pratique des Hautes Etudes en 1900, y luego profesor de Historia de las Religiones en el Collège de France de 1909 a 1930. Fue excomulgado en el año 1908, pero eso no alteró para nada sus trabajos.

«Pero entonces, ¿de dónde procede ese rito? ¿De dónde proceden esas palabras? *No de Israel.* Los judíos no ignoraban la comunión de la mesa, y muchos esperaban con firme esperanza el "festín mesiánico"; se habla de ello en los Sinópticos.[37] Sus sectas, por ejemplo los esenios y los terapeutas, practicaban *ágapes sagrados* que se parecían mucho a los *ágapes de sacrificio.* Pero por doquier se trataba tan sólo de un *signo de fraternidad; en ninguna parte se percibe rastro alguno de teofagia.*»[38] (Cf. Charles Guignebert, *Le Christ,* III.)

Todas estas anomalías, todas estas herejías, tanto dogmáticas como rituales, son impensables en un pretendido judío de raza, «hebreo e hijo de hebreo, educado a los pies de Gamaliel».

Sin embargo, se comprenden perfectamente en un príncipe herodiano, de origen idumeo por vía masculina y nabateo por vía femenina, y que no es, *psíquica y hereditariamente hablando,* sino un beduino todavía imbuido de paganismo, inconscientemente o no.

Ese «Cristo» que nos presenta *por primera vez,* de quien nadie ha oído hablar antes en las diversas corrientes del mesianismo político (se hablaba del *messiah,* del «mesías», lo cual es muy diferente), es desconocido por aquellos que conocieron a Jesús, que vivieron con él el derrumbamiento de las esperanzas en la venida del «Reino». Y en pleno siglo V, las *Homilías Clementinas* recogerán la doctrina «adopcionista» sostenida por el gran Orígenes a comienzos del siglo III, a saber, que Jesús no fue jamás sino un *subordinado* al Padre, en virtud de su *adopción:* «Nuestro Señor, respondió Pedro, no ha dicho jamás que existieran dioses aparte del Creador de todas las cosas, *ni se proclamó jamás a sí mismo como Dios,* sino que, con razón, declaró bienaventurado a aquel que le llamó *hijo* del Dios Ordenador del Universo». (Cf. *Homilías Clementinas,* XVI, xv.)

Ahora bien, ese título de «hijos de Dios» es propio a todas las *criaturas,* tanto angelicales como humanas. Citaremos simplemente los pasajes en los que no hay equívoco, a fin de no alargar inútilmente este capítulo:

«Los hijos de Dios [los ángeles] vieron que las hijas de los hombres eran hermosas...» (Génesis, 6, 2.)

«Los hijos de Dios [los ángeles] fueron un día a presentarse ante el Eterno...» (Job, 1, 6.)

«Los hijos de Dios lanzaban gritos de alegría...» (Job, 38, 7.)

«Aquellos que son conducidos por el Espíritu de Dios son hijos de Dios...» (Pablo, Romanos, 8, 14.)

«Sois todos hijos de Dios por la fe...» (Pablo, Gálatas, 3, 26.)

Es más, la *Doctrina de los doce apóstoles* —denominada también

---

37. Sobre ese *festín* véase, en especial: Mateo, 22, 1-14; Marcos, 14, 25; Lucas, 22, 30. Se trata de un banquete de fiesta, entre hermanos, sin más. Allí no se devora la *carne* ni la *sangre* de ningún dios.

38. *Teofagia:* manducación del simulacro de un dios o de una *víctima sustitutoria.*

Didakhé—, citada por Eusebio de Cesarea como un texto a clasificar entre los apócrifos (cf. *Historia eclesiástica*, III, xxv, 4-5), lo que demuestra que ya era conocida en el siglo IV, hace de Jesús un simple «servidor» de Dios, *ebed Iaweh*.

«En cuanto a la eucaristía, dad las gracias así. Primero referente al cáliz: Te damos gracias, oh Padre nuestro, por la santa viña de David, tu servidor, que tú nos has hecho conocer por *Jesús tu servidor*; ¡gloria a Ti en los siglos!

»Luego, referente al pan partido: Te damos gracias, oh Padre nuestro, por la vida y la ciencia que Tú nos has hecho conocer por *Jesús tu servidor*. ¡Gloria a Ti en los siglos!». (Cf. *Doctrina de los doce apóstoles*, IX, 1-3.)

Así pues, en este texto a Jesús se le califica de *servidor de Dios*, el mismo título que a David; no es otra cosa que el *ebed Iaweh*.

Por otra parte, Saulo-Pablo (o el escriba que efectúa las composiciones bajo su nombre) no ignora que la Ley recibida por Moisés le fue comunicada en el Sinaí, no por el propio Dios, sino por un *mediador*, el *Mátatrôn-saar-ha-panim*, o «príncipe de las Faces», a quien también se denomina *Saar-ha-Gadol*, el «gran príncipe», o *Saar-ha-Olam*, el «príncipe del Mundo»: «La Ley fue promulgada por los ángeles, por mano de un Mediador». (Pablo, Gálatas, 3, 19.)

Y entonces coloca, en su teología personal, un nuevo mediador entre Dios y los hombres, ese «Cristo» que él inserta por primera vez en la nueva teodicea: «Hay un solo mediador entre Dios y los hombres». (Pablo, I Timoteo, 2, 5.)

«Jesús es el mediador de una alianza más excelente». (Pablo, Hebreos, 8, 6.)

Y lo que es más grave todavía, Saulo ignora que el Mediador es *todo Israel*, el pueblo entero, no como modelo, sino como «depositario de la palabra y los oráculos de Dios» (Pablo, Romanos, 3, 2), lo que induce a creer que está en contradicción consigo mismo. Porque ha olvidado el mensaje de Isaías, cosa bien extraña para un «judío de raza» que ha hecho sus estudios a los pies de Gamaliel: «Así dice el Señor: En el tiempo favorable os he escuchado, en el día de la salvación os he ayudado, os he conservado y establecido *para ser los mediadores del pueblo*, renovar la tierra y recuperar las heredades devastadas». (Isaías, 49, 8.)

¿Y qué decir del hecho de que el Padre, tanto si se trata del texto de Mateo (6, 9) como del de Lucas (11, 1-4), no mencione al *Hijo*, menos aún al *Espíritu Santo*, y no diga ni una palabra de la *Virgen*? Lo que sí es cierto es que Saulo-Pablo, como buen árabe nabateo, no concederá jamás a las mujeres el más mínimo derecho en la religión que está fundando; volveremos a ello más adelante.

7

De Saulo, príncipe herodiano, a Simón el Mago

Pero ya a la llamada de Astarté despierta, rociado
por el cinamomo, el misterioso Esposo. ¡Ha resucitado el
antiguo adolescente! Y el cielo en flor parece una inmensa
rosa, que ha teñido con su sangre un Adonis gigante...

J.-M. DE HÉRÉDIA
«Les Trophées», le réveil d'un dieu

Simón el mago ocupa en la historia de los orígenes del cristianismo
un lugar importante, con o sin razón. Desde los Hechos de los Apóstoles hasta las obras especializadas, redactadas por la gran corriente
patrística contra las herejías en general, la literatura cristiana menciona la existencia de ese misterioso personaje.

Se ha hecho de él el padre de todas las herejías, y se ha intentado
justificar esta paternidad en las doctrinas que acertada o equivoca-
mente surgieron de la suya propia. Es decir, que no es nesesario defender el interés que reviste el estudio de la personalidad, real o imagina-
ria, de Simón el Mago.

Ahora bien, alrededor de 1850, varios exégetas austriacos y alema-
nes sospecharon que detrás de Simón el Mago se ocultaba en realidad
el apóstol Pablo. Citemos simplemente: Baur (*Tüb. Zeitschr. f. Theol.*,
IV, 136, y *K.-Gesch. der 3 erst. Jahrh.*, p. 186, *sq.*), Zeller (*Apg.*, 158,
sq.), Volkmar (*Theol. Jahrh.*, 1856), Hilgenfeld (*Die Clem., Recogn.
U Homil.*, p. 319), Lipsius (*Die Quellen der römischen Petrussage*),
Schenkel (*Bibel-Lexikon*, art. «*Simon der Magier*»).

Esta escuela, como se ve, estaba dotada de didactas de valor, y la
nueva opinión, defendida a continuación por gran número de críticos,
negó inmediatamente la existencia histórica de Simón el Mago. De
hecho se apoyaba sobre una constatación de importancia, a saber, que
en buen número de documentos de la tradición, el nombre de Mago no

era otra cosa que un seudónimo del apóstol de los gentiles, y que los ataques dirigidos contra Simón en los Hechos y en las obras patrísticas lo eran en realidad contra Saulo-Pablo.

Si toda la leyenda no tiene otra base que esta confusión de los dos personajes, confusión que inicialmente fue intencionada, y que luego fue manteniéndose a causa de la ignorancia general, resultará imposible admitir la existencia histórica de Simón el Mago, y entonces habrá que calificar de puramente mítico todo cuanto se ha dicho de él, y por consiguiente habrá que descartarlo. La mayor parte de los escritores eclesiásticos antiguos cuentan que Simón fue al principio discípulo de Juan el Bautista y *de Dositeo*. (Otros, por el contrario, hacen de Dositeo un discípulo de Simón.) Tengamos en cuenta este parentesco ideológico, porque pronto volveremos a él.

Observaremos, en primer lugar, que tenía «*su evangelio*». En el manuscrito antiguo de un tratado siriaco sobre *El Santo Concilio de Nicea*, redactado por el obispo Maruta de Maiferkat, amigo de Juan Crisóstomo y embajador del emperador Arcadio —hijo de Teodosio—, ante el rey de Persia Jezdegerd, a finales del año 399, se señala la existencia de un *Evangelio de Simón el Mago*, utilizado por la secta que lleva su nombre (los *simonianos*). Está dividido en cuatro partes, de ahí su nombre: *Libro de los Cuatro rincones del Mundo*. Por consiguiente se dirige al mundo entero, *incluidos los gentiles*, lo que, teniendo en cuenta la época, resulta muy *paulino*.

San Ireneo, por su parte, justifica la existencia de los cuatro evangelios canónicos còn el mismo argumento: «Como hay cuatro regiones en el mundo donde estamos, y cuatro vientos principales, así...», etc. (Cf. Ireneo, *Contra las herejías*, III, xi, 8.) Convendremos en que la analogía es más que singular, ya que Pablo también tiene «*su evangelio*» (utilizando la misma expresión).

Citaremos simplemente:

«Dios juzgará [a los hombres] según *mi* evangelio...» (Pablo, Romanos, 2, 16.)

«Al que puede confirmaros según *mi* evangelio...» (Pablo, Romanos, 16, 25.)

«Si *nuestro evangelio* queda todavía velado, es para los que van a la perdición...» (Pablo, II Corintios, 4, 3.)

«Porque si viniese alguno [...] predicando *otro evangelio* que el que habéis abrazado, lo soportaríais de buen grado. Sin embargo, yo creo que en nada soy inferior a esos preclaros apóstoles.» (Pablo, II Corintios, 11, 4.)

«¡Me maravillo de que tan pronto os paséis del que os llamó por la gracia de Cristo *a otro evangelio diferente*!...» (Pablo, Gálatas, 1, 6.)

«Pero aunque nosotros o un ángel del cielo os anunciase *otro evangelio distinto* del que os hemos anunciado, sea anatema...» (Pablo, Gálatas, 1, 8.)

«Para la cual os llamó Dios por medio de *nuestro evangelio...*» (Pablo, II Tesalonicenses, 2, 14.)

«Acuérdate de que Jesucristo, del linaje de David, resucitó de entre los muertos, según *mi evangelio...*» (Pablo, II Timoteo, 2, 8.)

Como se ve, el Pablo del Nuevo Testamento no cita ningún otro evangelio canónico más que el suyo, sólo presenta éste, y anatematiza a quienquiera que predique otro. ¡Convendremos en que en un recién llegado a la cohorte apostólica eso supone una gran audacia! A menos que el suyo fuera, realmente, el primer evangelio conocido por este nombre...

Volviendo a Simón el Mago, observaremos que según Justino, toda la ciudad de Naplusa, la antigua Siquem,[39] era *simoneana* (cf. Justino, *Apología*, I, xxvi, 3). Los seguidores de Simón, por lo tanto, no constituyeron una pequeña capilla cerrada o secreta, sino que, sin lugar a dudas, Simón fue el jefe de una gran Iglesia. Igual que Pablo.

Simón el Mago iba acompañado de una mujer de gran belleza. Según la mordaz afirmación de los heresiólogos, Simón la había comprado en el lupanar donde se encontraba, en Tiro.

Asimismo, parece ser que Pablo tuvo altercados con la gran Iglesia por causa de una compañera: «¿Acaso no tenemos derecho a llevar con nosotros una hermana *que sea nuestra mujer?*». (Cf. Pablo, I Corintios, 9, 5.)

Por otra parte, pronto veremos que, según las *Homilías Clementinas* (atribuidas a Clemente de Roma), Simón el Mago había sido criado en Tiro, *con otros dos niños*, por una mujer de raza cananea, Justa, la misma que fue al encuentro de Jesús cuando éste se retiró a Fenicia. (Cf. Mateo, 15, 21-24, y Marcos, 7, 24-25.)

Y como ya hemos visto, Saulo había sido criado con Herodes el Tetrarca y Menahem (Hechos, 13, 1). Al igual que Simón el Mago, había sido criado *con otros dos niños*.

Según las mismas *Homilías Clementinas* (II Homilia, xxi-xxii), Simón el Mago tiene un discípulo llamado Aquilas. Según los Hechos de los Apóstoles, Pablo tenía un discípulo llamado Aquilas (Hechos, 18, 2; Romanos, 16, 3; II Timoteo, 4, 19; I Corintios, 16, 19).

No nos proponemos realizar un estudio completo de la vida de Simón el Mago, otros se han encargado de ello antes que nosotros; no obstante, sus estudios no estaban motivados por lo mismo. Nosotros nos proponemos únicamente investigar en los documentos procedentes de la tradición judeocristiana, para ver si es posible establecer la existencia *histórica* de nuestro personaje. En otros términos, la cuestión que se había planteado en esta obra, antes de las conclusiones afirmativas que se desprenden, era la siguiente: ¿Existió en la historia un mago llamado Simón, o bien el nombre de Simón el Mago no era sino un seudónimo que sus adversarios aplicaban al apóstol Pablo?

39. Siquem estaba en Samaria, no lejos del monte Garitzim.

Los documentos a que hemos hecho alusión antes son de naturaleza y valor diversos. Pertenecen, al menos en su forma actual, a diferentes períodos de la génesis del cristianismo. Algunos de ellos sufrieron transformaciones y perdieron su fisonomía primitiva. Ése es el caso de las *Homilías Clementinas*, los *Hechos de Pedro y de Pablo* y los propios Hechos de los Apóstoles como hemos visto en la *Confesión de san Cipriano*.

LOS HECHOS DE PEDRO Y DE PABLO

Nos hallamos aquí en presencia de un documento histórico más importante de lo que pudiera parecer a simple vista. Porque si en su forma actual los *Hechos de Pedro y de Pablo* no se remontan más allá del siglo V, no obstante es seguro que los elementos de que se componen, y que se han ido confundiendo paulatinamente, se remontan a épocas muy diversas, y el examen del contenido demuestra que, en algunas de sus partes, la obra no es a fin de cuentas sino uno de los productos literarios del gran partido judeocristiano de los dos primeros siglos. En lo referente a la crítica, remitimos a Lipsius (*Die Quellen der römischen Petrussage*, p. 47, *sq.*), y a Hilgenfeld (*Novum Testamentum extra canonem receptum*).

Los *Hechos de Pedro y de Pablo*, tal como nos han llegado, están destinados a contarnos la lucha, llena de prodigios y de acontecimientos sobrenaturales, como siempre, que en Roma enfrenta a los dos apóstoles contra Simón el Mago, así como la muerte ignominiosa de éste y el martirio glorioso de los dos primeros.

A primera vista la lectura de este escrito puede parecer inútil desde el punto de vista histórico, y parece como si tan sólo la fantasía hubiera tomado parte en la redacción de esos relatos, donde se da rienda suelta al amor por lo maravilloso. Ningún exégeta católico o protestante moderno le concedió jamás el más mínimo crédito por esa misma razón.

Nos vemos transportados al instante en que Pablo llega a Roma, después de su naufragio en las aguas de Malta. Pedro le había precedido a la «gran Babilonia» para combatir allí a Simón el Mago, que es allí muy honrado y parece haber obtenido un gran éxito. No tarda en entablarse la lucha entre Simón y Pedro, que rivalizan en prodigios y cuyos inagotables milagros les conceden el favor de las multitudes, naturalmente. Se producen conversiones incluso en la propia familia del emperador Nerón, y la discusión termina por tener lugar en presencia de éste.

Nerón siente una gran admiración al ver los prodigios realizados por Simón; es cierto que el mago no escatima nada para aumentar el ascendente que ejerce sobre el emperador. Durante la lucha mágica entre Simón y Pedro, Pablo no interviene para nada; se esfuerza por desaparecer casi siempre detrás de ellos, lo cual resulta muy curioso. *En realidad, se tiene la impresión de que no está allí.* Al menos bajo el nombre de Pablo...

Apremiado por Nerón a que demostrara ser «hijo de Dios» mediante algún prodigio, Simón prometió volar desde lo alto de una torre, cosa que, efectivamente, tuvo lugar en el Campo de Marte. Pero en el momento en que Nerón, lleno de admiración ante el prodigio llevado a cabo por el mago, reprochaba a los apóstoles su odio contra él, ante las oraciones de Pedro, los demonios que sostenían a Simón el Mago en el aire le dejaron caer y huyeron, y Simón, al precipitarse contra el suelo, pereció estrellado. Lo recogieron, lo enterraron, y en vano esperó Nerón la prometida resurrección.

La muerte del mago, que era el favorito de Nerón, tuvo como consecuencia el martirio de los dos apóstoles. Pablo fue decapitado en el camino de Ostia, y Pedro fue crucificado, a petición propia, cabeza abajo. En el momento del suplicio, las multitudes amotinadas querían matar al emperador, pero Pedro se lo impidió, narrando con este fin la aparición con que Jesús lo había honrado. Cuando Pedro huía de los legionarios que se habían lanzado en su busca, Jesús se le apareció en el camino. Pedro le preguntó: «¿Adónde vas, Señor?». «A Roma, para ser crucificado de nuevo», respondió Jesús. Pedro comprendió entonces su deber, y se apresuró a volver sobre sus pasos para entregarse a aquellos que le buscaban.

Obsérvese que si diversos exégetas pudieron reprochar, con razón, a los Hechos de los Apóstoles que hubieran falseado la verdad histórica al dar un marco imaginario a las relaciones de dichos apóstoles entre sí, destinado a velar las diferencias con vistas a una conciliación, ese reproche está justificado *a fortiori* cuando se trata de los *Hechos de Pedro y de Pablo*, cuya tendencia, por cierto nada disimulada, consiste en representar a Pedro y Pablo trabajando de común acuerdo en perfecta unión, e intentando imitarse mutuamente en palabras y actos.

Pedro es aquí un perfecto paulino, y Pablo un perfecto judeocristiano: «Hemos creído y creemos, dicen los cristianos de Roma, que lo mismo que Dios está lejos de separar los dos grandes astros que ha creado [el Sol y la Luna], igual de imposible es separarnos al uno del otro, es decir a Pablo de Pedro, y a Pedro de Pablo». (Cf. *Hechos de Pedro y de Pablo*, V.)

Y en presencia de Nerón, Pedro dice: «Todo lo que Pablo ha dicho es verdad» (*op. cit.*, LX), y Pablo replicará a continuación: «Lo que has oído de Pedro créelo como si hubiera salido de mi boca, ya que tenemos una misma opinión, al no tener sino un solo Señor: Jesucristo» (*op. cit.*, LXII).

La verdad es menos idílica, ¡y más hubiera valido no hablar de su cordial entendimiento! Porque, torpemente, los pasajes en donde está más acentuada la unión de los dos apóstoles son precisamente aquellos donde lo fue menos en realidad. En concreto, en las prerrogativas que

Pablo reivindica continuamente en sus Epístolas para su misión personal, derecho que le discutían, abierta o sordamente, sus adversarios, los cristianos judaizantes.

Es muy fácil distinguir, a través del velo echado sobre la tradición primitiva por el autor anónimo de los *Hechos de Pedro y de Pablo*, los principales elementos de la lucha que dividía a la Iglesia primitiva en general.

En primer lugar, el autor anónimo no parece haber tenido en cuenta los Hechos de los Apóstoles. Pone de relieve el odio de los judíos contra Pablo. Éstos, al enterarse de su llegada a la capital del Imperio romano, obtienen de Nerón, de cuyo favor parecen gozar, la decapitación de Pablo. En cambio, como hemos visto en los textos (Hechos, 28, 11-22), no sucede nada de eso a la llegada de Pablo a Roma.

Pero hay un pasaje de los *Hechos de Pedro y de Pablo* que no deja ninguna duda sobre lo que en el fondo pensaba el autor anónimo, quien, sin querer, se traicionó a sí mismo.

En un momento dado, a las diatribas contra los circuncisos responde Pedro: «Si la circuncisión es falsa, ¿por qué Simón está circuncidado?»

Esta simple pregunta demuestra que no se trata de que Simón estuviera circuncidado *por decisión de sus padres a la hora de su nacimiento*, ya que entonces él no sería responsable de dicha circuncisión. La frase atribuida a Pedro demuestra que *Simón, por el contrario, es responsable de su propia circuncisión*. Por lo tanto se ha hecho circuncidar libremente, en una época de su vida. Y pronto veremos, al estudiar el verdadero motivo de la conversión de Saulo-Pablo, que no estaba circuncidado de nacimiento, por decisión de sus progenitores, sino que se hizo circuncidar por voluntad propia, cuando era adulto; que esta circuncisión no le sirvió para lo que él esperaba, y que de ahí provenía su rencor contra el rito que había transtornado su vida.

Sin embargo, la insidiosa pregunta de Pedro molestó enormemente a Simón el Mago, quien terminó por replicar que, en los tiempos en que le circuncidaron a él, la circuncisión era una orden de Dios. Y Pedro le replicó inmediatamente: «Así pues, si la circuncisión es buena, ¿por qué, Simón, has entregado tú a circuncisos, y los has hecho condenar y matar?».

Pero en los textos canónicos o en los apócrifos jamás se habló de un Simón el Mago que fuera a la caza de los cristianos procedentes del judaísmo, y que los detuviera, los mandara a prisión y los hiciera juzgar y condenar. Ese reproche sólo podía aplicarse a un apóstol de los gentiles, Saulo-Pablo, antes de su conversión. Y con esto tenemos una prueba más de que el Simón el Mago del autor anónimo de los *Hechos de Pedro y de Pablo* no es otro, en su espíritu, que el Pablo de los Hechos de los Apóstoles, declarado adversario de Pedro y de su judeocristianismo. Recuérdense las discusiones entre ellos, tanto en Jerusalén como en Antioquía.

Por otra parte, el favor de que goza Simón el Mago ante el emperador no es otra cosa que una malevolente alusión al tratamiento de favor de que fue objeto Pablo en Roma durante su primera permanencia allí, después de su *apelación al César*.

Y el relato, tan curioso, sobre la pretendida muerte de Simón el Mago volando por los aires y luego estrellándose contra el suelo no es sino otra ficción destinada a ridiculizar al odiado apóstol. Lipsius (cf. *Die Quellen der römischen Petrussage*) y Schenkel (cf. *Bibel-Lexicon*, art. *«Simon der Magier»*) relacionan muy inteligentemente la pretensión de Simón de elevarse por los aires con las revelaciones de Pablo al glorificarse, en su II Corintios (12, 1-6), de haber sido elevado hasta el tercer cielo y haber sido introducido en el Paraíso (*sic*), y de haber oído «palabras inefables que no le está permitido a un hombre expresar». Esta relación pudo establecerse con gran facilidad dado que, en tiempos de Nerón, un hombre llamado Ícaro se hizo célebre por intentar volar: «Ícaro, ya en su primer intento, cayó cerca del asiento del emperador, a quien salpicó de sangre». (Cf. Suetonio, *Vida de los doce Césares: Nerón*, VI, xii.)

Se trataba, como es obvio, de un prestidigitador, un ilusionista que intentó renovar, evidentemente con otras técnicas, la tentativa del personaje mitológico de dicho nombre, hijo de Dédalo, al evadirse del laberinto de Creta. En los juegos circenses los actores llevaban los nombres de personajes mitológicos a los que momentáneamente encarnaban. Dion Crisóstomo (*Orat.*, XXI, 9) y Juvenal (*Sat.*, III, 79) nos relatan el mismo hecho que Suetonio.

LAS HOMILÍAS CLEMENTINAS

Las *Homilías Clementinas*, atribuidas a Clemente de Roma, están constituidas únicamente por la modificación de un escrito más antiguo, que los exégetas convinieron en denominar el *Escrito Primitivo*. Esta obra, que data de los años 220-230, según unos fue redactada en Oriente (Siria o Transjordania), y según otros en Roma. El autor desconocido del *Escrito Primitivo* ya había recopilado otros manuscritos anteriores, como los *Cerigmas*, predicaciones atribuidas a Simón-Pedro, unos *Hechos de Pedro* diferentes y más antiguos que los que se conocen como de Verceil, una obra judía apologética y, por último, una especie de novela de aventuras en la que entra en juego una familia pagana de la época de los Antoninos.

El más importante de ellos era los *Cerigmas*, texto judeocristiano extremadamente hostil a Saulo-Pablo, a sus principios doctrinales, a su cristología revolucionaria, verdadera herejía para el mesianismo inicial. Los *Cerigmas* han desaparecido, sólo quedan las *Homilías Clementinas*, y el interés de esta obra radica precisamente en ponernos en presencia de las confrontaciones, a menudo en extremo violentas, que opusieron a Simón-Pedro y Saulo-Pablo.

Para hacer desaparecer esa hostilidad y unificar las dos corrientes que poco a poco iban convirtiéndose en el cristianismo, los escribas anónimos que expurgaron, censuraron e interpolaron los escritos antiguos a partir del reinado de Constantino *imaginaron a Simón el Mago, y sustituyeron con él a Pablo.*

Se observará, en primer lugar, que no deja de ser asombroso que una obra como las *Homilías Clementinas* ignore totalmente al apóstol Pablo en la época en que fue compuesta y en cambio cite, y además en abundancia, a Simón el Mago.

Por otra parte, en los reproches que hace Pedro a aquel al que llama «*el hombre enemigo*»,[40] es imposible no reconocer a Pablo. Júzguese, si no, por los siguientes fragmentos:

Carta de Pedro a Santiago: Conozco, amigo mío, tu ardiente celo por los *intereses* que nos son comunes a todos. Creo, pues, que debo rogarte que no comuniques los libros de mis enseñanzas que te envío a ningún hombre originario de la Gentilidad, ni a ningún hombre de nuestra raza antes de haberlo probado [...] Porque *algunos de los que vienen de la Gentilidad* han rechazado mis enseñanzas, conformes a la Ley, para adoptar la enseñanza, contraria a la Ley, *del hombre enemigo* y sus frívolas charlas. E incluso en vida mía algunos han intentado, mediante interpretaciones artificiosas, desnaturalizar el sentido de mis palabras a fin de conseguir la abolición de la Ley. ¡De prestarles oídos, se creería que se trata de una *doctrina personal* mía que yo no oso predicar abiertamente! ¡Lejos de mí semejante conducta! Porque sería actuar contra la Ley de Dios, promulgada por el ministerio de Moisés, y cuya duración eterna predijo Nuestro Señor cuando dijo: «El cielo y la tierra pasarán, pero ni una jota ni una tilde de la Ley pasarán». (Marcos, 13, 31, y Mateo, 5, 18.)

Según las *Homilías Clementinas* (II, xvi-xvii), hay siempre dos mensajeros; el que llega primero es el hombre de las tinieblas, el segundo es el hombre de la luz, ya que las tinieblas precedieron a la luz, según el Génesis (1, 1-3), y para respetar ese simbolismo, en el antiguo Israel empezaba el día cuando se ponía el sol, al iniciarse la noche. Y para las *Homilías* esta regla aparece autentificada por el hecho de que Caín llegó antes que Abel, Ismael antes que Isaac, Esaú antes que Jacob. De ahí procede el primitivo *sacrificio de los primogénitos*. Y entonces

---

40. El cardenal Jean Daniélou recuerda en su obra *Théologie du Judéo-Christianisme* que en los *Kerygmas de Pedro*, «el hombre enemigo» designa a Pablo, «considerado como responsable del rechazo de las observancias. Les recordamos que Ireneo y Epífano consideraban ese rechazo de Pablo como uno de los caracteres del ebionismo». (Cf. R. P. Jean Daniélou, *op. cit.*, p. 72.) Estamos, pues, autorizados a concluir que durante un tiempo unos estrechos contactos unieron a Pablo y a la sècta de los ebionitas. Sus miembros estaban, por lo tanto, en condiciones de saber perfectamente los orígenes de éste. Y Epífano, recordémoslo, cuenta que ellos afirmaban que Pablo tenía como progenitores a unos *gentiles*, es decir paganos, y no a judíos. Está perfectamente claro (*supra*, p. 33).

se comprenderá mejor lo que sigue. Habla Pedro: «Guiándose por este orden de sucesión, podría comprenderse de quién procede Simón el Mago, que llegó antes que yo a las naciones, y a quien yo relevo, que llegué después que él y que le sucedí como la luz a las tinieblas, la ciencia a la ignorancia, la curación a la enfermedad. Así pues, tal como dijo el profeta verídico, tiene que aparecer siempre primero un falso evangelio, predicado por un impostor...». (*Homilías Clementinas*, II, xvii.)

Pues bien, como hemos visto, Saulo-Pablo insinúa que su evangelio es el primero y condena los otros. Eso está muy claro.

Hay todavía una especie de controversia en la que el lector reconocerá fácilmente a Pablo y sus teorías gnósticas, de cara a Pedro, estricto reflejo de la ortodoxia testamentaria. Veámosla: «Por ejemplo, Simón el Mago debe mantener mañana con nosotros una discusión pública en la que osará atacar la soberanía del Dios Único. Tiene la osadía de aportar un gran número de citas extraídas de las propias Escrituras y afirmar que hay *varios dioses*, uno de los cuales es diferente del Creador del Universo y superior a él». (*Homilías Clementinas*, III, x.)

Pablo, por su parte, sostiene los mismos principios: «Puesto que, si bien hay quienes son llamados dioses, sea en el cielo, sea en la tierra, *del mismo modo que existen muchos dioses y muchos señores...*» (Pablo, I Corintios, 8, 5.)

En otro momento Pedro y Pablo polemizaron violentamente sobre el valor revelador de una visión. Es evidente que se trataba de la manera en que Pablo pretendía haber recibido *su evangelio* —es decir, del propio Jesús—, durante su ascensión al tercer cielo, y de su recepción en el paraíso: «*Si es menester gloriarse*, aunque no es bueno, vendré a las visiones y revelaciones [que yo obtuve] del Señor. Sé de un hombre en Cristo que, hace catorce años —si en el cuerpo, no lo sé; si fuera del cuerpo, tampoco lo sé, sólo Dios lo sabe— fue arrebatado hasta el tercer cielo. Y sé que este hombre fue arrebatado hasta el paraíso y oyó palabras inefables que un hombre no debe repetir». (Pablo, II Corintios, 12, 1-6.)[41]

Veamos ahora el texto de las *Homilías Clementinas* a este respecto: «Al oír estas palabras, Simón, interrumpiendo a Pedro, le dijo: "Sé a quién va dirigido eso que tú dices. Pero no quiero repetir las mismas cosas para refutarte y perder el tiempo en discursos que no están en

---

41. Las pretensiones de Pablo de haber escalado el mundo invisible hasta el tercer «cielo» (mucho más tarde Mahoma sostendrá la misma afirmación) quedan violentamente contradichas por el evangelio de Juan: «*Y nadie ha subido jamás al cielo*», si no es el que ha bajado del cielo, el Hijo del hombre, que está en el cielo» (Juan, 3, 13). Es más, el propio Pablo se contradirá a sí mismo en su Epístola a los Romanos, al declarar: «No digas en tu corazón: ¿Quién subirá al cielo? Esto es, para hacer bajar a Cristo». (cf. Epístola a los Romanos, 10, 6). Dicho de otro modo, según ese texto Pablo reconoce que únicamente su «Cristo» metafísico es capaz de subir al cielo, porque ya ha descendido de él.

mis intenciones. Te has vanagloriado de haber comprendido muy bien las enseñanzas de tu Maestro, por haberlo visto claramente con tus propios ojos y oído con tus propios oídos, y has declarado que le era imposible a ningún otro llegar a un resultado semejante *mediante visiones o apariciones». (Op. cit.*, XVII, xiii.)

Sigue una larga discusión sobre el valor de las visiones y de los sueños, y sobre la calidad del que los recibe, la cual le ahorraremos al lector. Pero luego vienen unos pasajes que debemos citar, porque no permiten ya dudar de que se trata de la *presencia de Pablo, bajo el nombre de Simón el Mago.* Júzguese. Sigue hablando Pedro: «Así pues, si *nuestro* Jesús se ha dado a conocer también a ti, y *si ha conversado contigo en una visión,* ¡es por cólera contra ti, que eres su adversario! Por eso es por lo que te ha hablado mediante visiones, sueños o incluso revelaciones exteriores. Por otra parte, *¿puede uno volverse capaz de enseñar, sólo por una aparición?* Tú dirás, quizás: "Es posible". Pero entonces, ¿por qué el Maestro permaneció un año entero conversando con gentes despiertas? ¿Y cómo daremos crédito a lo que tú dices, eso de que *se te ha aparecido? ¿Y cómo es que se te ha aparecido,* si tus sentimientos están en contra de sus enseñanzas? *¡Y si por haber gozado durante una hora de su presencia y de sus lecciones te has vuelto apóstol,* entonces publica bien alto *sus palabras,* explica *su doctrina,* ama a *sus apóstoles, y deja de combatirme a mí, que he vivido con él!* Porque es contra mí, la roca firme, el fundamento de la Iglesia, contra quien tú te has erigido en adversario. Si no fueras mi enemigo, no buscarías con tus calumnias despreciar mis enseñanzas para impedir que se crea en mi palabra, cuando yo lo que hago es repetir lo que he oído de la propia boca del Señor, y no me representarías como un hombre condenado y desconsiderado». (*Homilías Clementinas,* XVII, xix.)

Esta última frase hace alusión, evidentemente, a su pasado de bandolero, fuera de la ley, que constituyó durante mucho tiempo la existencia cotidiana de Simón-Pedro. Que el lector se tome la molestia de leer o releer, en nuestro anterior volumen, el capítulo titulado «El diezmo mesianista», y entonces comprenderá que Pablo no ignora dicho pasado, y que de él saca argumentos contra Pedro entre los gentiles.[42]

Pero ¿cómo aplicar esta controversia a Simón el Mago? *¡Porque en ninguna parte se nos dice que Jesús se le hubiera aparecido!* Y de esta discusión se desprende, inconfundiblemente, que es a Pablo a quien van dirigidas las diatribas de Pedro.

Entre las *Homilías Clementinas* y los Hechos de los Apóstoles hay, además, una seria contradicción en la hostilidad que se nos pinta, al oponer a Simón el Mago y Pedro, y la resignación que el primero nos muestra en los citados Hechos: «Cuando Simón vio que por la imposi-

42. Cf. *Jesús o el secreto mortal de los templarios,* pp. 162-183.

ción de las manos de los apóstoles se comunicaba el Espíritu Santo, les ofreció dinero diciendo: Dadme también a mí ese poder de imponer las manos, de modo que se reciba el Espíritu Santo. Pero Pedro le dijo: Que tu dinero *perezca contigo*, pues has creído que con dinero podía comprarse el don de Dios. No tienes en esto parte ni heredad, porque tu corazón no es recto delante de Dios. Arrepiéntete, pues, de esta tu maldad y ruega al Señor que te perdone si es posible este mal pensamiento de tu corazón, porque veo que has incurrido en hiel de amargura y en lazo de iniquidad. Simón respondió: *Rogad vosotros por mí al Señor, para que no me sobrevenga nada de lo que habéis dicho*». (Hechos, 8, 18-24.)

Este fragmento de los Hechos es, sin lugar a dudas, uno de los más importantes de entre todos los que se relacionan, de cerca o de lejos, con nuestro estudio, ya que incorpora una explicación a ese antagonismo de Pablo y de Pedro, que ningún exégeta de buena fe sabría negar. Porque sólo a los ingenuos y a los ignorantes hay que dejarles la leyenda de los «bienaventurados apóstoles Pedro y Pablo», unidos en Roma por un martirio, si no semejante, al menos cronológicamente asociado. Hay que ignorar la frase dubitativa de Eugenio de Cesarea sobre la supuesta muerte de Simón-Pedro en Roma: «*Se cuenta* que bajo su reinado [Nerón César], a Pablo le cortaron la cabeza en Roma mismo, y que parece ser que a Pedro le crucificaron allí. Y esto lo confirma el hecho de que hasta ahora [año 340] llevan el nombre de Pedro y de Pablo los dos cementerios de esta ciudad». (Cf. Eusebio de Cesarea, *Historia eclesiástica*, II, xxv, 5.)

Las pruebas de la muerte *en Jerusalén, en el año 47*, de Simón-Pedro y de su hermano Jacobo (alias Santiago) las hemos dado en el primer volumen,[43] de manera que no volveremos a ello.

Pero sigue habiendo unas analogías muy curiosas entre las actividades de Pablo y el ofrecimiento «simoniaco» de Simón el Mago. Ese producto de las colectas efectuadas por Pablo en Siria, en Macedonia, en Acaya, en provecho únicamente de la comunidad de Jerusalén, *que está dirigida por Pedro* (cf. Hechos, 4, 32-35; 6, 1; 5, 1-11), colectas innegables, porque aparecen enumeradas en las Epístolas de Pablo (I Corintios, 16, 1-2; II Corintios, 8, 20; Romanos, 15, 26), todos esos movimientos y ofrecimientos de dinero ¿no evocan curiosamente la oferta de compra del *poder iniciático* por parte de Simón el Mago?

Hay, en efecto, un pasaje de las Epístolas de Pablo donde éste parece defenderse de una acusación de simonía discreta y larvada. Júzguese: «Actuamos así *a fin de que nadie nos vitupere* con motivo de esta importante suma que pasa por nuestras manos». (Cf. Pablo, II Corintios, 8, 20.)

Y nuestro hombre precisaba en el versículo precedente que había hecho llegar ese dinero a la comunidad de Jerusalén por medio de un

43. Cf. *Jesús o el secreto mortal de los templarios*, pp. 80-83.

hermano que «además fue *elegido por las Iglesias* para compañero nuestro de viaje en esta obra de beneficencia, que nosotros llevamos a cabo para gloria del Señor y en prueba de *nuestra buena voluntad*». (Cf. Pablo, II, Corintios, 8, 18-19.)

Así pues, las Iglesias desconfían, han elegido ellas mismas quién llevará el dinero a la ciudad de David, *y no es Pablo.* Además, el tal Pablo tiene que dar todavía la prueba de buena voluntad. Todo esto es menos sinónimo de gracioso entendimiento de lo que la palabrería dulzona y lenitiva de los Hechos quiere hacer creer.

Hay todavía otro punto en común entre Simón el Mago y Pablo.

Simón se denomina a sí mismo «vehículo» psíquico del «*poder de Dios*», calificado también de «Grande». Pues bien, en Samaria, en el sector del estadio, se exhumó una estatua de *Koré*, alias Perséfone, diosa-virgen, *guardiana de los muertos* y *protectora de las siembras*, ya que el grano se identificaba con el muerto, al que se introduce en la tierra a fin de que reviva. Por eso mismo, *Koré*, era también la diosa-virgen *restituidora de los vivos*. En Samaria se encontraron numerosas dedicatorias a esta divinidad, y sobre una de ellas puede leerse: «Una sola deidad, la poderosa, *Koré la Grande*, la Indómita». (Cf. A. Parrot, *Samaria, capital del reino de Israel*.)

Y en Samaria los Hechos nos dicen que: «Todos, desde el menor hasta el mayor, escuchaban atentamente a Simón, y decían: Este es el *poder de Dios*, llamado *Grande*». (Hechos, 8, 10.)

Volvamos a leer las Epístolas de Pablo; la expresión *poder de Dios* es, en el lenguaje paulino, sinónimo de Dios mismo (cf. Romanos, 1, 16; I Corintios, 1, 18-24, y 2, 5; II Corintios, 6, 7, y 13, 4; Colosenses, 2, 12; II Timoteo, 1, 8).

Es más, utiliza el esoterismo iniciático del *grano de trigo, depositado en la tierra para morir, a fin de renacer*, que, como acabamos de ver, es uno de los elementos de la iniciación a los «misterios» de Koré la Grande: «Pero dirá alguno: ¿Cómo resucitan los muertos? ¿Con qué cuerpo vienen? ¡Insensato! Lo que tú siembras no cobra vida si primero no muere. Y lo que siembras no es el cuerpo que ha de nacer, sino un simple grano, pongo por caso, de trigo o de alguna otra semilla. *Y luego Dios le da el cuerpo según ha querido, y a cada una de las semillas su propio cuerpo*». (Cf. Pablo, I Corintios, 16, 35-38.)

Ahora bien, en estos versículos no parece que se trate de la famosa resurrección del Juicio Final, sino de un *renacimiento que sucede a la muerte*, de un principio de vida que, en este renacimiento, *no sigue necesariamente el mismo orden ontológico que antes*, ya que su nueva orientación depende de Dios. Aquí no se trata ya de *metemsomatosis*, sino de *metempsicosis*. Además, volvemos a estar en presencia de los «misterios» de Koré la Grande, diosa *guardiana de los muertos, restituidora de los vivos*, y por eso mismo *protectora de las siembras*. Y aquí, como vemos, Pablo se expresa rigurosamente igual

90

que haría Simón el Mago, que probablemente debió de ser «sacerdote de Koré y de los Dioscuros» (cf. A. Parrot, *op. cit.*).

En las Epístolas de Pablo subsisten diversos fragmentos que revelan esta identidad entre Saulo-Pablo, príncipe herodiano, empapado de magia nabatea, y Simón de Samaria, llamado Simón el Mago, personaje imaginario, inventado para las necesidades de la causa de los siglos IV y V, cuando «arreglaron» el texto primitivo de los Hechos de los Apóstoles. Como prueba nos basta lo que sigue: «Doy gracias a Dios *de no haber bautizado a ninguno de vosotros*, si no es a Crispo y Gayo, para que nadie pueda decir que habéis sido bautizados en mi nombre. Bauticé también a la familia de Estéfanas, mas fuera de éstos no sé de ningún otro. Que no me envió Cristo *a bautizar*, sino a evangelizar». (Cf. Pablo, I Corintios, 1, 14.)

«¿O es que ignoráis que cuantos fuimos bautizados en *Jesucristo, en su muerte* fuimos bautizados? Con Él hemos sido sepultados por el bautismo para participar *en su muerte* [...] Pues, si hemos muerto en Cristo, creemos que también viviremos en Él, pues sabemos que Cristo, resucitado de entre los muertos, ya no muere.» (Cf. Pablo, Romanos, 6, 3 y 8.)

Estos dos fragmentos de las Epístolas de Pablo demuestran:

a) que su autor no recibió jamás los *poderes apostólicos*, el más esencial de los cuales residía en la función bautismal;

b) que esos *poderes apostólicos* le fueron denegados por sus primitivos poseedores, los «apóstoles», ya que es seguro que no olvidaría solicitarles la transmisión, y su ausencia implica, por consiguiente, una negativa;

c) que esa negativa a transmitirle los citados *poderes apostólicos* lo identifica *ipso facto*, y de manera irrefutable, con Simón el Mago, que sufrió la misma negativa por parte de Simón-Pedro (Hechos, 8, 18-24);

d) que antes Pablo sólo había poseído «*su evangelio*», al igual que Simón el Mago, como hemos relatado ya en la página 80.

Se nos objetará que Pablo poseía los poderes del exorcismo, puesto que son evocados en los Hechos de los Apóstoles (19, 11-17).

No es nada sorprendente en un hombre iniciado en la magia. Recordemos su herencia, que lo emparentaba con los *príncipes-sacerdotes* analizados antes en la religión de Idumea y Nabatea. Veamos ese texto: «Y Dios hacía milagros extraordinarios por las manos de Pablo, hasta el punto de que se aplicaban sobre los enfermos lienzos o pañuelos que habían tocado su cuerpo, y las enfermedades les abandonaban, y los malos espíritus salían. Algunos exorcistas judíos ambulantes intentaron invocar sobre aquellos que tenían espíritus malignos el nombre del Señor, diciendo: ¡Os conjuro por Jesús, el que predica Pablo! Los que hacían esto eran siete hijos de Sceva, uno de los sumos sacerdotes judíos. El espíritu maligno les respondió: Conozco a Jesús y sé

91

quién es Pablo, pero vosotros ¿quiénes sois? Y el hombre en cuyo interior estaba el espíritu maligno se abalanzó sobre ellos, se ensañó en dos y los maltrató de tal manera que huyeron de esta casa desnudos y heridos». (Hechos, 19, 11-17.)

Pero la respuesta a esta objeción es obvia, puesto que se nos precisa que se trataba de *exorcistas judíos*, hijos de un exorcista judío *célebre por sus curaciones*. En efecto, los únicos que poseían esos poderes y los utilizaban eran los discípulos de Jesús. La Palestina de aquella época estaba plagada, como casi todo el Oriente Medio, de magos itinerantes que pretendían encontrar en todo enfermo una víctima de uno o de varios espíritus malignos. Y la curación dependía entonces, no de la medicina de aquellos tiempos, sino de la magia.[44] Esta magia, principalmente constituida por conocimientos *botánicos* o *psicomagnéticos* (hipnotismo, magnetismo curativo), servía a veces para *enfermar previamente* a un futuro cliente, a fin de poderlo curar triunfalmente a continuación, suprimiendo los «ataques secretos» contra su salud. Rasputín hizo lo mismo en Rusia con el zarevich, para captar la admiración y la confianza del zar y la zarina, sus padres.

Observemos, de paso, que todavía en nuestros días el exorcismo es la única medicina admitida por la Iglesia. No admitió lo bien fundado de la amputación quirúrgica hasta que se sentó en el trono papal Pío XII, y en 1829 el papa León XII condenó solemnemente la vacunación: «Quienquiera que proceda a la vacunación deja de ser hijo de Dios. La viruela es un juicio de Dios, la vacunación es un desafío al Cielo».[45]

¡Equivale a decir que la medicina ha sido tan sólo tolerada!

Para concluir este capítulo sobre la probable identidad entre el personaje imaginario de Simón el Mago y Saulo-Pablo, lo mejor que podemos hacer es recordar que san Cipriano (decapitado en Cartago en el año 240), que también había sido mago, y Eusebio de Cesarea (muerto en el año 40) *creyeron útil comparar a Saulo-Pablo con san Cipriano, un mago convertido* (*supra*, pp. 33-34).

Quizá sus manuscritos originales decían más sobre el tema, pero los monjes copistas de la Alta Edad Media pasaron indudablemente por allí. Sea como fuere, esa doble alusión hay que añadirla a la tesis que identifica a Simón el Mago y Saulo-Pablo, y por el momento se basta a sí misma...

44. Cf. *Jesús o el secreto mortal de los templarios*, cap. 14: «La magia en la vida de Jesús».

45. Citado por Y. Boisset, *«Et l'Occident porta sa croix...»*. No es sino para evitar que se les persiga por el ejercicio ilegal de la medicina por lo que los exorcistas diocesanos de nuestra época son necesariamente doctores en medicina.

8

El verdadero camino de Damasco

Todos los caminos del sueño no llevan a Katmandú...

MICHEL DELPECH, *Je suis pour...*

Los exégetas de la crítica liberal han descubierto numerosas interpolaciones en el canon neotestamentario. Existen diversas fórmulas de éstas. Puede introducirse un texto, largo o corto, en una obra antigua, en el curso de una nueva copia manuscrita, arreglándoselas para que el lector inexperto no pueda darse cuenta.

El exégeta entrenado discernirá fácilmente esta interpolación al constatar que, la mayor parte del tiempo, el hilo del discurso inicial se rompe, y que aparece perturbada la armonía del estilo. Citaremos como ejemplo el célebre pasaje de Suetonio sobre el incendio de Roma: «Se impusieron límites al lujo, se redujeron los festines públicos a distribuciones de víveres; se prohibió vender en las tabernas ningún manjar cocido, a excepción de las verduras y las legumbres, cuando antes se servía todo tipo de comidas; *se entregó al suplicio a los cristianos, gentes dadas a una superstición nueva y peligrosa*; se prohibieron los juegos de los conductores de cuadrigas, a los que una antigua costumbre autorizaba a vagar por toda la ciudad para divertirse, y se relegaron a la vez las pantomimas y sus facciones». (Cf. Suetonio, *Vida de los doce Césares: Nerón*, VI.)

Es evidente que el estilo de Suetonio merecía más que esa interpolación, tan burda como torpe. Como observa Marcel Jouhandeau, «ese autor no pierde de vista su objetivo ni un segundo».

Y en efecto, ¿qué hace esa condena de los cristianos en medio de la venta de la lechuga cocida y de las verduras, y de las juergas nocturnas de los conductores de carros? Por eso creen la mayoría de los exégetas imparciales que toda la parte que hemos escrito en cursiva en nuestra cita es una interpolación extraña al texto inicial de Suetonio.

En los evangelios canónicos, una de las interpolaciones más audaces que existen es indudablemente la que se refiere a las célebres «llaves», y que afirma así la primacía del obispo de Roma sobre todos los demás. Veamos ese célebre texto. Jesús acaba de preguntar a sus discípulos (sus hermanos, de hecho) qué piensan de él. Todos responden que le creen *cristo*, hijo del Dios vivo (Mateo, 16, 13-20; Marcos, 8, 27-30; Lucas, 9, 18-21; por lo que respecta a Juan, ignora la totalidad de este episodio).

Pero en el capítulo de Mateo citado, después del versículo 16 se interpoló un nuevo texto, que se convirtió en los versículos 17 y 18, y que dice así: «Y Jesús, respondiendo, dijo: Bienaventurado tú, Simón *Bar Jona*,[46] porque no es la carne ni la sangre quien esto te ha revelado, sino mi Padre, que está en los cielos. Y yo te digo a ti que tú eres Pedro, y sobre esta piedra edificaré yo mi Iglesia, y las puertas del infierno no prevalecerán contra ella». (Mateo, 16, 17-18.)

Esta audaz interpolación es, necesariamente, posterior al siglo IV, dado que en aquella época, como ya hemos dicho, por orden de Constantino y bajo la vigilancia de doctores como Eusebio de Cesarea, se unificaban los evangelios oficiales, se enviaban en series de cincuenta ejemplares a los diversos obispados del Imperio Romano y se recogían los antiguos, no conformes.

Es perfectamente evidente que si este pasaje lo hubieran conocido los anónimos redactores y copistas, los manuscritos más antiguos de Marcos, Lucas y Juan también lo llevarían. *Y no hay nada de eso.* Por otra parte, en nuestra época nadie tendría la audacia de introducirlo en las versiones de esos mismos evangelios, a los que sin embargo se llama *sinópticos*.

De todas las sucesivas interpolaciones de que fueron víctimas los textos canónicos, ésta fue sin lugar a dudas la más gratificante, y justifica la constatación de León X citada en la página 9 de esta obra.

Viene a continuación lo que se ha convenido en llamar la interpolación repetida. Los manuscritos antiguos eran rollos compuestos por tiras de papel o por páginas cuadradas de papiro, encoladas unas después de otras, a fin de formar una larga banda. Para introducir un texto nuevo en el manuscrito inicial bastaba con despegar dos páginas o dos bandas, e intercalar entre ellas, encolándola a su vez, la fracción de piel o la página de papiro que contuviese el o los nuevos textos.

De todos modos, al proceder así, a veces podía sucederle al interpolador la fatalidad de ver que una frase quedaba cortada en dos. Y entonces estaba obligado a terminar, *encima de la fracción introducida*, la frase desventuradamente partida. Luego, en la parte de abajo de la última página introducida, tenía que colocar, como fuera, un texto que enlazara con *el encabezamiento de la antigua página inmediatamente*

---

46. *Barjonna*: vieja palabra acadia, que significa «fuera de la ley, anarquista». Véase *Jesús o el secreto mortal de los templarios*, p. 72.

posterior. Cada uno de esos dos fragmentos daba entonces origen a una nueva frase, pero la segunda constituía un burdo «doblete» de la primera. *Repetía* los términos y el giro. De ahí el nombre de «interpolación repetida» que se aplica a ese artificio fraudulento de los escribas anónimos de los primeros siglos.

El teólogo alemán protestante Wendt fue el primero que descubrió en los Hechos de los Apóstoles dos casos patentes de interpolación repetida. El primer ejemplo está relacionado con la lapidación de Esteban:

«Ellos, gritando a grandes voces, se taparon los oídos y se arrojaron a una sobre Esteban, lo arrastraron fuera de la ciudad y lo apedrearon.» (Hechos, 7, 57-58.)

«Los testigos depositaron sus mantos a los pies de un joven llamado Saulo.» (Ídem, 58.)

«Y mientras lo lapidaban, Esteban oraba, y decía: Señor Jesús, recibe mi espíritu.» (Ídem, 59.)

A fin de introducir a un Saulo todavía niño en la narración de los Hechos, el interpolador ha efectuado un corte entre los versículos 57 y 59. Sin duda se trata tan sólo de una pequeña banda *horizontal*. Pero esta interpolación resulta torpe, porque, como observa divertido el abad Loisy: «Al pobre Esteban parece que lo hayan lapidado dos veces».

Veamos ahora la segunda interpolación descubierta por Wendt. Aquí el falsificador no se anduvo con chiquitas, porque comprende nada menos que varios capítulos. Tomemos los Hechos, capítulo 8, versículo 4: «Los que se habían dispersado iban por todas partes predicando la Palabra».

Saltémonos ahora todo el resto, es decir el asunto de Simón el Mago enfrentándose con Simón-Pedro, luego la historia del diácono Felipe y del eunuco etíope de la reina Candaces de Etiopía. Detengámonos para reírnos un poco por el camino, porque el diácono Felipe bautiza al citado eunuco por el camino de Jerusalén a Gaza. Cuando está hecho, el Espíritu Santo lo alza por los aires, y nuestro diácono se encuentra, asombrado, en la ciudad de Azoto, a unos cuarenta kilómetros de allí, ¡a vuelo de pájaro, claro! (Azoto no es otra cosa que el Ashdod bíblico —que en hebreo significa «pillaje»—, antigua ciudad filistea situada en la misma latitud de Jerusalén, al norte de Gaza.) Luego sigue el relato de la conversión de Saulo, la curación de Ananías, la resurrección (¡sí!) de Tabita gracias a los cuidados de Pedro, la conversión de Cornelio, el aviso que el Cielo dio a Pedro de que abandonara todos los tabúes de la Ley judía, etcétera.

Y nuestro astuto interpolador concluye (en el siglo IV por lo menos): «Al oír estas cosas, callaron y glorificaron a Dios, diciendo: ¡Conque también a los gentiles otorga Dios la penitencia para alcanzar la vida!». (Hechos, 11, 18.)

Amén, diremos nosotros. *Y aquí volvemos a encontrarnos con la frase del principio*: «Los que se habían dispersado con motivo de la persecución suscitada por lo de Esteban llegaron hasta Fenicia, la isla de Chipre y Antioquía, predicando la palabra *solamente a los judíos*». (Hechos, 11, 19.)

Es evidente que todo lo que se había interpolado, desde 8, 4, hasta 11, 19, lo fue con la intención de justificar a Pablo, su apostolado entre los gentiles, el acceso de éstos a la nueva comunidad, y el abandono de los tabúes alimentarios judaicos, que, al igual que la circuncisión, desagradaban a los paganos y frenaban su conversión. Y los relatos en los que abunda lo sobrenatural están destinados a hacer admitir la autoridad de aquellos que supuestamente los vivieron.

La fecha de esta interpolación, una de las más importantes del Nuevo Testamento, puede situarse en los alrededores del año 360, si recordamos lo que hemos señalado al estudiar la *Confesión de san Cipriano*.

Y probablemente es concomitante a esas «copias conformes» enviadas por series de cincuenta ejemplares a las Iglesias del Imperio Romano por orden de Constantino, copias efectuadas bajo la vigilancia de su panegirista Eusebio de Cesarea y luego repartidas, a lo que siguió, *evidentemente, la recuperación de los textos antiguos*. No obstante, lo que es seguro es que ese mendaz arreglo no estuvo coordinado; el «nivel intelectual» de los destinatarios no imponía a los escribas anónimos del siglo IV muchas precauciones o controles. Como prueba tenemos las contradicciones observadas en los Hechos de los Apóstoles, obra que sin embargo está atribuida, oficialmente, a Lucas, confidente y secretario de Saulo-Pablo, como autor único. Júzguese:

En Hechos, 9, 7, se nos dice que la escolta de Saulo había permanecido *de pie* y *estupefacta* durante la aparición de Jesús. En Hechos, 26, 14, leemos que los hombres de Saulo *cayeron todos al suelo*.

En Hechos, 9, 7, esos mismos hombres armados *oyeron la voz* de Jesús dirigiéndose a Saulo, pero *no vieron a nadie*. En Hechos, 22, 9, se nos precisa que *vieron la misteriosa luz, pero que no oyeron la voz de Jesús*.

Si, como afirmó recientemente la comisión vaticana autorizada, todo católico tiene la obligación de admitir que Lucas es el *autor único* de los Hechos de los Apóstoles, el exégeta independiente y objetivo tiene que sacar la conclusión de que el tal Lucas no tenía las ideas muy claras...[47]

47. Nos vemos obligados a observar que no se nos habla de la suerte que corrieron los hombres de armas de Saulo-Pablo, a los que éste abandonó sin vergüenza alguna al emprender la huida. ¿Qué fue de ellos? La respuesta es sencilla. Todo soldado prisionero de guerra, en cualquier Estado del mundo antiguo, iba a añadirse a la masa ingente de los esclavos. Los soldados de la escolta de Saulo-Pablo serían inevitablemente capturados por los del etnarca del rey Aretas IV, al haber sido pillados en la trampa de Damasco; a continuación sufrirían la *incisión*, el yugo de la esclavitud, impuesta con un hierro al rojo vivo sobre la nuca. Pero en la narración de nuestro personaje podríamos buscar en vano una palabra de piedad o de lástima por esos hombres, así abandonados a la peor suerte que podía esperarles (cf. II Epístola a los Corintios, 11, 32). En cambio, en todos los Estados del mundo, el oficial que abandona a sus hombres ante el enemigo es considerado un cobarde.

Ahora sabemos, por la *Confesión de san Cipriano*, relato compuesto hacia los años 360-370, que en aquella época los Hechos de los Apóstoles no mostraban el milagro acaecido a Saulo-Pablo en el camino de Damasco poco antes de entrar en la ciudad. Según esos mismos Hechos, la conversión del jefe de la policía paralela judeorromana se produjo mucho más tarde (véase pág. 34).

Ahora bien, Epífano (fallecido en 403), en su obra principal *Adversus Haereses*, nos aporta la tradición de los *ebionitas*. Esta secta, una de las más antiguas citadas, junto con los nazarenos, reconocía que el mundo era obra de un Dios Supremo, pero en lo que se refiere a Cristo, adoptaba la misma postura que Cerinto y Carpocras hacia ese *eón* gnóstico. Vivían a la manera judaica ordinaria, y pretendían justificarse por la Ley. Según ellos, fue practicándola como Jesús se había convertido en un *justo*, en el *Ungido* de Dios, pues nadie entre los judíos había cumplido la Ley. Pero si se sigue el mismo camino, uno se hace idéntico a él, y cualquiera puede convertirse a su vez en un *Cristo*. «Porque, decían, Jesús era inicialmente un hombre igual que los otros.» (Cf. Hipólito de Roma, *Philosophumena*.)

El interés de la tradición ebionita, en este caso, consiste en que nos cuenta el verdadero motivo de la conversión de Saulo-Pablo. San Epífano nos dice que Saulo había *nacido de padres paganos*. Aquí encontramos la justificación de todos los argumentos que sacamos de Flavio Josefo. Prendado de la hija del sumo sacerdote Gamaliel, se habría hecho circuncidar para conseguir casarse con ella, pero al ver frustradas sus esperanzas, por despecho habría empezado a predicar contra la Ley y los tabúes judaicos, y claro está, principalmente contra esa misma circuncisión. (Cf. Epífano, *Adversus Haereses*, XXX, 16.) Así pues, el maravilloso «camino» de Damasco se habría limitado a *las armoniosas «caderas»* de una hermosa judía.

¿Por qué no? «El amor es fuerte como la muerte, sus ardores son ardores de fuego, una llama del Eterno, y las inmensas aguas no pueden apagarlo...» (Cantar de los Cantares, 8, 6-7.)

Así, consciente de su carácter de extranjero a la nación judía, Saulo, no prestando oídos sino a su amor por la hija de Gamaliel, se hizo circuncidar; sin esto, él sabía que para ella habría significado el rechazo de la colectividad mística, ya que: «La hija de un sumo sacerdote casada con un extranjero no comerá ya de las cosas santas ofrecidas por elevación». (Levítico, 21, 12.)

Esta conversión de tipo quirúrgico fue, desgraciadamente, inútil. O bien el Sanedrín vetó semejante unión entre la hija de un sumo sacerdote (no de un simple sacerdote) y un recién convertido (objetando el carácter desprovisto de todo misticismo de semejante conversión), o bien la hija se negó a casarse con él. Y los matrimonios de conveniencia estaban *religiosamente prohibidos* en Israel. De manera que no se la podía obligar en modo alguno a casarse con Saulo. Tanto más cuanto que la Ley judía rechazaba a aquel que se hacía prosélito por amor a una mujer.[48]

Ahora bien, Saulo-Pablo no era un *playboy*, ni mucho menos, si hemos de dar crédito a la tradición heredada de los Padres de la Iglesia.

En primer lugar, estaba afectado de una grave enfermedad, que él menciona, sin decir cuál, en su II Corintios (12, 2-9). Monseñor Ricciotti, en su *Saint Paul, apôtre* nos dice sobre ella: «Del pasaje de Pablo que hemos citado se infiere de forma evidente que *estableció una relación estrecha entre la enfermedad desconocida y su rapto al tercer cielo y al paraíso*, ya que consideraba su mal como un remedio que Dios le administraba para impedirle enorgullecerse». (*Op. cit.*, p. 168.)

Recordemos esta relación, porque es muy importante.

La tesis de que se trataba de epilepsia clásica, propuesta ya por K. L. Ziegler, fue sostenida por Krenkel en 1890 con argumentos muy convincentes. Esta tesis la han mantenido muchos exégetas y médicos. Se ha recordado casos análogos, en los que al mal clásico se añadían manifestaciones histeriformes, de carácter místico-alucinatorio. Se cita a Julio César, Mahoma, Cola di Rienzo, Fernando el Católico, Cromwell, Pedro el Grande, Napoleón; todos ellos tuvieron visiones o audiciones de carácter neuropático.

Nos dirigiremos ahora hacia otra explicación.[49] Hemos visto en la página 74 que los príncipes nabateos e idumeos estaban ligados asimismo a una especie de sacralización religiosa. El uso de drogas alucinógenas se hallaba muy difundido, precisamente debido a su relación con los «planos» ocultos. Todo el Oriente Medio conocía desde hacía siglos el hachís; Egipto usaba ya el opio en tiempos de Ramsés II, y griegos y romanos no ignoraban los efectos de la adormidera, llamada en griego *mekon*. Israel, en sus *escuelas de profetismo* (I Samuel, 10 y 19), utilizaba *vinos de hierbas*, y Siria, Fenicia, Idumea, Nabatea y Egipto conocían también los efectos del *banj* o *bang*, extraído de una especie de beleño llamado por los árabes *sekaron*, es decir «la embriagadora» (crece en todo Egipto y en la península del Sinaí; es el *Hyosciamus muticus*, un alucinógeno o un narcótico, según la dosis). Saulo pudo muy bien ser un drogado de manera intermitente, ya que, como veremos, tuvo numerosas visiones en sus periplos, visiones probablemente provocadas, *y de ellas sacaba sus propias instrucciones apostólicas*. ¡Pero hay algo todavía más grave!

Dejemos ahora su estado patológico. ¿Cómo era físicamente?

Los *Hechos de Pablo* nos dicen de él: «... hombre de pequeña estatura, calvo, de piernas arqueadas, de buen estado de salud, cejijunto, de nariz más bien grande, lleno de gracia...».

---

48. «El que se convierte por una mujer, por temor, por amor, no es un prosélito. El que no se convierte por el Cielo no es un prosélito.» (Cf. *Talmud: Masseket Guerim*, I, 7.)

49. *Infra*, pp. 178-179.

Los *Principes Apostolorum*, atribuidos a Juan Crisóstomo, le ponen unos tres codos de altura. Sin duda para subrayar su corta estatura, porque eso daría un hombre de apenas un metro cincuenta, lo que es manifiestamente exagerado.

En el siglo VI, Juan Malala nos dice: «En vida, Pablo fue de pequeña estatura, calvo, con la cabeza y la barba entrecanas, una hermosa nariz, ojos azulgrisáceos, cejas juntas, piel blanca, barba espesa, sonriente...». (Cf. Juan Malala, *Chronographia*, X, en Migne, *Patrologie Grecque*, 97.)

Las piernas arqueadas podían justificarse a causa de los largos ejercicios a caballo, cosa nada sorprendente en un príncipe herodiano. Pero eso también puede significar una degeneración, subrayada por la pequeña estatura.

De esas breves descripciones surge un retrato robot de Pablo, al que se han ceñido todos los pintores y escultores a partir del siglo IV.

Consideremos ahora otra cuestión. Admitiendo que la circuncisión libremente aceptada por él hubiera derivado del consentimiento, por parte de la hija de Gamaliel para un eventual matrimonio, habría que sospechar que Saulo, *utilizando sus conocimientos ocultos*, habría obtenido el consentimiento de la joven por efecto de un sortilegio. Cosa que no sería tan sorprendente, teniendo en cuenta la época y el medio. Así se comprende la reacción violenta del Sanedrín, y probablemente del propio Gamaliel, ya que la magia era rigurosamente perseguida y condenada, tanto por la Ley judía como por la Ley de las Doce Tablas, aplicada en Roma.[50]

Lo que nos incita a tener en cuenta esta hipótesis es el siguiente pasaje de Flavio Josefo: «Poco después del matrimonio de Drusila con Aziz, esta unión se rompió por la razón siguiente: Félix, procurador de Judea, después de haber visto a Drusila, a quien ninguna mujer igualaba en belleza, fue inflamado por el deseo de poseerla, y enviando a ella a *un judío amigo suyo llamado Simón*, chipriota de nacimiento, *que se hacía pasar por mago*, se esforzó por persuadirla de que abandonara a su esposo y se casara con él, prometiéndole que la haría feliz si ella no lo desdeñaba. Drusila, actuando mal, y queriendo huir de los celos de su hermana Berenice, que no la trataba bien a causa de su belleza, se dejó persuadir para actuar contra las instituciones de su pueblo y casarse con Félix». (Cf. Flavio Josefo, *Antigüedades judaicas*, VII, 2.)

Como vemos, la magia intervenía a veces en los matrimonios.

El lector ya habrá adivinado que la expresión «chipriota de nacimiento» fue interpolada astutamente, a fin de apartar de Simón el Mago, alias Saulo-Pablo, la responsabilidad de ese embrujamiento de amor que permitió a Félix casarse con Drusila. No olvidemos que Flavio Josefo ha llegado hasta nosotros en manuscritos de los siglos IX

---

50. Cf. *Jesús o el secreto mortal de los templarios*, pp. 139-140 y 207.

y XII, es decir, que fueron obra de *copistas de la Edad Media*. Y desde la cruzada contra los albigenses y la destrucción de la Orden del Temple, la Iglesia no ignora que entre los herejes saben muy bien a qué atenerse sobre los verdaderos orígenes del cristianismo. Remitimos al lector a lo que decimos sobre el «*secreto de la Iglesia*» en nuestra obra precedente.[51]

En caso afirmativo, y si Saulo-Pablo, alias Simón el Mago, fue el artífice del matrimonio de la bella Drusila con Antonio Félix (antiguo liberto de Antonia, madre de Claudio César), y eso por medio de la vieja brujería de los árabes nabateos, podemos suponer que la fecha sería posterior al año 52, ya que hasta el 52 no nombró el emperador Claudio procurador de Judea a Félix.

Ahora bien, Aziz, rey de Emeso, primer marido de Drusila, murió en el año 54, y le sucedió su hermano Soemas. Entonces, ¿cómo pudo Saulo-Pablo reprochar a Félix y a Drusila su unión, si ésta era viuda desde el año 54? Porque en los Hechos de los Apóstoles eso es lo que se insinúa: «Pasados algunos días, vino Félix con su mujer Drusila, que era judía, y mandó que viniese Pablo, y le escuchó acerca de la fe en Cristo. Y al hablar él sobre la *justicia, la continencia y el juicio venidero*, Félix se llenó de terror, y le dijo: Es bastante por ahora. Retiraos Pablo, cuando tenga tiempo os volveré a llamar». (Hechos de los Apóstoles, 24, 24-25.)

Ante todo, observamos una primera inexactitud. Drusila no es judía, sino idumea, de la familia de Herodes. Se interesa, como muchas mujeres cultas de su tiempo, tanto romanas como griegas, sirias o idumeas, por los problemas filosóficos y religiosos. Pero de eso a hacer de ella una judía hay una gran distancia.

Veamos ahora la segunda inexactitud. Se adivina que el escriba anónimo que redactó este pasaje de los Hechos quiso insinuar que Pablo quería moralizar a la pareja Félix-Drusila. Nuevo Juan Bautista, considera a Drusila como una nueva Herodías, y por eso les habla de *justicia* (no se toma la mujer de otro) y de *castidad* (no se vive en estado de adulterio), porque se corre el riesgo de ser castigado en el *juicio venidero*. No obstante, esta entrevista se sitúa en el año 58, en Cesarea. Por lo tanto hace cuatro años que Drusila es viuda. De manera que ya no puede vivir en estado de adulterio. Pero esos pasajes, visiblemente interpolados en versiones más antiguas de los Hechos, refuerzan la alusión al «*judío, chipriota de nacimiento*», porque es un mago judío en Chipre; es comensal y consejero del gobernador de la isla en Pafos, capital de Chipre (Hechos, 13, 6-12). Pero se llama Elimas Bar-Jesús, y no Simón.

De hecho, la amistad testimoniada por el procurador Félix hacia Pablo es el agradecimiento de Antonio Félix a «Simón el Mago» por haberle hecho obtener el amor de la bella Drusila. ¡Una vez más el amor rige a los hombres y a veces sus acciones más importantes!

51. Cf. *Jesús o el secreto mortal de los templarios*, pp. 16-17.

Así pues, si el sortilegio de amor que unió a Drusila y Félix tuvo a Saulo-Pablo como autor, no es descabellado suponer que este último hiciera uso de alguno para lograr a la hija de Gamaliel. Planteemos los elementos del problema:

a) Saulo-Pablo no es físicamente un Apolo;

b) no es judío.

De manera que si la hija de Gamaliel mostró alguna inclinación hacia él y le dijo que «sí», no fue el físico de Saulo-Pablo lo que la sedujo.

Y necesariamente debió de decir que «sí», porque si hubiera dicho que «no», Saulo no se habría hecho circuncidar, cosa que, en edad adulta, no tiene nada de agradable, teniendo en cuenta la cirugía de la época.

El «sí» de la joven tuvo que obtenerlo, pues, por otros medios. Y volvemos a encontrar aquí nuestra hipótesis: cedió como consecuencia de un hechizo de amor. Aunque no consideramos los efectos de la magia sino en la perspectiva de una *física trascendental*. Cien mil experiencias de hipnotismo, desde hace casi un siglo, están ahí para subrayar la eficacia de todos esos procedimientos. También por eso, teniendo en cuenta las confidencias de diversos «magnetizadores-hipnotizadores», desaconsejamos absolutamente que una mujer vaya a confiarse a alguno de ellos sin ir acompañada de algún familiar.

Por otra parte, no se puede negar la magia en la vida de Pablo. Citaremos simplemente estos dos pasajes de las Epístolas: «Pues yo, ausente en cuerpo, pero presente en espíritu,[52] he condenado ya, cual si estuviera presente, al que eso ha hecho: En nombre de nuestro Señor Jesús, *entrego a ese hombre a Satanás, para la destrucción de su carne*».[53] (Cf. Corintios, 5, 3-5.)

«Entre ellos Himeneo y Alejandro, *a quienes entregué a Satanás* para que aprendan a no blasfemar...» (Cf. I Timoteo, 1, 20.)

En el primer caso se trataba de un hombre joven que se había casado con la viuda de su padre, y por consiguiente su madrastra. Ella debía de ser muy joven, según la costumbre de la época.

En el segundo caso se trataba de cristianos ordinarios, que se habían pasado a la Gnosis, y por lo tanto habían abandonado los grupos sometidos a Pablo. Como Satanás era, bajo el nombre de Samael, el ángel de las pruebas y de la tentación, se constatará que Pablo gusta de practicar la magia negra, ya que no se trata de otra cosa. De todos modos, tendrá que soportar sus inconvenientes, pues el citado Alejandro se convertirá en testigo de cargo durante su último proceso, en Roma: «Alejandro, el herrero, me ha hecho mucho mal. El Señor le

---

52. Esa frase nos indica que Pablo actuó en este caso según unos *ritos*, y *a distancia*.
53. *La destrucción de la carne* es, evidentemente, la *lepra* o la *muerte*. ¡Dulce Jesús!, diremos nosotros. Ése es el hombre a quien los *Hechos de Pablo* describen como «lleno de gracia». Dicho de otro modo: ¡maleficios, hipocresías y verborrea!

dará pago según sus obras. Guárdate tú también de él, porque ha mostrado fuerte oposición a mis palabras». (Cf. Pablo, II Timoteo, 4, 14.)

Por añadidura, el testimonio de este Alejandro, confirmado por el original —o una copia— de la *primera carta a Timoteo*, implicará para Pablo, acusado ya de algo más terrible, que analizaremos llegado el momento, la acusación también de magia negra. Y ésta se hallaba ya sancionada de antemano con la pena capital por la implacable «Ley de las Doce Tablas» para quienquiera que practicara «sortilegios, hechizos o palabras encantatorias, maleficios contra personas, animales o cosechas».

Ya bajo Augusto se habían buscado cuidadosamente todos los libros de brujería que pudiera haber en el Imperio. Luego fueron inmediatamente quemados, por orden expresa del emperador. Tiberio y Nerón confirmaron con numerosos edictos la vigencia de las antiguas leyes. Éstas habían llevado a la ejecución, bajo el consulado de Claudio Marcelo y de Valerio Flaco, a 170 brujas, que habían lanzado maleficios sobre numerosas personas embadurnando las puertas de sus casas (probablemente los picaportes) con *ungüentos especiales*. (Cf. *Leg. duodecim Tabular*: art. 55, 68, 69, etc.)

Lo mismo sucedía en Grecia, donde una ley castigaba a «todos aquellos que, por encantamientos, palabras, ligadura, imagen de cera u otro maleficio encanten o hechicen a alguien, o se sirvan de él para hacer morir a hombres o animales de corral, todos esos serán castigados con la muerte». (Cf. De Lamarre, *Traité de la Police*, tomo I, título vii.)

Platón nos habla de esta ley en su *De Legibus*, libro II. Y Pausanias, en su *In Elia*, libro V, cita una aplicación: Lemnia, una bruja, fue condenada a muerte por la denuncia de una sirvienta. Si relacionamos éste nombre con el de la *lamia* de las leyendas, que atraía a los jóvenes y les quitaba la vida poco a poco con voluptuosos enlazamientos, debió de tratarse de una mujer que hechizaba a los hombres que deseaba.

Sea como fuere, ahora vamos a encontrar pronto a Pablo en su obra de mago, pero para él de lo que se tratará es de constituir extensas redes de complicidades femeninas en la gran empresa que intentará llevar a buen término.

Nos queda por dilucidar un punto histórico.

Hemos constatado en la *Confesión de san Cipriano* y en la versión de los Hechos de los Apóstoles de esa época (*supra*, pág. 34) que Saulo-Pablo había efectuado su conversión mucho después del episodio de su visita a Damasco, en el curso del cual el etnarca del rey nabateo Aretas IV quiso hacerle capturar. Él mismo nos cuenta cómo unos amigos que tenía en la ciudad le ayudaron a bajar de noche, a lo largo de las murallas, metido en un cesto de mimbre (*tarsos*). Por lo tanto dicha conversión tenemos que buscarla después de este desatino de Damasco.

Por otra parte, sabemos por los manuscritos del mar Muerto que la secta de los *sadocitas*, los «hijos de Sadoc», un día tuvo que huir del lugar y del monasterio de Qumrân para refugiarse en Damasco. Cuando tuvo lugar el regreso de este exilio, una fracción de la secta se quedó allí, aunque sin dejar de estar en relación con los repatriados, según nos dice el cardenal Jean Daniélou en su libro *Les Symboles chrétiens primitifs*. Y aquí interviene un curioso dato que debemos a Lurie. Recuerda que la secta sadocita no estaba fijada en Damasco mismo (cf. *Document de Damas*, VIII, 21; XX, 12), sino a quince kilómetros al sudoeste, en el camino que llevaba a Galilea, y en una aldea llamada Kokba (cf. R. North, informe sobre «*Eretz Israel*», IV, en *Verbum Domini*, núm. 35, 1957).

Epífano, en su obra *Adversus Haereses* (XXIX, vii, 7), menciona asimismo a los nazarenos entre los refugiados en Kokba, es decir a judeocristianos ortodoxos que pertenecían a la rama fundada por Santiago el Mayor, y a los *arcónticos*, judeocristianos de carácter gnóstico (*Op. cit.*, XL, I, 5.) Y Julio el Africano, citado por Eusebio de Cesarea en su *Historia eclesiástica* (I, vii, 14), nos dice que probablemente entre ellos había «*parientes carnales del Señor*». Sobre esta cuestión, véase H. J. Schoeps, *El judeocristianismo*.

Todo lo cual nos conduce a Dositeo. Éste fue el maestro de Simón el Mago. Había estado en relación con Juan Bautista, y Epífano lo presenta como saduceo (cosa que era, evidentemente, un error); en realidad era *sadocita*, llevaba una vida muy ascética y practicaba el sabbat de forma muy estricta. Según los antiguos heresiólogos, fue un *gnóstico* en el sentido absoluto del término. Pues bien, según el *Talmud* (cf. R. North, *loc. cit.*, p. 49), *vivía en Kokba*.

Y Jean Daniélou nos proporciona además, en su libro *Les Symboles chrétiens primitifs*, el siguiente dato, particularmente significativo: «Otro detalle curioso es la existencia de una tradición según la cual la conversión de san Pablo habría tenido lugar en Kokba. Saulo habría tenido allí un primer contacto con helenistas, que a continuación se encargarían de su instrucción en Damasco». (Cf. J. Daniélou, *op. cit.*, VII, l'étoile de Jacob.)

Según monseñor Ricciotti esta tradición sería muy antigua (cf. *Saint Paul, apôtre*, p. 213). El historiador protestante Harnack lo confirma en *Die Mission und Ausbreitung des Christentums*, II, 636, así como S. Lösch en *Deitas Jesu und Antike Apotheose*.

«Uno puede preguntarse asimismo —prosigue Jean Daniélou— si la permanencia en Arabia (cf. Epístola a los Gálatas, 1, 17) no designaba simplemente a Kokba. En aquella época la región de Damasco se consideraba como parte de Arabia.» En efecto, si formaba parte del dominio del rey Aretas IV (y había un etnarca), toda esa parte de Siria era entonces del reino nabateo.

Recapitulemos, pues, nuestras sucesivas conclusiones:
1) Saulo-Pablo no es otro que Simón el Mago, ya lo hemos visto;

2) Simón el Mago fue antes discípulo de Dositeo;

3) Dositeo vivía en Kokba, a quince kilómetros de Damasco;

4) Saulo-Pablo habría sido antes instruido por los helenistas en Kokba, donde vivía Dositeo.

El *silogismo* es fácil de establecer, teniendo en cuenta lo que precede, ya que la *primera* y la *segunda premisas* son unánimes en su demostración de que Saulo-Pablo y Simón el Mago no son sino una misma persona.

En cuanto a la improbabilidad de un viaje de Saulo-Pablo a pleno territorio nabateo, es decir a su capital Petra, lo confirman dos detalles:

a) La permanencia en la región de Damasco, territorio nabateo, puede explicar el pasaje de la Epístola a los Gálatas, 1, 17, que dice: «No subí a Jerusalén para ver a los que me precedieron en el apostolado, sino que partí para la Arabia, desde donde volví otra vez a Damasco».

b) Se observará que Saulo-Pablo *no regresó jamás a la Arabia nabatea* en el curso de sus numerosos viajes misioneros. Porque, como príncipe de las dinastías idumea (por vía masculina) y nabatea (por vía femenina: su bisabuela Cypros I), y por haberse hecho circuncidar para hacerse judío y casarse con la hija de Gamaliel, *corría el riesgo de ser lapidado*.

En efecto, cuando su abuela Salomé I decidió casarse por tercera vez, había tenido un enredo en el palacio de su hermano Herodes el Grande con un árabe nabateo llamado Silaios. Ante la indignación de las esposas de Herodes, el árabe, al ver que sospechaban de él, se marchó, pero regresó tres meses más tarde, para pedir en matrimonio a Salomé. Era el administrador del rey de Arabia Obodas, y era joven y bien parecido. Salomé consintió, y Herodes también, pero a pesar de todo puso una condición: para poder llevarse bien con la población judía, Silaios se convertiría al judaísmo, al menos aparentemente; sin eso, el matrimonio sería imposible, declaró Herodes. Silaios rehusó «diciendo que, si lo hacía, sería lapidado por los árabes» (cf. Flavio Josefo, *Antigüedades judaicas*, XVI, vii).[54]

Y ésta es la razón, bastante válida, por la cual Saulo-Pablo no regresó jamás, en el transcurso de sus viajes misioneros, a la Arabia nabatea. Lo que aporta una prueba más a sus orígenes principescos y árabes. Su circuncisión «por amor» le habría valido también a él, en territorio nabateo, la lapidación que temía Silaios.

` Porque, para Saulo, toda esta aventura planteaba problemas insolubles.

---

54. Se observará que esta condición impuesta por Herodes el Grande implicaba simplemente un medio discreto de negar la mano de su hermana á Silaios, ya que ni él ni sus hijos estaban circuncidados, lo cual constituía el principal motivo del odio de que era objeto por parte de los judíos, que le llamaban «el incircunciso».

A los ojos de la casa de Herodes, había abandonado los cultos ancestrales, tradicionales, y eso no era lo más grave, sino el hecho de que la pertenencia a la *religión* judía implicaba una naturalización judaica. Ya que en Israel religión y raza eran una sola cosa; pertenecer a la comunidad mística era pertenecer al pueblo elegido, a su comunidad física.

Ahora bien, la una y la otra imponían deberes imperiosos, y esos deberes con mucha frecuencia eran opuestos a lo que la dinastía herodiana consideraba como *derechos*. Convertirse en judío no significaba sólo desertar, sino alinearse entre los adversarios.

Sin duda, entre las mujeres cultas de la aristocracia idumea y romana, se produjeron con frecuencia, si no conversiones oficiales, al menos adhesiones interiores. Pero se limitaban a eso.

Entre los hombres la judaización planteaba otros problemas, infinitamente más graves, ya que el Imperio Romano veía con muy malos ojos esas conversiones masculinas. Aconsejamos al lector que relea todo lo que decimos sobre el particular en la página 46.

En lo que respecta a sus relaciones con las tres potencias presentes, nuestro Saulo se encuentra, pues, en la situación siguiente, después de su conversión por interés y de la circuncisión que lo ha dejado marcado para siempre:

— *Judaísmo:* se le considera un convertido no sincero, ya que, movido inicialmente por el trivial deseo de una mujer, jamás se le vio antes manifestar el más mínimo interés por la religión judía y su doctrina. De ahí que le rechacen.

— *Herodismo:* se le considera como un desertor, ya que hacerse judío, para un príncipe herodiano, supone adherirse a una nación que, *unánimemente*, es hostil a los incircuncisos en general, y en numerosas ocasiones ha intentado barrer (si era necesario efectuando grandes matanzas) a los miembros de la descendencia de Herodes el Grande.

— *Romanismo:* pasar de manera total de una familia aliada de Roma y amiga de los emperadores (véase página 60 en lo referente a las relaciones de Salomé I y de la emperatriz Livia) a una nación que, en setenta y cuatro años, desde el 68 antes de nuestra era hasta el 6 d. C., levantó treinta y seis veces el estandarte de la revolución (¡y con qué violencia!), implica convertirse a su vez en enemigo de Roma.

Como se ve, la situación de Saulo era crítica. Aparecía como sospechoso para unos y para otros, era rechazado por todos, y todavía tendría que enfrentarse con un cuarto adversario.

Volvamos al asunto de Damasco.

Saulo está circuncidado, no ha obtenido la mano de la hija de Gamaliel, pero sigue siendo el jefe de la milicia paralela. Esas funciones le imponen, si no deberes, al menos sí actividades.

Estas últimas las ejerce en especial en torno a los *zelotes*, esos integristas judíos a quienes la comunidad oficial ha calificado de *apóstatas*. Y a esos *integristas* Saulo los odia, porque un estado·de ánimo semejante ha sido el que, al suscitar el *veto* de los sanedritas, ha roto para siempre sus esperanzas sentimentales.

De manera que redobla las persecuciones y pesquisas contra ellos. Montará una operación contra los de Damasco, porque esta ciudad es un centro zelote importante.

Sólo que, como ya hemos precisado, Damascó es entonces un enclave nabateo en Siria, y está gobernado por un etnarca, que representa allí al rey Aretas IV. Veamos los dos textos, contradictorios, de la Epístola a los Gálatas y los Hechos de los Apóstoles.

Como leemos en la *Confesión de san Cipriano*, Pablo y su grupo de hombres armados acuden a Damasco a fin de efectuar allí una batida general entre los herejes. Sin embargo: «En Damasco, el etnarca del rey Aretas[55] puso guardias en la ciudad de los damascenos para prenderme. Pero fui descolgado por una ventana, en una espuerta, a lo largo del muro, y así escapé de sus manos». (Cf. II Corintios, 11, 32-33.)

¿Por qué querría prender a Saulo el etnarca del soberano nabateo? El asunto se remonta a muy lejos.

En el año 6 antes de nuestra era, Herodes-Antipas, de regreso de Roma, llevó a su palacio de Tiberíades a Herodías, esposa de Herodes Filipo, su hermano, y a la hija de ambos, Salomé II. Su primera esposa, hija de Aretas III, se apresuró entonces a emprender la huida y refugiarse en casa de su padre. Este último, para vengarse del insulto infligido a su casa, declaró la guerra a Herodes Antipas. Por último, tras numerosos momentos de calma aparente, de renovación de las hostilidades, etc., las tropas de Herodes Antipas resultaron vencidas. Dichas hostilidades duraron cerca de cuarenta años. La intervención romana en favor de Herodes Antipas, por orden de Tiberio César, en el año 36, no cambió nada. Y sucedió una paz precaria, que Calígula, deseoso de consolidarla por parte de Roma, creyó sellar entregando libremente Damasco a los nabateos.

Pero al pretender efectuar detenciones allí, Saulo cometió una imprudencia. Este hecho ultrajó la soberanía de Aretas IV, hijo del precedente. Y el etnarca de este último intentó entonces capturar a Saulo, tanto para castigarlo como para entregar a su soberano un *rehén de categoría*, el sobrino nieto de Herodes el Grande en persona.

De modo que Saulo intentará pasar un tiempo junto a los zelotes.

---

55. El nombre de Aretas lo llevaron varios reyes de la Arabia Pétrea, que reinaron del año 170 antes de nuestra era al 40 de ésta. No sabemos gran cosa sobre los dos primeros.

Aretas III, llamado Eneas (su sobrenombre griego), vivió en la primera mitad del siglo I d. C. Fue, por lo tanto, contemporáneo de Augusto y de Tiberio, y suegro de Herodes Antipas.

Augusto, que primero se mostró hostil a la soberanía de Aretas III, lo confirmó luego en la posesión de su reino nabateo. La capital era Petra, cuyos vestigios han podido descubrirse.

¿Cómo se las arregló? Cuando se nos dice que, después de una conversación con Ananías, «las escamas le cayeron de los ojos y vio claro» (cf. Hechos, 9, 17-18), no vemos la utilidad de imaginar a un Saulo físicamente ciego, con las pupilas cubiertas de escamas, que caerán *al suelo* cuando él reciba el bautismo. La frase debe entenderse en sentido figurado, es obvio.

Pero *Saulo no es judío ni está loco*. Él, como jefe de guerra y príncipe herodiano, no ignora la enorme potencia militar de Roma. Y los sueños ideológicos de los zelotes, así como todas las esperanzas mesianistas judías, le dejan frío, no despiertan en él, y con razón, ningún eco.

Su plan está, pues, montado. Orientará el mesianismo político, es decir el zelote, hacia una postura especulativa, *puramente mística*. Haciendo esto, no tendrá nada que temer de Roma, más bien al contrario. Quizás ésta incluso le dará soporte, ya que así les hará el juego, al romper la resistencia judía en sus raíces espirituales.

De todos modos, como el movimiento zelote constituía un bloque muy unido, difícilmente penetrable para un hombre solo y tan sospechoso por su pasado como Saulo, éste se dedicaría primero a interesar a los gentiles en la nueva ideología.

Cuando tenga en sus manos una masa suficientemente numerosa de fieles, intentará fusionar los dos mesianismos. Haciendo esto, los que resultarán anexionados serán los zelotes, y no los gentiles. Y por eso no cejará en su empeño de que los primeros renuncien poco a poco a las costumbres tradicionales judaicas más importantes: circuncisión, tabúes alimentarios, etcétera.

Entonces se ensanchará más el foso que los separa del judaísmo oficial. Y poco a poco la corriente zelote acabará por morir en la masa de la Gentilidad...

NOTAS COMPLEMENTARIAS

Para monseñor Giuseppe Ricciotti, que evoca en su libro *Saint Paul, Apôtre* (trad. del italiano por F. Hayward, *imprimatur* 15 de mayo de 1952, Robert Laffont édit., París), la tradición ebionita aportada en el siglo IV por san Epífano, «Pablo se habría enamorado de la hija del sumo sacerdote, y para casarse con ella, habría aceptado la circuncisión y el judaísmo. *Pero al no alcanzar su objetivo*, para vengarse, se habría pasado a la oposición, y habría comenzado a luchar y a escribir contra la circuncisión, el sabbat y la Ley». (*Op. cit.*, p. 82.)

Para el abad Migne y sus colaboradores, en la traducción latina del griego antiguo de Epífano, Pablo «... cuando vino a Jerusalén y fijó aquí su residencia, *se casó con la hija del pontífice*. En esta ocasión se hizo prosélito y aceptó la circuncisión. Pero como luego

Accedunt et alia quamplurima longe stolidissima. Ut vel Paulum ipsum illic accusare non erubuerint mendacissimis quibusdam sermonibus, quos falsorum ex illo grege apostolorum error atque improbitas excogitavit. Siuuidem Tarsensem illum nominant; id quod ipse non negat, imo palam profitetur. Addunt et a gentilibus oriundum esse, cujusdam occasione loci, in quo ipse quod res erat ingenue proponit. Tarsensis, inquit, *ego sum, nec urbis obscuræ civis* [1]. Ex quo gentilem fuisse colligunt, et utroque parente gentili procreatum. Cumque Hierosolymum accessisset, et ibidem aliquandiu mansisset, pontificis filiam ducere statuisse. Quare proselytum se fecisse, ac circumcisionem usurpasse. Postea quod ab eo conjugio excidisset, Iratum adversus circumcisionem et Sabbatum, legemque scripsisse.

Καὶ ἄλλα πολλὰ κενοφωνίας Ἐμπλεα· ὡς καὶ τοῦ Παύλου ἐνταῦθα κατηγοροῦντες· οὐκ αἰσχύνονται ἐπιπλάστοις τισὶ τῆς τῶν ψευδαποστόλων αὐτῶν κακουργίας καὶ πλάνης λόγοις πεποιημένοις· Ταρσέα μὲν αὐτὸν, ὡς αὐτὸς ὁμολογεῖ, καὶ οὐκ ἀρνεῖται, λέγοντες· ἐξ Ἑλλήνων δὲ αὐτὸν ὑποτίθενται, λαβόντες τὴν πρόφασιν ἐκ τοῦ τόπου διὰ τὸ φιλάληθες ὑπ' αὐτοῦ ῥηθέν, ὅτι Ταρσεύς εἰμι, οὐκ ἀσήμου πόλεως πολίτης. Εἶτα φάσκουσιν αὐτὸν εἶναι Ἕλληνα, καὶ Ἑλληνίδος μητρὸς καὶ Ἕλληνος πατρὸς παῖδα. Ἀναβεβηκέναι δὲ εἰς Ἱεροσόλυμα, καὶ χρόνον ἐκεῖ μεμενηκέναι· ἐπιτεθυμηκέναι δὲ Θυγατέρα τοῦ ἱερέως πρὸς γάμον ἀγαγέσθαι, καὶ τούτου ἕνεκα προσήλυτον γενέσθαι, καὶ περιτμηθῆναι. Εἶτα μὴ λαβόντα τὴν κόρην ὠργίσθαι, καὶ κατὰ ἐπιτομῆς γεγραφέναι· καὶ κατὰ Σαββάτου καὶ νομοθεσίας.

Extracto de *S. Epiphanii: Adversus Haereses*, libro I, tomo II, capítulo III, 16, en *Patrologie Grecque*, de Migne (edición de 1858), pp. 431-434.

se *divorció*, escribió encolerizado contra la circuncisión, el sabbat y la Ley». (Cf. Migne, *Patrologie grecque, Epiphane: Adversus Haereses*, libro I, tomo II, iii, 16, pp. 431-434, París, 1858.)

¿Quién tiene razón? ¿Monseñor Ricciotti o el abad Migne? Nosotros creemos que el primero, que al ser prelado romano, tuvo indudablemente acceso a la célebre Biblioteca Vaticana y a los manuscritos más antiguos de Epífano, mientras que el segundo y sus colaboradores se contentaron con traducir a un excelente latín un manuscrito griego del siglo XVI, grabado sobre madera e impreso, de las obras completas del mismo Epífano. Y es muy probable, en efecto, que como siempre, las obras de este último sufrieran serios retoques y variaciones, al antojo de cada monje copista de los siglos pasados; de ahí las diferencias entre los manuscritos.

Así pues, parece más plausible convenir con monseñor Ricciotti en que Saulo-Pablo se encontró con que le negaban la mano de la joven —de ahí su cambio de actitud—, en lugar de atribuir dicho cambio al hecho de que *Saulo-Pablo hubiera repudiado a la muchacha*, porque esta separación después del matrimonio, según los términos de la ley judía, no podía correr sino a cargo del *marido*, ya que la esposa no poseía este derecho.

El único modo de conciliar estas dos variantes sería admitir que Saulo-Pablo y la joven estuvieron *oficialmente prometidos*, ya que este hecho, en el Israel antiguo, equivalía a una especie de *matrimonio privado*, del que el matrimonio oficial no constituía más que la conclusión legal. Así pues, una vez prometidos, las severas leyes sobre el adulterio eran ya aplicables a los novios, puesto que el novio podía vivir ya en casa de su futuro suegro, *y usar de los derechos legítimos del matrimonio*, y de ahí la frase de Mateo, que no se entiende sino en ese contexto: «El hombre abandonará a su padre y a su madre y se unirá a su mujer» (Mateo, 19, 5). De modo que los recién casados no se iban a vivir aparte o a casa de los padres del marido hasta después del matrimonio oficial y legal.

Puede suponerse, pues, que se rompió el noviazgo de Saulo-Pablo a causa de la oposición del Sanedrín, y de ahí su enojo. En la hipótesis inversa, si fue él quien rompió el acuerdo, después de haber hecho uso de los derechos legítimos y haber abusado de ese modo de la confianza de la familia y de la joven, es fácilmente concebible el furor de los judíos contra ese pagano de mala fe.

Y queda un último punto, a saber: ¿quién era el padre de la joven? ¿Era el pontífice de Israel, es decir el sumo sacerdote, el *cohen-ha-gadol*, o era Gamaliel, el *rabban*, es decir el «maestro de los maestros», el «doctor de los doctores», o sea el propio presidente del Sanedrín, el *Hahan-ha-hahanim* (sabio de los sabios), quizás incluso *Rosch-Galouta* (príncipe del Exilio) o *Daion-di-baba* (Juez supremo)?

Personalmente, nosotros nos inclinamos por Gamaliel, ya que los Hechos de los Apóstoles aportan, a pesar de todo, un recuerdo, quizá deformado pero nada desdeñable, de las relaciones entre Saulo-Pablo y Gamaliel (Hechos, 22, 3), así como nos muestran al mismo Saulo-Pablo *en la incapacidad de reconocer y de identificar al pontífice.* (Hechos, 23, 1-5.)

9

La familia de Saulo-Pablo

La herencia es como una diligencia en la que viajasen todos nuestros antepasados. De vez en cuando uno de ellos saca la cabeza por la portezuela y viene a causarnos todo tipo de complicaciones.

O.-W. HOLMES, SELECCIÓN

Empezamos ya a enfocar suficientemente el personaje múltiple que se oculta bajo los nombres sucesivos de Shaul, Saulo, Pablo para estar ahora en condiciones de abordar numerosos detalles sobre su existencia. Y en primer lugar, cuándo y dónde nació.

Hemos tomado cuidadosamente nota de que había sido educado con:

a) Menahem, nieto de Judas de Gamala, de filiación davídica y real, y que levantará el estandarte de una nueva revolución judía en el año 64 de nuestra era. Será el bisabuelo de Jonathan-ben-Menahem, intendente general de Simeón-ben-Koseba, príncipe de Israel, jefe de la última revolución en el año 132;

b) Herodes el Tetrarca, y es este último quien nos permitirá marcar fechas importantes de la vida de Saulo.[56]

Se trata, en efecto, de Herodes Agripa II, hijo de Herodes Agripa I, rey de Judea y de Samaria, nacido el año 10 antes de nuestra era y muerto en el 44 de ésta. Herodes Agripa II fue el hermano de Berenice, esposa de Herodes de Calcis, y que, una vez viuda, acudió al lado de su hermano, con quien sostuvo, según los rumores públicos, unas relaciones incestuosas. Su segunda hermana era Drusila, quien se había casado con Aziz, rey de Emeso (muerto en el año 54), y lo había abandonado en el 52 para irse a vivir con Antonio Félix, procurador de Roma en Judea, en el 53.

56. Hechos de los Apóstoles, 13, 1, y *supra*, p. 36.

Herodes Agripa II fue con toda certeza educado al principio en Cesarea y en Tiberíades, en la corte de su padre. Había nacido en el año 27 de nuestra era, ya que contaba 17 años de edad a la muerte de éste, en Cesarea, en el 44. Fue llamado a Roma por Claudio César, al advenimiento de este emperador, es decir a principios del 41. No regresó a Judea hasta mucho más tarde, porque Claudio César no quiso confiar tales responsabilidades a un adolescente. En su ausencia, Judea tuvo como procuradores, sucesivamente, a: Marcelo (44), Cuspio Fado (45-46), Tiberio Alejandro (46-48), Ventidio Cumano (48-51) y Antonio Félix (51-58). Entre tanto, en el año 51, la tetrarquía de la Traconítide le había sido concedida a Herodes Agripa II, de ahí su nombre de tetrarca. Pero, como vemos, no fue realmente rey, y no reinó como su padre sobre Judea y Samaria.

Tuvo que haber ahí una manifestación de desconfianza por parte de Claudio César, porque su salida de Roma coincidió con el decreto de este emperador expulsando a los judíos libres de la capital del Imperio. Allí no quedaron más que los esclavos y los que no habían sido manumitidos por completo ante el pretor.

Por lo tanto, fue con Herodes Agripa II y con Menahem con quienes fue criado Saulo. Podemos admitir que este último fuera algo mayor. De todos modos, si Esteban fue realmente lapidado en el año 36, Saulo no debía de haber alcanzado todavía la mayoría de edad civil y religiosa del *bar-mitzva* (aproximadamente a los doce años), puesto que no participó en la lapidación, y los judíos se limitaron a confiarle la vigilancia de sus ropas (Hechos, 7, 58).

Pero, ya que ahora sabemos que no era judío, sino idumeo, el problema no se plantea bajo este ángulo. De todos modos, se ha dicho que *aprobó el asesinato legal de Esteban* (Hechos, 22, 20). Así pues, estuvieron obligados a recurrir a una aprobación, al menos tácita, de Saulo, lo que implica que tenía ya cierta autoridad. Y en efecto, inmediatamente después del entierro de Esteban, lo vemos penetrar en las viviendas y arrancar de ellas a hombres y mujeres para meterlos en prisión (Hechos, 8, 3); luego abandona Jerusalén para extender sus pesquisas y sus batidas hasta Damasco, en Siria (Hechos, 8, 1-2).

Semejantes actividades, que implican una autoridad policial, no son exclusivas de la adolescencia en los siglos pasados. No olvidemos que *su abuelo Herodes el Grande sólo tenía veintisiete años* cuando capturó a Ezequías, padre de Judas de Gamala y abuelo de Jesús, y lo hizo crucificar en el curso de sus campañas contra ese «hijo de David» que hacía estragos en Siria, a la cabeza de sus partidarios. Y el propio Herodes el Grande había recibido ya de su padre Antipater, amigo del César, el gobierno de Galilea, «aunque fuera entonces extremadamente joven» (cf. Flavio Josefo, *Guerra de los judíos*, I, viii). Durante mucho tiempo será así, y en Francia, por ejemplo, llegó hasta los Capetos. Luis XI ejercerá un mando militar efectivo a los catorce años, y fomentará la revuelta de la Praguería contra su padre Carlos VII a los

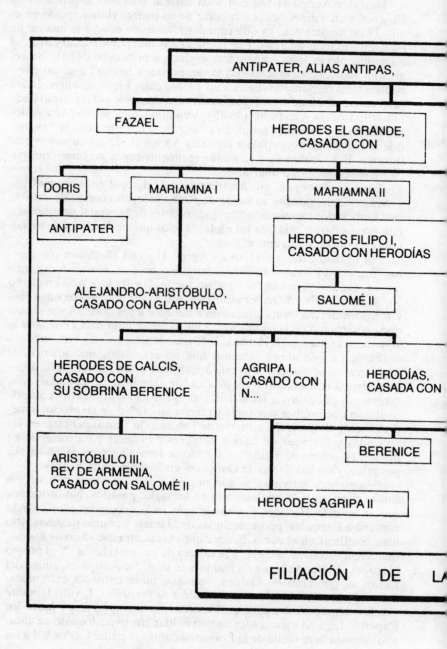

ANTIPATER, ALIAS ANTIPAS,

FAZAEL

HERODES EL GRANDE,
CASADO CON

DORIS

MARIAMNA I

MARIAMNA II

ANTIPATER

HERODES FILIPO I,
CASADO CON HERODÍAS

ALEJANDRO-ARISTÓBULO,
CASADO CON GLAPHYRA

SALOMÉ II

HERODES DE CALCIS,
CASADO CON
SU SOBRINA BERENICE

AGRIPA I,
CASADO CON
N...

HERODÍAS,
CASADA CON

ARISTÓBULO III,
REY DE ARMENIA,
CASADO CON SALOMÉ II

BERENICE

HERODES AGRIPA II

FILIACIÓN   DE   LA

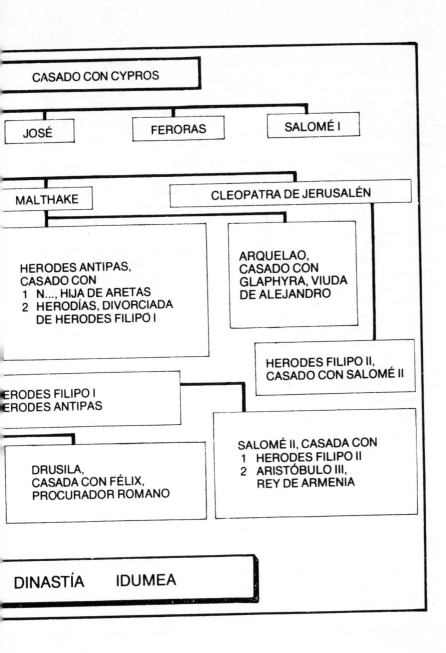

CASADO CON CYPROS

JOSÉ   FERORAS   SALOMÉ I

MALTHAKE   CLEOPATRA DE JERUSALÉN

HERODES ANTIPAS,
CASADO CON
1 N..., HIJA DE ARETAS
2 HERODÍAS, DIVORCIADA
   DE HERODES FILIPO I

ARQUELAO,
CASADO CON
GLAPHYRA, VIUDA
DE ALEJANDRO

HERODES FILIPO II,
CASADO CON SALOMÉ II

ERODES FILIPO I
ERODES ANTIPAS

DRUSILA,
CASADA CON FÉLIX,
PROCURADOR ROMANO

SALOMÉ II, CASADA CON
1 HERODES FILIPO II
2 ARISTÓBULO III,
   REY DE ARMENIA

DINASTÍA   IDUMEA

diecisiete años. Entonces se le nombra gobernador del Delfinado. Carlos V fue regente del reino de Francia a los dieciocho años. Los reyes, en efecto, eran mayores de edad a los catorce años, y Luis XIII lo fue a los trece.

Por consiguiente, la juventud de Saulo cuando lapidaron a Esteban, e inmediatamente después su papel en la represión del neomesianismo, no hacen sino confirmar la inanidad de la tesis según la cual no se habría tratado sino de un judío corriente, cuando todo demuestra, por el contrario, que era un príncipe herodiano, que gozaba de todos los privilegios de su cuna y de todas las responsabilidades inherentes a ésta.

Saulo habría nacido, por lo tanto, entre los años 23 y 25 de nuestra era, y habría muerto a los cuarenta o cuarenta y cinco años. Estos datos lo hacen tres o cuatro años mayor que su *sùntrophôs* Herodes el Tetrarca (Hechos, 13, 1). Este término griego significa «compañero de juventud, amigo de la infancia, y es la palabra que figura en los manuscritos griegos de los Hechos de los Apóstoles.

Así pues, si se crió en Cesarea y en Tiberíades, en la corte de Herodes Antipas, no pudo conocer ni haber visto antes a Jesús, puesto que éste jamás puso los pies en dichas ciudades, impuras para un judío integrista, la primera por ser medio helenística, y la segunda porque estaba construida sobre un antiguo cementerio. Herodes Antipas tampoco había visto nunca a Jesús, porque fue Poncio Pilato quien se lo envió a Jerusalén, después de su captura. Y el evangelio de Lucas nos dice: «Cuando Herodes vio a Jesús, tuvo una gran alegría, ya que desde hacía tiempo deseaba verlo, pues había oído decir muchas cosas de él, y esperaba verle hacer algún milagro». (Lucas, 23, 8.) Obsérvese que Mateo, Marcos y Juan ignoran esta comparición de Jesús ante Herodes Antipas.

Nos hallamos ahora en situación de poder establecer la genealogía de Saulo-Pablo:

GENEALOGÍA DE SHAUL-BAR-ANTIPATER[57]

Primer grado: Herodes de Ascalón, sacerdote del templo de Apolo en Ascalón. De su unión con X... nació Antipater.

Segundo grado: Antipater, epimeleta de Palestina. De su unión con Cypros I, perteneciente a una de las más ilustres familias de la Arabia nabatea, nacieron cuatro hijos, Fazael, Herodes el Grande, José y Feroras, y una hija, Salomé I. Murió en el año 43 antes de nuestra era, se cree que envenenado.

Tercer grado: Salomé I, que estuvo primero casada con un tal José,

---

57. Ése es, en efecto, el nombre auténtico de nuestro personaje, como veremos por su genealogía.

del que no poseemos ninguna información, salvo que fue asesinado por orden de Herodes el Grande, así como Mariamna, esposa de éste último, en el año 29 antes de nuestra era, tras haber sido acusados de adulterio por Salomé I ante su hermano. Ésta se casó a continuación con Costobaro I, íntimo amigo de Herodes el Grande, quien antes de que tuviera lugar el enlace lo nombró gobernador de Idumea y de Gaza, en el año 37 antes de nuestra era. Costobaro I procedía de una de las más grandes familias de Idumea, y sus antepasados en los tiempos de los príncipes-sacerdotes, habían sido sacrificadores del dios Cosas —divinidad que las tribus idumeas adoraban con gran devoción—, antes de que Hircano los obligara a abrazar la religión judía, si no sinceramente, al menos en apariencia. Como Costobaro I conspirara con Cleopatra, reina de Egipto, para separar Idumea del reino de Herodes a fin de hacerse independiente, éste lo mandó ejecutar hacia el año 28 antes de nuestra era. Luego Salomé I se casó por tercera vez con un tal Alexas.

De su segunda unión con Costobaro I, Salomé tuvo dos hijas. De una de ellas se ignora el nombre; se sabe que se casó con Caleas, hijo de Alexas, tercer marido de Salomé I. La otra se llamaba Berenice, y se casó con Aristóbulo, hijo de Herodes el Grande. Salomé I tuvo un hijo, llamado Antipater, del que hablaremos a continuación. Ella murió en el año 14 de nuestra.

Cuarto grado: Antipater II, hijo de Costobaro I y de Salomé I, se casó con Cypros II, hija de Herodes el Grande y de Mariamna. De esta unión nacieron una hija, Cypros III,[58] que se casó con Alexias Helsius, y dos hijos, Shaul y Costobaro II.[59] Se observará que el nombre primitivo de Saulo-Pablo era Shaul, puesto que es el que los Hechos dan en el capítulo 9, versículo 4, en el episodio del camino de Damasco. Ésa es la forma aramea del nombre, y Saulòs era la forma griega. Pues bien, el arameo se hablaba en Palestina y en Siria, y en esta época se había extendido del Sinaí al Taurus y más allá del golfo Pérsico.

Aquí, el manuscrito griego de las *Antigüedades judaicas* de Flavio Josefo muestra una importante laguna. Los famosos monjes copistas debieron de meterle mano, ya que los originales desaparecieron misteriosamente, y no poseemos más que transcripciones medievales de los siglos IX y XII. La Iglesia ha velado celosamente por la ortodoxia de las copias de las obras de dicho autor. Hoy en día, en la Biblioteca de Friburgo, se encuentra un manuscrito de Flavio Josefo que, en el siglo XV,

58. El hijo de esta hermana de Saulo-Pablo será quien irá a advertirle de que los zelotes quieren asesinarlo, y luego irá a alertar al tribuno Lisias (*supra*, p. 42, y Hechos, 23, 16-22). ¡Dado el origen familiar de ese sobrino, se entiende muy bien ahora la solícita acogida que le dispensó el tribuno!

59. Este Antipater II, hijo de Salomé I y padre de Saulo-Pablo, fue quien, en nombre de toda la familia, presentó ante el emperador Augusto el requisitorio colectivo contra las pretensiones de Arquelao a una realeza total, y abogó en favor de Herodes Antipas. (Cf. Flavio Josefo, *Antigüedades judaicas*, XVII, ix.)

era todavía propiedad privada del arzobispo de Toulouse, Monseñor Rieux, y que procedía quizás de las incautaciones inquisitoriales entre los albigenses y los cátaros, o del proceso contra la Orden del Temple. La Iglesia citó al arzobispo y su manuscrito ante el Parlamento de París, a fin de que el manuscrito fuera examinado, y requisado si era necesario, y el arzobispo interrogado sobre su ortodoxia. Esta laguna en la filiación de la dinastía idumea no debe, pues, sorprendernos; se trataba de hacer desaparecer de la verdad histórica a ese príncipe herodiano de orígenes demasiado significativos. En la obra de Flavio Josefo sólo encontramos lo siguiente en lo referente a:

Quinto grado: «Costobaro [II] y Shaul tenían también consigo gran número de guerreros, y el hecho de que fueran príncipes de sangre real y parientes del rey les hacía gozar de una gran consideración. Pero eran violentos, siempre dispuestos a oprimir a los más débiles.» (Flavio Josefo, *op. cit.*) Costobaro II formó parte de la delegación enviada al rey Herodes Agripa II para pedirle que fuera a Jerusalén con tropas, a fin de sofocar la sedición. Luego, durante la estancia de Nerón César en Acaya, le fue enviado a éste por Cestio Galo, gobernador de Siria, para que le explicara los motivos de su derrota.

Como vemos indiscutiblemente, Saulo-Pablo fue pues *el auténtico nieto de Herodes el Grande*, gracias al matrimonio de su padre Antipater II con la hija de aquél (Cypros II), y es también su *sobrino-nieto*, por ser nieto de la hermana de Herodes, Salomé I, madre de Antipater II.

De manera que nos hallamos muy lejos de esa pareja de judíos desconocidos, deportados a Tarso, de los que incluso se ignora el nombre. Cosa que no impedirá a ciertos críticos bienpensantes negarse a discutir nuestros argumentos, aunque sin aportar ellos los suyos.

No obstante, observaremos que Saulo-Pablo no es ciento por ciento idumeo, ya que su abuela materna, Mariamna (madre de Cypros II), era la hija de Alejandro y de Alejandra, y por lo tanto la nieta de Hircano II, rey y sumo sacerdote, descendiente directo de un linaje de sumos sacerdotes de Israel que se remontaba hasta Matatías, padre de Judas Macabeo, el héroe de la lucha judía contra Antíoco IV Epífanes (véase el árbol genealógico de la página 73).

Así pues, por esta abuela judía, Saulo-Pablo tiene un 25 % de sangre judía (su madre, Cypros II, tiene un 50 %), y el resto, un 75 %, de sangre idumea y nabatea.

Por otra parte, si esto le facilita la circuncisión ulterior, el hecho de contar en su ascendencia materna con cuatro sumos sacerdotes de Israel (Hircano II, Alejandro Janeo, Juan Hircano I y Simón-bar-Matatías) debió de incitarlo a considerar como posible una unión con la hija de Gamaliel.

Pero, aparte de que el valor moral de esta circuncisión tardía fue discutido por el Sanedrín, la dinastía asmonea, procedente de Matatías y sus hijos, había dejado recuerdos demasiado penosos y sangrientos en las memorias judías para que el pueblo aceptara dicha unión; de hecho, ante la disyuntiva, preferían la filiación davídica.

Y eso no podía sino agravar las malas relaciones posteriores entre Saulo-Pablo, *asmoneo* por parte de madre e *idumeo* por parte de padre, y Simón-Pedro, *«hijo de David»*, como su hermano mayor Jesús, como su padre Judas de Gamala y como su abuelo Ezequías, crucificado por Herodes, abuelo de Saulo-Pablo. Esos odios familiares explicarán muchos dramas, especialmente la crucifixión de Simón-Pedro y de Santiago, su hermano, en el año 47 en Jerusalén, por orden de Tiberio Alejandro, procurador de Roma.

Porque esta doble ejecución tiene lugar en plena nueva revolución judía, durante la enorme hambre que asoló el Imperio romano en aquella época, anunciada por el vidente Agabus (Hechos, 11, 28), y que se produjo *al término del primer «concilio» de Jerusalén*, verdadero consejo de guerra, donde se enfrentaron los adversarios de los tabúes legales, y sobre todo de la circuncisión, agrupados alrededor de Saulo-Pablo y venidos de la Gentilidad, y los judeocristianos tradicionalistas, agrupados alrededor de Simón-Pedro, y procedentes, o bien de la corriente zelote, o de la secta farisea.

Es probable que los orígenes principescos de Saulo-Pablo y sus antiguas funciones lo colocaran en situación de poder alertar eficazmente a las autoridades romanas contra lo que él consideraba como irreductibles obstáculos a sus ambiciones y a sus planes. Porque queda una alusión muy clara a este drama: «Pedro, *quien, víctima de unos injustos celos*, pasó no por una, sino por numerosas pruebas, y quien, después de haber sufrido *así* su martirio, se fue a la gloria que le estaba debida...». (Cf. Clemente de Roma, *Epístola a los Corintios*, V, 4.)[60]

Y eso es lo que vamos a estudiar ahora.

Este estudio genealógico podría parecernos fastidioso e inútil si no nos pusiera en presencia de una verdad pasmosa, verdad que, con el efecto de una bomba cegadora, nos permitirá comprender muchas cosas. Que el lector tenga la bondad de remitirse a los cuadros genealógicos de las páginas 72 y 73, que pueden resumirse como se indica en el esquema de la página 118.

No hace falta ser un gran letrado para constatar que Saulo-Pablo es el primo segundo del rey Herodes Agripa I, quien a su vez es *primo en tercer* grado de su hijo Herodes Agripa II y de sus hijas, las princesas Berenice (viuda de su tío Herodes, rey de Calcis) y Drusila (viuda de Aziz, rey de Emeso), y que por consiguiente, cuando esta última se

60. Se cree que esta *Epístola* sería en realidad, una *Homilía* del papa Sotero, que se convirtió en obispo de Roma en 161-162, primer año del reinado de Marco Aurelio. De modo que en esa época todavía sabían a qué atenerse sobre los verdaderos motivos de la muerte de Simón-Pedro

Genitores	Herodes el Grande, casado con Mariamna;	Su hermana es: Salomé I, casada con Costobaro I;
	de donde:	*de donde:*
Primos hermanos	Alejandro Aristóbulo, casado con Glafira;	Antipater II, casado con Cypros II;
	de donde:	*de donde:*
Primos segundos	Herodes Agripa I, casado con X...;	Saulo-Pablo y Costobaro II
	de donde:	
Primos en 3er grado	Herodes Agripa II, cuyas hermanas son: Berenice y Drusila, casada con Félix, el procurador romano	

casó con Antonio Félix, procurador de Roma, hermano de Palante (favorito del emperador Claudio),[61] *este matrimonio convirtió a Félix y a Pablo en primos por alianza.*

Así se comprende fácilmente por qué Claudio Lisias, tribuno de las cohortes y gobernador de la *Antonia*, en Jerusalén, hizo conducir a Saulo-Pablo a Cesarea Marítima, bajo la salvaguardia de cuatrocientos setenta soldados, con varias monturas para el «prisionero Pablo» (*sic*). Era para ponerlo bajo la protección de su primo Félix.

Porque detrás de este último estaba su hermano Palante, secretario de Claudio César, y el tribuno Lisias era tan buen diplomático como experto soldado...

REFERENCIAS BIBLIOGRÁFICAS

Flavio Josefo:

Antigüedades judaicas (manuscrito griego): XIV, xii; XV, xi; XVI, vii; XVII, i; XVII, i; XVIII, v; XVIII, v; XX, viii.

Guerra de los judíos (manuscrito eslavo): I, ix; I, xi; I, xvii; II, xxxi; II, xli.

Las cifras romanas mayúsculas indican el libro de la obra, y las cifras romanas minúsculas precisan los capítulos de dichos libros.

61. *Claudii libertus Pallas*, favorito del emperador Claudio, obligó a éste a casarse con Agripina, de quien era amante, y adoptar a Nerón, hijo de ésta; luego, de acuerdo con ella, hizo envenenar al emperador. Escandalosamente enriquecido a expensas de la tesorería imperial, Nerón le obligó a darse legalmente muerte, y confiscó sus considerables bienes una vez se hubo convertido en emperador.

NOTA: Según costumbre en genealogía, y a fin de diferenciar a los personajes del mismo nombre pero con grados diferentes de filiación, hemos dado un indicativo de orden a cada uno de los miembros de esta familia: Salomé I, Costobaro II, Cypros III, etc. Si se examina el árbol genealógico de la Casa de los Herodes se observará, en efecto, que hay un uso constante de los mismos nombres. Se trata de una especie de costumbre tribal.

Por otra parte, Shaul o Saulo es un nombre raramente utilizado en el Antiguo Testamento. Primero está el de uno de los hijos de Esaú, *uno de los reyes de Edom*, adversarios de los hijos de Israel (Génesis, 36, 37). Hay luego un Saúl, hijo de Simeón y de una cananea, y nieto de Jacob. Su descendencia constituyó una rama aparte, por el mismo hecho de esta alianza con una mujer de raza extranjera. (Génesis, 46, 10, y Números, 26, 13.) Está, por último, el Saúl que precedió a David (I Samuel, II Samuel, I Crónicas). Como vemos, esto confirma que Saúl no era un nombre verdaderamente judío, y en cambio sí muy utilizado entre los árabes.

LOS SACRILEGIOS DE SAULO-PABLO

> Resulta que la deshonra y la propia santidad, debidamente identificadas, aconsejan asimismo una cierta prudencia, y representan, de cara al mundo, los dos polos de un campo atemorizador.
>
> R. CAILLOIS, *L'Homme et le Sacré*

En los Hechos de los apóstoles leemos lo que sigue: «Y siguió hasta llegar a Derbe y a Listra. Y se encontró allí con un discípulo llamado Timoteo, hijo de una mujer judía *creyente* y de padre griego, que tenía a su favor el testimonio de los hermanos que había en Listra y en Iconio. Quiso Pablo que se fuera con él, y tomándole, *le circundó a causa de los judíos* que había en aquellos lugares, pues todos sabían que su padre era griego». (Hechos de los Apóstoles, 16, 1-5.)

¿Qué quiere decir con esto? Porque el mismo texto nos aporta a continuación su propia contradicción: «Al pasar por las ciudades, les comunicaba *los decretos dados por los apóstoles y ancianos de Jerusalén*, encargándoles que los guardasen». (Hechos de los Apóstoles, 16, 4.)

¿Qué decretos son ésos? Aquí los tenemos: «Porque ha parecido bueno al Espíritu Santo y a nosotros no imponeros ninguna otra carga más que éstas necesarias: que os abstengáis de las carnes inmoladas a los ídolos, de la sangre, de los animales estrangulados y de la fornica-

119

ción, de lo cual haréis bien en guardaros». (Hechos de los Apóstoles, 15, 28-29.)

Aquí no se habla para nada de circuncisión... Porque de lo que aquí se trata es de la *Ley de Noé*, menos severa que la *Ley de Moisés*. Luego volveremos sobre este tema.

Por consiguiente, la operación efectuada sobre Timoteo por el propio Pablo fue una circuncisión clandestina, no ritual, con el fin de engañar, y por lo tanto *mendaz y sacrílega*.

Ahora bien, él no tenía ninguna autoridad para efectuarla, al no ser judío, y menos aún sacrificador. Y si hubiera sido judío, Pablo, a quien se nos presenta como jefe de una milicia al servicio del Sanedrín, demostraba con esta función *puramente laica* que no era sacerdote. Porque es más que duduso que Gamaliel, doctor supremo de Israel, hubiera recibido entre sus discípulos a un joven judío destinado simplemente a desempeñar el papel de jenízaro. Así pues, Pablo mintió al pretender haber sido educado «a los pies de Gamaliel» (Hechos de los Apóstoles, 22, 3).

Veamos cómo se desarrollaba esa circuncisión ritual.

Exigía la presencia de tres *mohelim* (sacrificadores), y de siete testigos varones adultos. La circuncisión, que comenzaba con el cuchillo ritual el primer *mohel*, se terminaba *dentibus*. La primera aspiración de sangre la tragaba ese primer *mohel*, que representaba a «Dios, el primer servido». Las dos aspiraciones siguientes las escupían a continuación los otros dos *mohelim* en una copa de *vino de bendición*. Con ese vino consagrado se frotaba los labios del joven circunciso. La copa circulaba luego del padre a los invitados varones, y todos bebían de ella. Tenía lugar así la comunión con el *Israel humano*, y luego venía la comunión con Dios. El resto del vino pasaba a la madre, que lo mezclaba con pasteles y con confituras que eran distribuidas en seguida entre los amigos de la familia. (Cf. León de Módena, gran rabino de Venecia, *Cérémonies & Coutumes juives*, p. 131.)

Por último, durante esta triple comunión con Dios, los sacerdotes y los laicos, se cantaba el salmo 16 de Ezequiel: «*¡Revive en tu sangre!*». Y ésta era la única circunstancia en que los judíos podían ingerir sangre, y aun así se trataba de sangre humana, rigurosamente judía, lo que barre la abominable leyenda de los crímenes rituales imputados a los judíos, y de los niños cristianos sacrificados durante la Pascua.

Como se ve por este relato, Pablo no tenía complejos, y para tratar con semejante desenvoltura el rito más sagrado de la Antigua Alianza, tenía que ser totalmente ajeno a la raza judía, porque en aquella época un hijo de Israel «educado a los pies de Gamaliel» jamás se habría atrevido a cometer tal impiedad.

Éste constituye, pues, el primer sacrilegio de Saulo-Pablo, y es fácil de concebir que suscitara entre los judíos un fuerte odio cuando fuera conocido por ellos.

Veamos ahora el segundo: «Cuando llegamos a Jerusalén, fuimos recibidos por los hermanos con alegría. Al día siguiente, Pablo, acompañado de nosotros, visitó a Santiago, y allí se reunieron todos los ancianos. Después de haberlos saludado, contó una por una las cosas que Dios había obrado entre los gentiles por su ministerio. Luego ellos le dijeron: Ya ves, hermano, cuántos millares de creyentes hay entre los judíos, *y todos son celadores de la ley*. Pero han oído de ti que enseñas a los judíos de la dispersión que hay que renunciar a Moisés, y les dices que no circunciden a sus hijos y no sigan las costumbres mosaicas. ¿Qué hacer, pues? ¡Indudablemente la gente se reunirá, porque sabrán que has venido! Por eso haz lo que vamos a decirte: Hay entre nosotros cuatro hombres que han hecho voto. *Tómalos contigo, purifícate con ellos y págales los gastos para que se rasuren la cabeza.*[62] Y así todos conocerán que no hay nada de cuanto oyeron sobre ti, sino que tú también *sigues en la observancia de la Ley.* [...] Entonces Pablo, tomando consigo a los varones, se purificó, y entró a la mañana siguiente en el Templo con ellos para anunciar qué día se cumpliría la purificación, y la ofrenda presentada por cada uno de ellos». (Hechos de los Apóstoles, 21, 17-26.)

Los cuatro hombres que debían cumplir esas ceremonias de purificación eran judíos que habían hecho el voto del *nazireato* para un tiempo dado. Esas ceremonias implicaban gastos considerables; se comprende, pues, que al tomar Pablo a su cargo a éstos, infiltrándose entre ellos sin haber hecho antes el voto previo (¡y con razón!), cae en el caso de corrupción de cuatro *nazirim*, crimen muy grave, tanto para él como para ellos, y en el de *falsa declaración de nazireato*, verdadero sacrilegio, ya que profanaba las ceremonias de liberación de ese estado.[63]

Y llegamos ahora al tercero: En Jerusalén, el tribuno Lisias convoca al Sanedrín y llama a su presencia a Pablo, que acude bajo la protección de los legionarios. Es entonces cuando nuestro Pablo tiene la audacia mendaz de declarar: «Varones hermanos, yo con toda buena conciencia he procedido ante Dios hasta este día» (Hechos de los Apóstoles, 23, 1); el sumo sacerdote Ananías ordena a

---

62. ¿Cómo puede declarar: «¿Y no os enseña la naturaleza que, si el varón deja crecer la cabellera, es un deshonor para él?» (cf. I Epístola a los Corintios, 11, 14)? En efecto, esa frase demuestra su fraude durante esa ceremonia sacrílega, y sobre todo *que jamás fue judío*. Porque un judío insultando al *nazireato* no es ninguna tontería... Además, Jesús llevaba los cabellos largos.

63. Indudablemente, Flavio Josefo nos cuenta en sus *Antigüedades judaicas* que Herodes Agripa I pagó a veces los costos del fin del nazireato de numerosos *nazirim* que no poseían dinero, pero lo hizo de manera oficial y en su calidad de soberano, sin participar él mismo en ello clandestinamente. De hecho, lo que perseguía Pablo era *cambiar de cara alegando un motivo oficial y confesable*. De ahí su sacrílega artimaña.

121

uno de los que están a su lado que le golpeen en la boca. Entonces Pablo declara, furioso: «¡Dios te golpeará a ti, pared blanqueada!» (*op. cit.*, 23, 3).

Con cal viva se blanqueaban los umbrales, los dinteles y las puertas de los sepulcros utilizados para alertar a los judíos y evitarles el contacto con un lugar impuro, en el que se descomponía lentamente un cadáver. Los epítetos de «sepulcro» y de «pared blanqueada» equivalían por lo tanto a tratar a alguien de *podredumbre* o de *carroña*. (Jesús, por cierto, tampoco se privó de utilizarlos; véase Mateo, 22, 27, y Lucas, 11, 44.)

Pablo, dándose cuenta entonces de la magnitud de la torpeza que había cometido, replicó sin inmutarse a los judíos que le acusaban de haber insultado al «*soberano pontífice de Dios*» (Hechos de los Apóstoles, 23, 4): «No sabía, hermanos, que fuera el pontífice. Porque escrito está: No injuriarás al príncipe de tu pueblo». (Hechos de los Apóstoles, 23, 5, citando el Éxodo, 22, 27.)

Esto constituye una prueba más de que no era judío, y que no creció espiritualmente «a los pies de Gamaliel», como afirma. Porque en ese caso conocería el rostro de aquel que le sucedió, su sucesor directo; habría tenido que encontrarle forzosamente, como simple *cohen*, en la casa de Gamaliel. Pero, sobre todo, *conocería sus ropas y ornamentos rituales, y sabría así identificarlo entre los sanedritas.*

¿Qué cabría pensar, por ejemplo, de un sacerdote católico romano que, en presencia de un concilio, no supiera distinguir al papa por sus ornamentos particulares, su puesto, su importancia y su autoridad?

El judaísmo comprendía dos categorías de fieles, y uno sólo se convertía verdaderamente en *hijo de Israel* al cabo de dos etapas, a saber:

1) prosélitos de primer grado, llamados «*temerosos de Dios*». Éstos observaban la Ley de Noé —de ahí su nombre de *noacitas*—, es decir que no consumían sangre, y por este motivo, ninguna carne procedente de animal ahogado (cf. Génesis, 9, 1-7);

2) prosélitos de segundo grado, llamados «*de justicia*». Observaban la Ley de Moisés con todo su rigor: prohibición de sangre, de carnes consagradas y ofrecidas en altares dedicados a otros dioses, de carnes procedentes de animales ahogados o impuros, etc. (cf. Deuteronomio, caps. 12-26).

Es fácil sacar la conclusión de que Saulo-Pablo ni siquiera fue prosélito de primer grado, un «*temeroso de Dios*», porque al tener que respetar la Ley de Noé, que imponía la fecundidad sexual (Génesis, 9, 7), no habría podido aconsejar a sus seguidores: «Quien casa a su hija doncella hace bien. Pero quien no la casa hace mejor». (Cf. I Epístola a los Corintios, 7, 38.)

En cuanto a la circuncisión por complacencia, aceptada para poder casarse con una de las hijas de Gamaliel, es probable que fuera igual de irregular que la de su discípulo Timoteo, y no nos está vedado suponer que ni siquiera fue un *cohen* regular el que la practicó.

NOTA: Se observará que en el texto griego de los Hechos, 13, 1: «... y Menahem, que había sido criado con Herodes el Tetrarca, y Saulo...», el escriba del siglo IV puso este último nombre en nominativo (*Saûlos*), lo que implica, en su espíritu, que Saulo no fue criado con Menahem y Herodes el Tetrarca, futuro Herodes Agripa I. Se trata de una artimaña indiscutible, ya que es evidente que, mucho más que Menahem, miembro de una familia rival de la de Herodes, el Saulo «*príncipe de sangre real*»; como lo califica Flavio Josefo, estuvo en situación de poder ser criado con su primo Herodes el Tetrarca. Tanto más cuanto que las obras de este autor nos muestran sin cesar a los miembros de esta dinastía mezclados en una especie de vida en común, verdadera corte reunida en los diversos palacios en torno a uno de los príncipes descendientes de Herodes el Grande. De donde esas múltiples intrigas que marcan trágicamente la historia de dicha familia.

10

Pablo y las mujeres

Si me amáis tanto como yo os amo, ningún mortal es,
entonces, tan amado como yo.

GREGORIO VII
Carta a Mathilda, duquesa de Toscana,
su concubina[64]

«Hay una raza nueva de hombres, nacidos ayer, sin patria ni tradiciones, aunados contra todas las instituciones civiles y religiosas, perseguidos por la justicia, tildados universalmente de infamia, pero que se vanaglorian de la execración común: son los cristianos... Los peligros que los cristianos afrontan por sus creencias, Sócrates supo arrostrarlos por las suyas con un valor inquebrantable y una serenidad maravillosa. Los preceptos de su moral, en lo que tiene de mejor, los enseñaron los filósofos antes que ellos. Sus críticas a la idolatría, que consisten en decir que las'estatuas realizadas por hombres a menudo despreciables no son dioses, han sido repetidas innumerables veces. Heráclito, por ejemplo, dijo: "Dirigir oraciones a imágenes, sin saber qué son los dioses y los héroes que representan, es lo mismo que hablar a piedras".

»El poder que parecen poseer les viene de nombres misteriosos y de la invocación de ciertos demonios. A través de la magia fue como su Maestro realizó todo cuanto de asombroso hubo en sus acciones. Luego puso gran cuidado en advertir a sus discípulos que se protegieran de aquellos que, al conocer los mismos secretos, podrían hacer lo mismo que él y fingir, al igual que él, que participaran en el Poder Divino. ¡Divertida y escandalosa contradicción! Porque si condena con razón a quienes le imitan, ¿cómo no iba a volverse contra él su propia

64. Citada por GEORGES LAS VERGNAS, *Le célibat polygamique dans le clergé*, p. 23; referencias bibliográficas en la página 199 de la misma obra, números 26, 27, 28, 29.

condenación? Y si él no es ni impostor ni perverso por haber realizado dichos prodigios, ¿por qué sus imitadores, por el hecho de llevar a cabo las mismas cosas mediante los mismos medios habrían de serlo más que él?...» (Cf. Celso: *Discurso de la Verdad*, 1-3.)[65]

Antes nuestro terrible autor señala los círculos familiares en los que los cristianos intentan, preferentemente, lograr prosélitos: «Se ven cardadores de lana, zapateros, bataneros, gentes de la mayor ignorancia y desprovistos de toda educación, quienes, en presencia de sus maestros, hombres de experiencia y de juicio, se guardan bien de abrir la boca. ¡Pero cuando sorprenden a los niños de la casa, *o incluso a las mujeres*, que no tienen más razón que ellos mismos, empiezan a contarles maravillas! Es a ellos solos a quienes hay que creer; el padre de familia, los preceptores, son locos que ignoran el verdadero bien y son incapaces de enseñarlo. Sólo ellos saben cómo hay que vivir; los niños harán bien de seguirlos, ¡y a través de ellos la felicidad visitará a toda la familia! No obstante, si mientras ellos peroran aparece uno de los preceptores, o el propio padre de familia, o alguna persona seria, los más tímidos no se callan; los descarados no dejan de incitar a los niños a que sacudan el yugo, insinuando en sordina que no quieren enseñarles nada en presencia de su padre o su preceptor, para no exponerse a la brutalidad de esas gentes corrompidas, y que les castigarían. Pero que aquellos que deseen saber la verdad, planten a padre y preceptor, y acudan *con las mujeres* y los chiquillos al gineceo, o a la tienda del zapatero o a la del batanero, para aprender la vida perfecta». (*Op. cit.*, traducción de Louis Rougier, Jean-Jacques Pauvert, éditeur, París 1965.)

Hemos visto, indiscutiblemente, un cuadro tomado a lo vivo. Una cosa así no se inventa. Y Celso, amigo del emperador Juliano, su compañero de estudios en las escuelas de Atenas, a quien Juliano hizo gobernador de las provincias de Capadocia, Cilicia, pretor de Bitinia, con toda seguridad tuvo que vérselas con propagandistas cristianos.

Ahora bien, vamos a encontrar en los propios textos cristianos esta acción insidiosa entre las mujeres, y sobre todo las jóvenes. A menudo estas últimas eran «*dadas* en matrimonio» por el *pater familias*, sin preocuparse lo más mínimo por sus inclinaciones del momento (cosa que en Israel la Ley religiosa prohibía hacer). De ello resultaban heridas morales incurables, y se comprende fácilmente que los predicadores de la nueva religión encontraran terreno abonado para predicarles la castidad.

Pues bien, en los *Hechos de Pablo*, llamados también *Hechos de Pablo y de Tecla*, cuyas versiones siríaca, eslava y árabe son del siglo VI (existen fragmentos de la versión griega en un pergamino del siglo VI), vamos a encontrar pruebas formales de esta acción insidiosa de Pablo

---

65. Ver en *Jesús o el secreto mortal de los templarios*, pp. 254-255, lo que concierne a este autor antiguo. Nosotros utilizamos la excelente traducción de Louis Rougier, en *Discours vrai contre les Chrétiens*, J.-J. Pauvert édit., París, 1965.

entre las mujeres. Y esta acción, teniendo en cuenta las creencias de aquellos tiempos, revestirá un aspecto mágico no menos seguro.

Por una parte, Pablo aconsejará a los jóvenes que no se casen. Por otra, aconsejará a las jóvenes y a las mujeres lo mismo. Pero mientras el efecto sobre los primeros es menos tangible, la acción, o, como podríamos decir, la influencia, sobre las segundas, es total. Júzguese:

«Afortunados aquellos que tienen mujeres como si no tuvieran, porque tendrán a Dios como herencia...» (*Op. cit.*, V.)

«Mientras Pablo así hablaba en medio de la asamblea, en la mansión de Onesíforo, una virgen, Tecla, cuya madre se llamaba Teoclia, y que estaba prometida a un joven llamado Tamiris, sentada en la ventana más próxima a su casa, escuchaba día y noche la palabra de Dios anunciada por Pablo... Y no se movía de la ventana... Además, como veía a *muchas mujeres y vírgenes al lado de Pablo...* Porque ella no había visto todavía nunca las facciones de Pablo, sólo había oído su palabra.» (*Op. cit.*, VII.)

«Y Teoclia dijo: Tengo detalles nuevos para darte, Tamiris. Hace tres días y tres noches que tu Tecla no se aparta de la ventana, ni para comer ni para beber, sino que, como extraviada de gozo, se aferra de tal manera a un hombre extranjero que enseña palabras engañosas y artificiosas, que estoy sorprendida de que el tan gran pudor de la joven esté turbado de forma tan penosa.» (*Op. cit.*, VIII.)

«Tamiris, este hombre trastorna la ciudad de los iconianos, como a tu propia Tecla, ya que todas las mujeres y los jóvenes acuden a él... Y mi hija también, encadenada como una araña a su ventana por lo que él dice, está dominada por un deseo nuevo *y por una temible pasión... Y la joven está prendada...*» (*Op. cit.*, IX.)

«Y todos lloraban amargamente, Tamiris porque perdía a su futura esposa, Teoclia a su hija, los jóvenes esclavos a su ama. Reinaba, pues, en la casa una gran y general confusión de pesar. Y mientras tanto, Tecla no cambiaba, y permanecía siempre atenta al verbo de Pablo.» (*Op. cit.*, X.)

«Tamiris, cuando hubo oído esto, fue presa de los celos y la cólera. Apenas amaneció se levantó y fue a la casa de Onesíforo con magistrados, funcionarios, y un grupo bastante numeroso armado de bastones, y le dijo a Pablo: "Has seducido a la ciudad de los iconianos y a mi prometida, de modo que ésta ya no quiere casarse conmigo; vayamos ante el gobernador Cestilio". Y el grupo entero dijo: "*Llévate al brujo*, porque ha seducido a todas nuestras esposas"; y la multitud era de esta misma opinión.» (*Op. cit.*, XV.)

«Tamiris, delante del tribunal, dijo a grandes gritos: "Procónsul, no sabemos de dónde viene este hombre que impide casarse a las jóvenes. Que diga ante ti por qué enseña esas cosas"...» (*Op. cit.*, XVI.)

Al revelar el interrogatorio de Pablo que éste era cristiano, el gobernador ordenó arrestarlo y meterlo en prisión, en espera de que, al tener más tiempo libre, pudiera escucharlo más a fondo.

«Pero Tecla, durante la noche, se quitó los brazaletes y se los dio al portero, y cuando le hubo sido abierta la puerta, se encaminó hacia la prisión. Regaló al carcelero un espejo de plata, entró junto a Pablo y, tras sentarse a sus pies, escuchó la grandeza de Dios. Y Pablo no temía nada y se conducía *con la libertad de Dios*, y su fe cobró firmeza en ella, mientras le besaba las cadenas.» (*Op. cit.*, XVIII.)

¿La libertad de Dios o la libertad de los hijos de Dios? ¿Qué pretende esto decir? ¡Porque esa expresión desusada designa el hecho de efectuar no importa qué acción, en la ignorancia del bien y del mal!

Aquí abriremos un paréntesis. La traducción de este viejo apócrifo (la versión copta es del siglo V, pero aparece citado en el año 200 por Tertuliano) es del abad Vouaux, catedrático de universidad, profesor en el Collège de la Malgrange. El *imprimatur* es de París, de 1912, y fue editado por la Librairie Letouzey et Ané.

Ahora bien, en lo referente al último versículo citado aquí arriba, el traductor toma la precaución de señalar: «La observación previene de todo escándalo, pero éste sería muy similar en dichas circunstancias, *y quizá más hubiera valido callarse*, y no desflorar esa ingenuidad señalándola de forma demasiado vigorosa. Humildad en el amor puro, ésa es la conmovedora virtud de la pecadora arrepentida (Lucas, 7, 38), y ésa es también la de Tecla...». (*Op. cit.*, notas de la página 181.)[66]

Se observará que si los *Hechos de Pablo y de Tecla* están clasificados entre los apócrifos, y si el papa León y Toribio de Astorga (hacia 450) condenan a estos últimos por haber sido utilizados por sectas heréticas, sólo lo han sido por este motivo, ya que: «... sin ningún género de dudas, esas maravillas y esos milagros descritos en los apócrifos, *o bien son de los santos apóstoles, o pudieron haber sido de ellos*». ¡Cosa que nos da la razón!

Hemos querido ofrecer estos comentarios del abad Vouaux para demostrar que se trataba de una *atracción de orden sentimental, que fue justificada a continuación en función de una conversión final.* Ahora bien, el aspecto físico de Pablo no justifica una influencia semejante sobre las mujeres, como ya hemos visto. *Hay otra cosa,* que pronto abordaremos. Pero prosigamos, porque el texto vale la pena:

«Entre tanto Tecla era buscada por sus familiares y por Tamiris. Creyéndola perdida, iban en su busca por las calles. Pero uno de los esclavos, compañero del portero, declaró que había salido durante la noche. Entonces preguntaron al portero, y éste les dijo que había ido a encontrarse con el extranjero en la prisión. Siguiendo esta indicación, fueron allí, *y la encontraron, por así decirlo, encadenada*

---

66. No es seguro que el abad Vouaux no «dulcificara» las expresiones. Porque los *Apócrifos del Nuevo Testamento* presentados por el abad Amiot, *elegidos por Daniel-Rops,* fueron cuidadosamente expurgados antes de su edición. Basta con compararlos con el *Dictionnaire des Apocryphes* del abad Migne, destinado al clero.

por el amor. Salieron entonces de la prisión, arrastraron a las multitudes tras ellos, y revelaron al gobernador lo que había sucedido.» (*Op. cit.*, XIX.)

«Éste ordenó que condujeran a Pablo ante su tribunal. *Pero Tecla rodaba por el suelo, en el lugar exacto en que, sentado en la prisión, la había instruido Pablo.* Y el gobernador ordenó que la llevaran a ella también ante el tribunal. *Ella, llena de alegría, salió gozosa.* Pero cuando traían ya de regreso a Pablo, las multitudes gritaban con más violencia: ¡*Es un brujo, matadlo!* Pero el gobernador escuchaba con placer a Pablo, que hablaba de sus obras santas; luego, tras reunir a su consejo, llamó a Tecla y le dijo: "¿Por qué no te casas con Tamiris, según la ley de los iconianos?" *Pero ella miraba arrobada a Pablo. Y como no respondía,* su madre prorrumpió en este grito: "Quema a esta perversa; quema a esta enemiga en medio del teatro, *para que todas las mujeres instruidas por este hombre cobren miedo*".» (*Op. cit.*, XX.)

«El gobernador sufrió atrozmente, pero mandó flagelar a Pablo y lo expulsó de la ciudad, y condenó a Tecla a la hoguera. Inmediatamente se levantó y acudió al teatro, y todo el pueblo fue a contemplar este castigo, legalmente impuesto. Pero Tecla, igual que el cordero en el desierto mira a todos lados en busca del pastor, ¡*del mismo modo buscaba Tecla a Pablo!* Y cuando paseó su mirada por la muchedumbre, vio al Señor sentado, *con los rasgos de Pablo.* Ella dijo: "Como si yo pudiera flaquear, Pablo ha venido a contemplarme". *Y lo miró fijamente, embelesada.* Pero él ascendió de nuevo a los cielos.» (*Op. cit.*, XXI.)

A continuación, *un motín llevado a cabo por mujeres* intenta oponerse al suplicio de Tecla. Lo consiguen, y Tecla se irá a pie, vestida de hombre, mezclada con un grupo de chicos y chicas jóvenes, en busca de su querido Pablo, a Myras, alias Antioquía-de-Pisidia.

Dejemos de lado todo lo sobrenatural abundantemente sobreañadido, como está mandado en todos estos textos apócrifos. Lo que queda es que la historia de Tecla «*ha tenido una gran acogida y alta veneración en toda la Iglesia*», como nos dice el abad Vouaux, traductor de la versión griega citada.

Así pues, el «encanto» del que hacía uso Saulo-Pablo para con las mujeres, a fin de permitirle hacer de ellas los elementos propagandísticos de la doctrina de que era autor, ese «encanto» es innegable, y sigue sin explicación racional. Evidentemente, se nos objetará que era obra del Espíritu Santo. Pero que el Espíritu Santo haga que una muchacha se revuelque por el suelo en el lugar que ocupara su querido Pablo en un calabozo, que la deje muda de admiración al contemplarlo, que distribuya sus joyas para ir a su encuentro tan lejos, a más de cien kilómetros de su residencia familiar, todo eso causará escepticismo en todo lector con sentido común.

Y ello no hace sino reforzar nuestra primera suposición, a saber, que el judío llamado Simón, que consiguió mediante sus sortilegios que la princesa Drusila abandonara a su esposo Aziz, rey de Emeso, para irse a vivir con un antiguo esclavo liberto, el procurador Félix, ese Simón podría muy bien ser Simón el Mago, alias Pablo, alias Saulo, antiguo príncipe herodiano...

Y la segunda suposición, según la cual Saulo habría obtenido el «sí» de la hija de Gamaliel (cosa que le decidió a practicarse *previamente* la circuncisión) únicamente gracias a un sortilegio, y en modo alguno debido a su prestancia física, estaría también fundada.

Por otra parte, sería un gran error suponer que la magia fue una técnica habitual sólo en Pablo. Los cristianos utilizaron con profusión *la magia curativa*, y quedan testimonios indiscutibles en los textos antiguos. Es probable que la misma magia fuera utilizada en ciertos episodios del circo, en presencia de las fieras. Pero el pequeño número de iniciados en esta ciencia, celosamente conservada por sus escasos poseedores,[67] en el seno de la masa anónima de los creyentes, forzosamente ha hecho escasear las manifestaciones de este tipo, y los arcanos se han ido perdiendo poco a poco.

Veamos lo que dice de ello Orígenes en el *Contra Celsum*: «Existen determinadas doctrinas, ocultas a las multitudes, que no son reveladas sino después que hayan sido impartidas las enseñanzas esotéricas. Eso no es exclusivo del cristianismo». (*Op. cit.*)

Veamos todavía otros textos que demuestran sin dificultad la acción misteriosa de los propagandistas cristianos sobre las mujeres, en el seno de las naciones paganas. El R. P. Festugière, O. P., en su cuarto tomo de *La Révélation d'Hermès Trismégiste, le Dieu Inconnu et la Gnose*, subraya que en buen número de *Hechos apócrifos*: «Siempre la misma historia constituye uno de los *topoi* de esta literatura apócrifa. Un jefe, un rey, pariente del rey o del magistrado local, está casado, *vive en buena unión con su esposa*, tiene hijos. Aparece el apóstol, convierte a la mujer: ésta, entonces, rechaza los ardores de su marido y decide permanecer casta». (*Op. cit.*, p. 227.)

Puede citarse a este respecto:

— El prefecto Agripa y sus cuatro concubinas, en los *Hechos de Pedro* (XXXIV):[68]

---

67. Era para ellos una cuestión de prestigio, y no les preocupaba lo más mínimo armar también con ella a sus tan queridos hermanos en Cristo.

68. En los *Hechos de Pedro* se nos dice que el apóstol fue perseguido porque incitaba a las grandes damas romanas a rechazar a sus esposos. (Cf. *Hechos de Verceil*, 33.)

Por otra parte, uno de los papiros que nos aporta los *Hechos de Pablo* nos dice que, en Éfeso, la esposa de un tal Diofantos era discípula de Pablo, y permanecía día y noche sentada junto a éste. El marido, harto y celoso, se esforzó por conseguir que arrojaran a Pablo a las fieras. No lo consiguió, claro está, teniendo en cuenta la personalidad de su rival, ciudadano romano, pero probablemente fue esta aventura lo que permitiría al citado Pablo afirmar más adelante que había luchado victoriosamente contra las fieras en Éfeso. (I Epístolas a los Corintios, 15, 32.)

— el procónsul de Hierápolis y su esposa Nicanora, en los *Hechos de Felipe* (114);

— el magistrado Aigeates y Maximilia, en los *Hechos de Andrés* (3);

— Andránicos, estratega de Éfeso, y Drusiana, en los *Hechos de Juan* (63);

— Carisios, pariente del rey, y Migdonia, en los *Hechos de Tomás* (82);

— el rey Misdaios y Tertia, en los mismos *Hechos de Tomás* (134).

En los *Hechos de Andrés*, al rechazar Maximilia a su esposo Aigeates, *corre a reunirse con el apóstol Andrés en la prisión donde lo han encerrado.* Y éste sostiene con ella un extraño lenguaje, en el que se ve aparecer algo distinto al deseo de espiritualización de la mujer, *y en cambio sí el odio al esposo legítimo y el deseo de subyugar a esta mujer:* «Soporta todos los tormentos que te inflige tu marido, *y mira un poco hacia mí, y verás cómo se llena entero de aturdimiento, y se marchitará lejos de ti.* Porque —sobre todo, se me había pasado, debo decírtelo— no conoceré el descanso hasta que no vea cumplirse la obra que veo producirse en ti. Sí, la verdad, veo en ti una Eva arrepentida, *y en mí a un Adán* volviéndose. Porque lo que Eva sufrió por ignorancia, tú, ahora, *tú, hacia quien yo tiendo mi alma,* tú lo enderezas con tu conversión. Lo que el *nòus*[69] sufrió cuando fue abatido con Eva y escapó a sí mismo, yo lo levanto contigo, desde el momento en que te reconoces recuperada». (Cf. *Hechos de Andrés*, XL.)

¡Si esto no se parece a un maleficio, las palabras no tienen sentido!

En los *Hechos de Felipe* encontramos la misma mala fama de los apóstoles: la de seductores de mujeres. Una vez más citaremos al R. P. Festugières: «El apóstol Felipe está entrando en la ciudad de Nicatera, en Grecia, cuando los ciudadanos, y especialmente los judíos, se sublevan. *Felipe tiene fama de separar a los maridos de las mujeres*; por lo tanto, hay que echarlo antes de que se instale *y empiece a seducir a las mujeres*». (*Op. cit.*, p. 239.)

Lo mismo sucede en el caso de Carisios y Migdonia, en los *Hechos de Tomás.* Nos dice este autor: «Migdonia, después de haberse rehusado a su esposo Carisios, *intenta reunirse con el apóstol Felipe en su prisión*». (*Op. cit.*, p. 240.)

Es obvio que en los textos cristianos ortodoxos esta atracción de las mujeres por el apóstol es siempre platónica. Pero no vemos por qué debería ejercerse de forma *precisa y total* en una *única* mujer, mientras el apóstol no despierta entre todas las demás sino una inmensa corriente de simpatía hacia la nueva doctrina. No vemos por qué tendría que ser indispensable separar a esta *única* mujer de su legítimo esposo, y suscitar en ella el deseo absoluto y fascinante de no abandonar jamás ni por un instante al citado apóstol, mientras que todas las otras permanecen unidas a su marido legal. Confesemos que en todas esas numero-

---

69. *Nous:* en griego significa el *espíritu.*

sas circunstancias el Espíritu Santo desempeña un extraño papel, habitualmente encomendado a personajes poco recomendables. ¿Y en qué queda aquí el famoso sacramento del matrimonio?

Si todavía dudáramos de ello, nos bastaría con tomar textos análogos de ciertos Padres de la Iglesia, textos en los cuales no vacilan en ser más locuaces, simplemente porque entonces se trata de notorios herejes. Citaremos a Ireneo, en su tratado célebre *Contra las Herejías*, en el que estigmatiza al gnóstico Marcos: «*Sobre todo es con las mujeres con las que tiene tratos, y preferentemente con las grandes damas, de alta cuna y lo más ricas posible.* A menudo intenta seducirlas sosteniendo con ellas conversaciones de lenguaje halagador como ésta: "Quiero darte parte de mi gracia, ya que el Padre de todas las cosas ve continuamente tu ángel frente a su rostro (Mateo, 18, 10). Es en nosotros donde tiene lugar la Grandeza. Hemos de fundirnos en la Unidad. Recibe primero de mí y por mí la Gracia. Estáte dispuesta como una recién casada espera a su joven esposo, para que tú seas yo, y yo sea tú. *Instala en tu cámara nupcial el germen de la Luz. Toma de mi mano al joven esposo, dale lugar en ti, y encuentra lugar en él.*[70] ¿Ves? La Gracia ha descendido a ti, abre la boca y profetiza". Si la mujer responde: "Yo no he profetizado jamás, y no sé profetizar", él, haciendo de nuevo ciertas invocaciones para dejar estupefacta a aquella a la que ha seducido, dice: "Abre la boca y di cualquier cosa; profetizarás". Ella entonces, inflada de orgullo, y atrapada en la trampa de estas palabras, con el alma ardiendo ya al simple pensamiento de que va a profetizar, con el corazón palpitándole en exceso, se enardece y pronuncia frivolidades, cualquier cosa, impúdicas tonterías, dignas del tonto espíritu que la ha inflamado... A partir de ese instante se ve a sí misma como profetisa, llena de agradecimiento a Marcos, que le ha comunicado su Gracia. Ella intenta recompensarlo, no sólo dándole lo que posee (de ahí proceden las inmensas riquezas que ha acumulado), sino también entregándole su cuerpo, ya que arde en deseos de unirse a él en todo, a fin de fundirse, con él, en la Unidad». (Cf. Ireneo, *Contra las herejías*, I, xiii, 3.)

Pues bien, este Marcos, alias Marcus, discípulo de Valentino, fue el fundador de una *gran iglesia gnóstica* a finales del siglo II, y no se trataba de una secta minúscula, ni de un jefe no cristiano. Y al demostrarnos que Marcos seducía a *las mujeres ricas* en nombre de la nueva religión, Ireneo no hace sino confirmarnos que las otras hacían lo mismo.

En un texto redactado, según parece, hacia el año 150, y titulado *El Pastor*, el autor, un cierto Hermas, considerado como uno de los cuatro «padres apostólicos», nos describe en el más allá: «... aquellos que están cubiertos de mancha son los *diáconos prevaricadores*, que han *robado el bien de las viudas y de los huérfanos*, y se han enriquecido en las funciones que habían recibido...» (*Op. cit.*, IX, 26.)

70. El lector adulto sabrá leer entre líneas...

131

¿Acaso el propio Saulo-Pablo no aconsejaba: «Honra a las viudas que son *verdaderamente* viudas...» (I Epístola a Timoteo, 5, 3)? Eugenio Sue, en su *Judío errante*, no inventó nada.

Se cometería un gran error suponiendo que esta acción oculta sobre las masas femeninas, polarizada más particularmente sobre una de ellas, comenzó posteriormente a la muerte de Jesús, en el año 34. Que el lector se remita al capítulo 26 del volumen precedente, titulado «Jesús y las mujeres», y quedará bien informado.[71] El ejemplo venía de arriba.

Citemos simplemente, para abreviar: «Había también unas mujeres que miraban de lejos. Entre ellas estaban María de Magdala, María, madre de Santiago el Menor y de Josés, y Salomé, las cuales, cuando él estaba en Galilea, le seguían y *le servían*, y *otras muchas*, que habían subido con él a Jerusalén...». (Marcos, 15, 40-41.)

Lucas (8, 3) nos dice que esas mujeres *«le asistían con sus bienes...»*, es decir, con su dinero, ya que habían abandonado sus casas. No se trataba ya de hospitalidad.

Y, si todavía dudáramos, nos bastaría con releer un evangelio apócrifo muy viejo, del que poseemos un manuscrito del siglo IV, sobre un texto inicial de finales del siglo II, hacia los años 175-180: «Salomé dijo: "¿Y tú quién eres, hombre? ¿De quién has salido para *haberte metido en mi cama y haber comido en mi mesa?*". Y Jesús le dijo: "Yo soy aquél que se ha producido de Aquél que es su igual. Me han dado lo que es de mi Padre". Y Salomé respondió: "¡Soy tu discípula!". (Cf. *Evangelio de Tomás*, folio 43, versículo 65, traducción de Jean Doresse, Plon, París, 1959.)

Por otra parte, es seguro que el «ambiente» de aquellos tiempos alimentó el tesoro zelote en proporciones considerables; hemos dado citas que lo prueban en el volumen precedente.[72] De ahí la conocida frase de Jesús: «En verdad os digo que los publicanos y las *rameras* os precederán en el reino de los cielos...». (Mateo, 21, 31-32.)

Las piezas justificativas de la condena de Jesús por el procurador Poncio Pilato fueron necesariamente enviadas a Roma, ya que se trataba de la ejecución de un «hijo de David» que pretendía el trono de Israel, y a quien Tiberio César, durante un tiempo, había pensado en confiar una tetrarquía.[73] Estas piezas, conservadas en los archivos de la Cancillería imperial, en Roma, fueron examinadas por el emperador Juliano, sucesor de Constantino, y a ellas se refiere a menudo en sus polémicas con los cristianos. Y aquí tenemos una alusión bastante clara en lo que respecta a los lazos existentes entre el partido zelote y la prostitución, que sacamos de sus obras: «La *Molessa* recibió a Constantino tiernamente, lo enlazó entre sus brazos, lo revistió y lo adornó

---

71. Cf. *Jesús o el secreto mortal de lo templarios*, pp. 289-303.
72. *Op. cit.*, p. 166.
73. *Op. cit.*, pp. 157-159.

con vestiduras de colores tornasolados, y luego le condujo al *lenocinio*... Así el príncipe pudo encontrarse también con Jesús, *que frecuentaba esos lugares*, gritando a todo el que llegaba: "*¡Que todo seductor*, que todo homicida, todo hombre golpeado por la maldición y la infamia se presente con toda confianza! ¡Bañándole con esta agua, lo volveré inmediatamente puro! ¡Y si vuelve a recaer en las mismas faltas, cuando le golpeen en el pecho y en la cabeza, le volveré a conceder la pureza!"». (Cf. Julio César, *Obras completas*, trad. de J. Bidez, Ed. Les Belles-Lettres, París, 1932.)

Hay que decir que Constantino, «el hombre cubierto de crímenes» según los grandes obispos cristianos (hizo asesinar a su esposa, a su hijo y a numerosos parientes y amigos), fue también un disoluto notable. No obstante, en el siglo IX le santificaron, a petición de Carlomagno.[74] Pero Juliano, que era amable, casto, aficionado a las buenas letras, que sabía perdonar a sus peores adversarios, Juliano fue simplemente injuriado y asesinado.

Un hecho que en aquella época debió de suscitar una violenta hostilidad popular y reacciones legales contra Saulo-Pablo y sus lugartenientes en Roma fue el de hacer participar a las mujeres en una «eucaristía», en el curso de la cual podían *beber vino*, tanto más cuanto que esta «eucaristía» estaba incluida en un «ágape» previo en el que el *tonus* elítico subía rápidamente, si damos crédito a las protestas de Pablo. (Cf. I Epístola a los Corintios, 11, 20-21, *infra*, p. 254.)

En efecto, a consecuencia de los inauditos escándalos suscitados por las orgías dionisíacas femeninas, a principios del siglo II antes de nuestra era, un *senatus-consulte* datado del año 186 a. C. de la misma había reiterado en Roma la prohibición de las bacanales en toda Italia, recordando que, desde Rómulo, *el vino estaba rigurosamente prohibido a las mujeres*. Les estaba asimismo prohibido poner la mano sobre las llaves de las cavas y las bodegas. La embriaguez femenina, fuera la que fuese, obtenida por el vino, las bebidas fermentadas o las fumigaciones, Rómulo la identificaba al adulterio, ya que se decía que la mujer era poseída por el dios de quien dependía el ingrediente asimi-

---

74. Carlomagno estaba interesado en la «santificación» de su colega Constantino. Su vida había sido demasiado poco edificante. Aparte de la matanza de cuatro mil quinientos rehenes en Werden, en el año 782, tuvo nueve esposas o concubinas (es bastante difícil en esa época establecer la diferencia), pero, además, practicó el incesto con *maestría*. Su cronista y biógrafo, el monje Eginhard, relata que este emperador se guardaba bien de casar a sus hijas, ya que «se servía carnalmente de ellas como de sus esposas». ¡Eso no impediría a la Iglesia convertirlo en el santo patrón de los escolares! El papa Juan XXIII lo hizo borrar del santoral, con un cierto número de «glorias usurpadas» más. En cuanto a Constantino, jamás gozó de la aparición en el cielo del famoso *labarum*: «*In signo vinces!*». Su biógrafo y panegirista Eusebio de Cesarea ignora tal milagro, ideado más adelante por Lactancio. Éste traspuso sin duda el hecho de que Constantino, anteriormente, había tenido una visión en un templo de Apolo que él visitaba. Había «visto» cómo el dios Apolo le tendía una corona. Lactanció arregló la historia...

lado. La única embriaguez tolerada en la mujer era la del gozo sexual en los brazos del legítimo esposo.

El texto original de dicho *senatus-consulte* figura en una tabla de bronce descubierta en Tiriola, en Calabria, y se conserva en Viena, en el antiguo gabinete imperial.

Como se ve, para los judíos y las mujeres de las diversas «provincias» sometidas a Roma y convertidas a la nueva religión, esto no planteaba ningún problema; pero para los romanos era muy distinto, y la absorción del vino «eucarístico» en el curso de ágapes a menudo desviados hacia otros objetivos, implicaba sanciones penales inevitables.[75]

---

75. Esta prohibición no se aplicaba, evidentemente, a las diversas catetorías de cortesanas: danzarinas, flautistas, prostitutas, etcétera.

11

El «Cuadrado de Amor» de san Ireneo

La desgracia más grave que pueda acaecerle a una criatura humana volcada hacia el amor es tener ligado su destino a un ser inferior. El peligro lo constituye la decadencia que puede resultar para ella, y ese peligro puede extenderse a lo largo de prolongados períodos de tiempo.

MAURICE MAGRE,
L'Amour et la Haine

Se sabe que entre las fórmulas mágicas de la tradición de Occidente figuran lo que se ha convenido en denominar los *palindromos*. Son palabras, nombres, frases que, leídos de derecha a izquierda o de izquierda a derecha, de arriba abajo o de abajo arriba, dan invariablemente los mismos términos. En este aspecto constituyen, en el campo *literal*, lo que los *cuadrados mágicos* constituyen en el campo *numeral*, pero estos últimos representan un grado más elevado de conocimiento, y permiten el acceso a un esoterismo infinitamente más oculto. Son, efectivamente, los *cuadrados mágicos* los que constituyen las «tablas de extracción» reales de los *nombres de poder* en la magia práctica, nombres de entidades verdaderamente polarizadas, y a la vez permiten establecer los célebres «*sellos planetarios*».

En el campo de los *palindromos* citaremos la célebre fórmula latina: ROMA TIBI SUBITO MOTIBUS IBIT AMOR, que se lee igual en un sentido como en el otro.

No obstante, es menos conocida que el célebre *cuadrado mágico* que suscita justas encarnizadas entre eruditos, y que se presenta bajo dos aspectos:

```
S A T O R   R O T A S
A R E P O   O P E R A
T E N E T   T E N E T
O P E R A   A R E P O
R O T A S   S A T O R
```

Por eso se le da el nombre de «cuadrado de Sator», o de «Sator».
Leída horizontal o verticalmente, tanto de izquierda a derecha como
de derecha a izquierda, esta frase también latina (al menos en apariencia) da invariablemente las cinco mismas palabras.

El uso de los *palindromos*, considerados como palabras de poder
en magia práctica, ha sido particularmente desarrollado en un manuscrito del siglo XVIII, propiedad de la Biblioteca del Arsenal, en París,
y copia de un documento más antiguo descubierto en Venecia por el
marqués de Paulmy d'Argenson, embajador de Francia. Tiene como
título: «*La Magie Sacrée que Dieu donna à Moyse, Aaron, David,
Salomon, et à d'autres prophètes, et qui enseigne la Vraie Sapience
Divine, laissée par Abraham fils de Simon à son fils Lamech, traduite
de l'hébreu, à Venise en 1458*». (La Magia Sagrada que Dios dio a
Moisés, Aarón, David, Salomón, y a otros profetas, y que enseña la
verdadera Sabiduría Divina, dejada por Abraham hijo de Simón a su
hijo Lamech, traducida del hebreo, en Venecia en 1458.)

Nosotros la hemos recopiado, publicado, prefaciado, comentado
y anotado.[76] ¡A ella remitimos al lector amante del misterio!

Pues bien, una fórmula muy parecida al «Sator» figura en el capítulo XIX, bajo el número 9, página 230 de la obra citada en la nota 76,
y es la siguiente:

```
S A L O M
A R E P O
L E M E L
O P E R A
M O L A S
```

Su efecto consiste en procurar «el amor de una doncella en general» (*sic*), y el manuscrito precisa los nombres *demoníacos* asociados
a la puesta en marcha de este sortilegio, así como todo el ritual preparatorio.

Este *palindromo* es una mezcla de palabras hebreas, asociadas a
los términos del «Sator» precedente. *Salom* es una abreviatura de
Salomón, y *Lemel* lo es de Lemuel (o *Lamuel*), citado en los Proverbios, 31, 1-4, nombre de un rey que no sería otro sino el propio
Salomón (cf. *Dictionnaire Rabbinique* de Sander y Trenel, París,
1859), y que significa «elegido de Dios».

76. R. AMBELAIN, *La Magie Sacrée d'Abramelin le Mage*, Niclaus éditeurs, París, 1959.

Anverso y reverso del pantáculo del «Sator». (*Colección Alex Bloch*.)

Pues bien, la significación del «Sator» tradicional es la siguiente:
— *Sator:* sembrador, creador, padre, dios, los dioses (Virgilio);
— *Arepo:* arado, reja, cuchilla agraria (en *galo* y *gálata*);
— *Tenet:* mantener, dirigir, conducir;
— *Opera:* trabajo, obra;
— *Rotas:* ruedas, ciclos, círculos.

C. Wescher, que fue el primero en estudiarlo científicamente, traduce así: «El sembrador está en el arado, la labor ocupa las ruedas...».

En el segundo tipo de «Sator» dado por *el Abramelin,* la palabra *Molas* puede significar una mulea de molino en latín, o una deformación de *Molechet,* deidad femenina del cielo en acadio. Pues bien, las *ruedas* y las *muelas* tienen puntos en común, y toda deidad celeste de tipo femenino evoca o bien a la Luna o bien a Venus, con sus *ciclos* regulares. Como se ve, la idea general es la misma.

En cuanto a la asociación del *sembrador* y de la *reja agraria,* hay una imagen similar a la penetración del hombre en la mujer. «Tu esposa es tu campo, lábralo en los dos sentidos...», dice el viejo axioma semítico (*Corán,* II, 223).

Es evidente que esta frase clave, el «*Sator*», no posee a priori ningún sentido místico, pero su significación general reviste un relieve particular si se tiene en cuenta su aplicación en el plano del erotismo, recordando que *Eros* representaba al dios del amor carnal, del deseo de los sentidos, mientras que *Agapé* era la deidad del amor platónico, sentimental, espiritual.

Pues bien, el «Sator» posee en principio, y en su forma más antigua, la misma significación erótica. Fue descubierto en Pompeya, en doble trazado, bajo la forma de «Rotas» (cf. R. P. Guillaume de Jerphanion, en *Recherches de Sciences Religieuses,* XXV, abril de 1935, pp. 188 y ss.). Los dos *palindromos* estaban trazados sobre una de las columnas del templo del Amor, y este hecho es significativo.

Un arqueólogo lionés, M. Amable Audin, señaló en el n.º 119, de octubre de 1965, del *Bulletin du Cercle Ernest Renan,* que «Su posición, por debajo de capas de cenizas absolutamente vírgenes, demuestra de forma imperativa que debió de ser anterior al sepultamiento bajo las cenizas de la erupción del Vesubio».

Como ésta tuvo lugar en el año 79 de nuestra era, el trazado del doble «Sator» fue efectuado mucho antes. Y por Tertuliano sabemos que no había ninguna comunidad cristiana en aquella época, ni en Pompeya ni en sus alrededores (lo que nos da una idea de la plausibilidad de la célebre novela: *Los últimos días de Pompeya*).

Posteriormente descubriremos esta inscripción misteriosa en Doura-Eropos, en el Éufrates, en una estancia que servía de despacho a los *actuarii* de las cohortes auxiliares romanas, pintada con tinta roja sobre la muralla, bajo la forma de «ROTAS».

Luego, en Egipto, con un valor mágico y profiláctico, en los *papyrii* coptos 193 y 194 de la colección del archiduque Renier:

```
S A T O R     A L P H A
A R E P O     L E O N
T E N E T     P H O N E
O P E R A     A P E R
R O T A S
```

En un *ostrakon* del museo de El Cairo se la puede leer acompañada de palabras mágicas. Un amuleto de bronce de origen egipcio, descubierto en Asia Menor, y conservado antes de 1945 en el museo de Berlín, llevaba asimismo la fórmula del «Sator».

Luego se cristianizará. Los coptos darán a cada uno de los cinco clavos de la crucifixión de Jesús cada una de las cinco palabras del «Sator». ¡En Bizancio las convierten en los nombres de los pastores testigos de la Natividad! Y la gran corriente esotérica medieval la asimilará, acompañada de nombres angélicos o demoníacos, en sus libros de conjuros manuscritos.

Y es aquí donde vamos a encontrarla, tanto en las manos de los cristianos de antaño como en los de hoy.

En 1954, en las excavaciones de Aquineum, el viejo Buda, en Hungría, se descubrió una teja que llevaba en su interior un hexagrama o «sello de Salomón» con la inscripción fatídica. Esta última iba acompañada del otro *palindromo* ya citado, pero esta vez se hallaba parcialmente borrado. Sólo podía leerse: «ROMA TIBI... ITA...».

Entre TIBI e ITA hay rastros de letras muy difíciles de identificar. El arqueólogo húngaro que lo había descubierto y publicado, M. Szilagyi, estimó que debía traducirse correctamente, y según era costumbre: «ROMA TIBI SUBITO MOTIBUS IBIT AMOR».

Por el contrario, Jerónimo Carcopino, muy católico, quería a toda costa leer en él una fórmula cristiana: «ROMA TIBI SALUS ITA», es decir: «¡Roma, aquí está tu salvación!». Pasaba por alto el hecho de que el espacio que había quedado borrado era demasiado extenso como para haber contenido tan sólo las cinco letras de la palabra SALUS. Además, si se leía al revés, según era habitual, ya no quedaba nada que evocara el cristianismo: «ATI SULAS IBIT AMOR». Lo que probaría demasiadas cosas...

Por último, la estrella de seis puntas, o «Sello de Salomón», es un símbolo mágico universal; en todo el mundo la encontramos asociada a la magia más materialista. La trazarán en la confección de ciertos «*yantras*» de la brujería tántrica, en la India. Basta con hojear el *Yantra Chintâmani*, o «*Yugo de los Yantras*», para convencerse; veamos aquellos en los que figura:

— 8.º yantra: «*Creador de ilusiones*» (los acreedores carecerán de fuerza y no reclamarán lo que les es debido. Podrán ofrecer dinero a los discípulos).

— 23.º yantra: «*Flecha de Eros*» (las mujeres más orgullosas y más altivas enloquecerán de deseos ardientes y serán totalmente dominadas).

— 28.º yantra: «*Don de Tripurâ*» (sumisión de la persona deseada, hombre o mujer).

— 68.º yantra: «*Terror de la Fiebre*» (calma la fiebre).

— 75.º yantra: «*Liberación*» (libera de los lazos vergonzosos).

Es curioso constatar que de cinco yantras, tres tratan del medio para someter a otro, dos de los cuales a deseos carnales. Entonces, ¿qué pintaría aquí una fórmula cristiana?

Los partidarios del origen cristiano del «SATOR» no se dieron por vencidos. Es sabido que a este *palindromo* le dan el sobrenombre de «cuadrado de san Ireneo». A este último lo conocemos por Eusebio de Cesarea, quien dijo que se trataba del sucesor de Potino a la cabeza de la Iglesia de Lyon (cf. Eusebio de Cesarea, *Historia eclesiástica*, V, 5), aunque su discípulo Hipólito lo calificara sólo de presbítero (cf. Hipólito, *Philosophumena*, VI, 43).

Para Jerónimo Carcopino, en sus comunicados a la Academia de las Inscripciones y las Bellas Letras, ese «cuadrado mágico» fue inventado en Lyon por Ireneo, obispo de dicha ciudad, al día siguiente de la persecución del año 177. Para prueba le bastaba el hecho de que el anagrama de «SATOR AREPO TENET OPERA ROTAS» daba «PATER NOSTER» repetido dos veces y formando una cruz. En cuanto a las dos letras restantes, A y O, se trataba de la *alfa* y la *omega*, símbolos de Cristo:

```
                A
                P
                A
                T
                E
                R
A P A T E R N O S T E R O
                O
                S
                T
                E
                R
                O
```

Este descubrimiento era obra del profesor Felix Grosser, de Chemnitz, en su *Ein neuer Vorschlag zur Deutung des Sator-Formel* (en *Archiv. F. Relig.*, 1926, XXIV, pp. 165-169). Y éste (que era pastor, no debemos olvidarlo) hacía observar, además, que en el «cuadrado mágico» las letras que componían la palabra central, TENET, forma-

140

ban una cruz. Así pues, se trataba de una fórmula secreta de reconocimiento para los cristianos.

Numerosos eruditos respondieron señalando que toda construcción de un *palindromo* de número impar permite el mismo resultado. Otros hicieron observar que la misma frase podía dar otros anagramas muy diferentes, como por ejemplo los que señala el periódico italiano *La Nazione* en su número del 21 de mayo de 1968, firmados por Giorgio Batini, y reproducidos por el *Bulletin du Cercle Ernest Renan* de septiembre del mismo año:

1) SATAN ORO TE PRO ARTE A TE SPERO.[77]
2) SATAN TER ORO TE OPERA PRAESTO.[78]
3) SATAN TER ORO TE REPARATO OPES.[79]

Estos anagramas, además, son como el del PATER NOSTER, no se puede encontrar el primer sentido leyéndolo de derecha a izquierda.

Por otra parte, las palabras PATER NOSTER no son específicamente cristianas. En el Antiguo Testamento las encontramos por lo menos una docena de veces. Citemos simplemente: «Tú, Yavé, eres nuestro Padre, y, desde la Eternidad, te dices Salvador nuestro...» (Isaías, 63, 16), y «Sin embargo, Yavé, eres nuestro Padre...» (Isaías, 64, 7).

Y los autores paganos no ignoran esta expresión:

«Tú eres nuestro Padre, oh Zeus...» (Estobeo, *Antología, Plegaria de Cleanto.*)

«¡Oh Zeus, Padre nuestro!...» (Pitágoras, *Hacia Doris.*)

«Tú eres nuestro Padre...» (Aratos.)

Concluyamos, pues, que es muy imprudente, por parte de nuestros autores cristianos, reivindicar la misteriosa fórmula del «SATOR AREPO TENET OPERA ROTAS», ya que, como acabamos de demostrar, es muy anterior al cristianismo. Por otra parte, indiscutiblemente se trata de un «encantamiento», de un «sortilegio» gráfico y vocal, mediante el cual se intentaba *subyugar a las mujeres.*

Y si Irèneo y sus colaboradores, todos ellos procedentes de Asia, y probablemente de Esmirna, conocieron y *utilizaron* el «SATOR», no sería como signo para probar su pertenencia a la nueva secta, el cristianismo. Más bien veríamos en ello la confirmación de lo que los textos antiguos citados en las páginas precedentes nos han sugerido, a saber: la acción de los propagandistas cristianos *sobre las mujeres.*[80]

Conviene, no obstante, observar, en descargo del citado Ireneo y sus ayudantes, que esta frase de carácter mágico indiscutible podía tener doble sentido, y que el *sembrador* podía significar la palabra cristiana, o el propio Jesús.

77. ¡Yo te conjuro, Satanás, en favor de lo que espero!
78. ¡Yo te conjuro, Satanás, por tres veces, a que cumplas el objeto de este sacrificio!
79. ¡Yo te conjuro, Satanás, por tres veces, a que me ayudes de nuevo!
80. De todos modos, no garantizamos a nuestros lectores una acción infalible en la seducción de tal o cual hermosa actriz de su elección... Los sortilegios son a veces como la pimienta: se desbravan con el tiempo.

En efecto, en los textos neo-testamentarios se compara con un sembrador, y luego se guardará esta comparación refiriéndose a él:

«Un sembrador salió para sembrar...» (Mateo, 13, 4; Marcos, 4, 3; Lucas, 8, 5.)

«El sembrador siembra la palabra...» (Marcos, 4, 14.)

«Según está escrito [...] el que proporciona la simiente al sembrador...» (I Epístola a los Corintios, 9, 10.)

«Que el sembrador y el segador se alegren juntos...» (Juan, 4, 36.)

Ahora bien, esos enigmáticos y simbólicos *sembrador* y *segador* aparecen ya antes en el Antiguo Testamento: «Exterminad en Babilonia al sembrador y al segador...». (Jeremías, 50, 16.)

Esto evoca extrañamente las palabras del Deuteronomio: «Un *colgado de un árbol* es objeto de la maldición de Dios». (Deuteronomio, 21, 23.)

Podría creerse que las voces proféticas del Israel antiguo habían percibido por adelantado todo lo que el mesianismo le aportaría en materia de catástrofes.

12

La verdadera muerte de Esteban

El primer deber del historiador consiste en restablecer
la verdad, destruyendo la leyenda.

MARCEL PAGNOL, *Le Masque de Fer*

Para el R. P. Lucien Deiss, C. S. Sp., en su libro *Synopse des Evangiles*, en la base de los Hechos de los Apóstoles se encuentra un «documento semítico». Y es evidente. Pero no podría tratarse de un judío convertido, ya que no se encuentra la aspereza, la decisión, propias del Antiguo Testamento. Imaginar que fuera un griego o un latino es todavía más imposible, ya que este conjunto no está marcado por la armonía helénica ni por la claridad latina. Por lo tanto, no queda sino un árabe, y más probablemente un sirio de Antioquía, que llegó tardíamente al cristianismo. La simpleza empalagosa y beata, la adulación de todo lo romano, el odio antisemita (porque Siria era el blanco de los pillajes galileos desde Ezequías, padre de Judas de Gamala y abuelo de Jesús, en el año 60 antes de nuestra era), todo señala hacia ese tipo de hombre que encontraremos frecuentemente en los cinco o seis primeros siglos.

Por otra parte, cuando vemos que la ley del Sinaí no fue dada a Moisés por el Eterno, sino por uno o varios ángeles (cf. Hechos, 7, 30, 36, 38 y 53), es evidente que esta afirmación deriva de la de Saulo-Pablo en su Epístola a los Gálatas (3, 19). Ahora bien, esa misma afirmación según la cual la ley del Sinaí fue promulgada por ángeles, los Hechos la colocan en boca de Esteban, el diácono, en el instante en que va a ser lapidado por los judíos, exasperados por lo que ellos consideran blasfemias. ¡Y Saulo-Pablo todavía no se ha convertido! E incluso está allí, según parece, montando guardia delante de las vestiduras de los ejecutores (Hechos, 7, 58). Su Epístola a los Gálatas, por lo tanto, todavía no está escrita. Pero en esto no pensó el escriba anónimo del siglo IV.

Lo mismo sucede con el discurso de Esteban. Tomemos el texto de los Hechos al principio de este caso: «Y la palabra del Señor crecía, el número de los discípulos aumentaba considerablemente en Jerusalén, y una multitud de sacerdotes obedecían a la fe.[81] Esteban, lleno de gracia y de poder, operaba grandes prodigios y signos entre el pueblo. Entonces intervinieron las gentes de la sinagoga llamada de los Libertos, de los Cirenenses, de los Alejandrinos, y otras de Cilicia y de Asia. Se pusieron a discutir con Esteban, pero no podían hacer frente a la sabiduría y al espíritu que le hacían hablar. Pagaron a hombres para que dijeran: "Le hemos oído pronunciar blasfemias *contra Moisés y contra Dios*". Amotinaron al pueblo, a los ancianos y a los escribas, y luego, acudiendo de improviso, lo apresaron y lo llevaron ante el Sanedrín. Allí aportaron falsos testimonios que declaraban: "Este hombre no cesa de hablar contra este santo Lugar y contra la Ley. Le hemos oído decir que Jesús, ese nazareno, destruirá este Lugar y cambiará las costumbres que Moisés nos ha legado". Todos aquellos que estaban sentados en el Sanedrín tenían los ojos fijos en él, y su rostro se les apareció semejante al de un ángel... El sumo sacerdote preguntó: "¿Es, en verdad, así?". Y Esteban respondió: "Hermanos y padres, escuchad..."». (Cf. Hechos de los Apóstoles, 6, 7, a 7, 2.)

Ahora viene un discurso interminable del tal Esteban, que empieza a la salida de Abraham de Mesopotamia, y enumera los acontecimientos principales de la historia de la estirpe de Abraham hasta la venida de Jesús. Va desde el capítulo 7, versículo 3, hasta el 7, versículo 53. En los manuscritos griegos más antiguos eso representa unas 127 líneas, a una media de nueve palabras cada una, *es decir, unas mil doscientas palabras*. ¡Ni que estuviera leyendo a Flavio Josefo!

¿A quién podría hacerse creer que hubo un escriba, judío o cristiano, que conociera en aquella época la taquigrafía para tomar nota de dicho discurso? ¿Y cómo conocía el redactor de los Hechos la tradición gnóstica de los ángeles dictando la Ley del Sinaí, si la gnosis todavía no existía?

De semejantes incoherencias e inverosimilitudes están llenos los Hechos de los Apóstoles. ¿Cómo conoce el redactor de los Hechos el texto de la carta *confidencial* que redacta el tribuno de las cohortes Claudio Lisias al procurador Antonio Félix, cuando le envía a Saulo-Pablo con una escolta casi real? (Hechos, 22, 26-30.)

¿Cómo pudo el Sanedrín mandar azotar a los apóstoles con *varas* (Hechos, 5, 40), cuando la ley judía no conocía sino el *látigo* de cuero, con el que jamás debían propinarse más de 39 golpes para la sanción máxima de 40 (cf. *Talmud*, 5 *Maccoth* y *Siffré Deuteronomio*, 286, 125 *a*)? Pues simplemente porque en la época en que se redacta los Hechos la nación judía ya no existe, está dispersada por todo el Imperio

---

81. ¿Una multitud de *cohenim* haciéndose cristianos? ¿Y sin que el sumo sacerdote y los sanedritas se inmuten? ¡Habría que verlo!

romano, con la prohibición de acercarse a lo que fue Jerusalén. Y los anónimos redactores de los Hechos, al ver pasar a los lictores romanos con sus haces de varas, no fueron a buscar más lejos.

En los Hechos, capítulo 5, versículo 34, se nos presenta a Gamaliel como un doctor de la Ley, cuando es el *Daion di Baba*, con jurisdicción sobre todo Israel, incluida la Diáspora, y con poder de extradición, privilegio que le conservaron los romanos, igual que a sus predecesores y sucesores, mientras hubo una nación judía reconocida por Roma.

¿Cómo Gamaliel, *rabban* de Israel, que poseía por derecho todos los archivos históricos de toda la nación judía, conservados en el Templo, cómo pudo situar la revolución de Teudas, que tuvo lugar en el año 46, durante su pontificado (murió en el año 52 de nuestra era), *antes de la de Judas de Gamala*, que se produjo en el 6 de nuestra era, es decir, cuarenta años antes, cuando él era todavía simple *rabbi*? Sin embargo, éste es el error que comete el citado redactor de los Hechos, en 5, 36.

Hemos ofrecido el ceremonial judicial de la lapidación en un capítulo de esta obra (*supra*, p. 57). Que el lector se remita a él, y verá que el condenado tenía que estar necesariamente *tendido sobre su espalda* antes de que le lanzaran la primera piedra, muy gruesa, que, en principio, tenía que ser mortal. Entonces, ¿cómo pudo contarnos el autor de los Hechos lo siguiente?: «Y mientras le apedreaban, Esteban oraba, y decía: "Señor Jesús, recibe mi espíritu…". *Luego se hincó de rodillas* y gritó con fuerte voz: "Señor, no les imputes este pecado…". Y diciendo esto, se durmió». (Hechos de los Apóstoles, 7, 59-60.)

Podría creerse que la lapidación lo dejaba indiferente.

Así pues, tenemos la prueba de que todo este derroche de imaginación incontrolada y sin ninguna plausibilidad histórica echa una enojosa luz sobre la veracidad de los relatos apostólicos. Y a partir del momento en que se despierta la sospecha, el historiador tiene el deber y el derecho de investigar, detrás de la leyenda interesada, en busca de la *verdad*, es decir, *de lo que realmente pasó*. Nosotros no dejaremos de hacerlo.

Esteban es *Stephanus* en latín y *Stephanos* en griego. Este nombre significa «coronado». Según la *Leyenda dorada*, fue condenado a muerte por el Sanedrín el 26 de diciembre del año 35, y lapidado fuera de la ciudad, en Jerusalén (Hechos, 7, 58). Su cuerpo fue milagrosamente descubierto en el 415, milagrosamente conservado (¡cómo no!), y transportado a Constantinopla durante el reinado de Teodosio II.

¿Quién era este hombre? ¿Un judío? ¿O un «helenista», es decir, un judío de cultura griega, aquellos desarraigados para quienes había sido necesaria una traducción a esta lengua del Antiguo Testamento?

Es bastante difícil pronunciarse. Los judíos, desde la dinastía asmonea que había surgido de los Macabeos, y sobre todo después de Jasón (Josué), hermano de Onías, se habían helenizado con entusiasmo, hasta tal punto que, en los estadios, los jóvenes se dejaban ver desnudos, según la costumbre griega, y con falsos prepucios. Todo judío de raza poseía dos nombres, uno de circuncisión, típicamente judaico, y otro griego. Esta costumbre había pasado a los idumeos, ya que Saulo, en arameo Shaul, se llamaba también Pablo; el que llevaba el nombre de *Josué* se hacía llamar *Jasón*; *Eleazar* pasaba a ser *Alexandrôs*, alias *Andrôs* (Andrés)l *Jacob* se convertía en *Iacobos* (Jaime).

Para Esteban, alias *Stephanos*, no hay nada que corresponda. En hebreo *corona* se dice *kether*, y *ketheriel* es el Ángel de la Corona Divina. Y no hay ningún nombre hebreo que se acerque a esta palabra, lo más aproximado sería *Malchiel*, citado en el Génesis, 46, 17, en Números, 26, 45, y que significa «establecido por Dios», o *Malchisua*, hijo de Saúl, el rey, citado en I Samuel, 14, 49. Todos estos nombres derivan de *Malek*: *rey*, en hebreo, y, por analogía, «*el coronado*».

Este Esteban aparece citado como el primero en la lista de los «diáconos» a quienes los apóstoles transmitieron ciertos «poderes» a fin de descargarse de sus múltiples actividades: «Y eligieron a Esteban, hombre lleno de fe y del Espíritu Santo, y a Felipe, a Prócoro, a Nicanor, a Timón, a Pármenas y Nicolás, prosélito antioqueno». (Hechos de los Apóstoles, 6, 5.)

Todos llevan nombres griegos, pero eso no prueba nada, pues se nos precisa que *sólo Nicolás era un prosélito*. Por lo tanto todos los demás eran judíos, elección justificada por la prudencia de los apóstoles, todos ellos procedentes de la corriente *zelote*, y por lo tanto acérrimos nacionalistas judíos.

Y tenemos ya una primera observación: a Esteban le citan el primero. Por consiguiente lo consideran ya aparte de los demás. Es probable que fuera el *vigilante* de los *siete*, al igual que Simón-Pedro lo es *de los doce*. Además, ha recibido ya el Espíritu Santo, de modo que sólo se habrá de conferir a los otros seis, conforme al versículo 6 del capítulo 6 de los Hechos. Y *vigilante* se dice *episcope*, que se convertirá en nuestro *obispo*, más tarde.

Si es *vigilante*, y *jefe de los siete diáconos*, se le podrán confiar misiones particulares y de confianza. Y más adelante, cuando haya una plaza vacante, podrá convertirse en uno de los doce, por vía de sucesión. Ése es el orden.

Puntualicemos aquí previamente lo que seguirá ahora. Un mismo personaje puede entrar en la historia bajo nombres y actividades diferentes. Todo eso depende del cronista, de su orientación ideológica y de la finalidad que persiga. Veamos un ejemplo:

a) «El 26 de octubre de 1440 murió Gilles de Rais, mariscal de Francia, gran oficial de la Corona, antiguo compañero de guerra de Juana de Arco, jefe de la nobleza de Bretaña. Fue inhumado en el convento de los Cármenes, en Nantes.»

b) «El 26 de octubre de 1440, a las nueve de la mañana, en el prado de Besse, situado en los confines de la ciudad de Nantes, más arriba de los puentes y a los bordes del Loira, fueron ahorcados y quemados tres

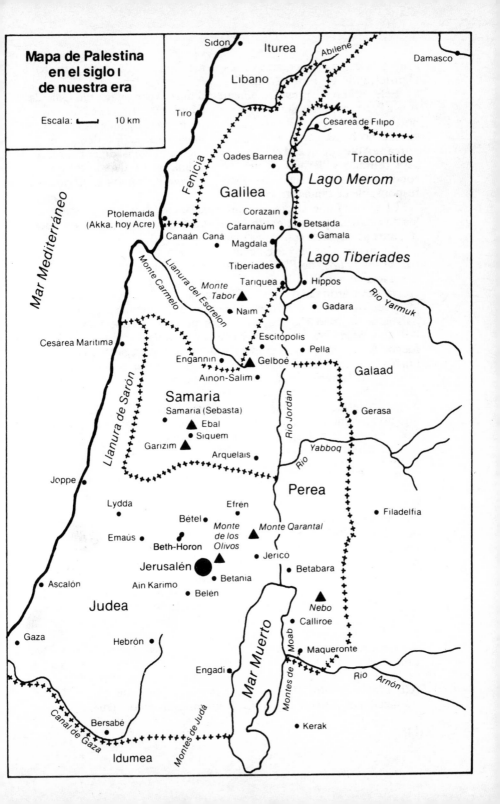

brujos, asesinos sádicos de varios centenares de niños. Se llamaban Henriet, Poitou y Barba Azul.»

Este último será, evidentemente, el mismo personaje que Gille de Rais. Pero, mientras sus *servidores y cómplices* eran *quemados vivos*, porque eran plebeyos, a él le ahorcaron primero, y luego sometieron su cuerpo brevemente al fuego que habían encendido debajo de la horca: «Antes de que el cuerpo se resquebraje, abrasado por el fuego, será retirado y llevado en una urna a una iglesia de Nantes que el condenado habrá designado». Esto, *en virtud de la noble condición* del responsable de tantas atrocidades.

El cronista que al cabo de mil años se encontrara en presencia de los dos textos, aparentemente sin relación entre sí, ¿cómo lo reconocería, ante semejantes contradicciones?

Lo mismo sucede con Esteban, y vamos a verlo. Tomemos la *Guerra de los judíos*, de Flavio Josefo, en su manuscrito *eslavo*: «Y una desgracia se añadió a la otra. Unos *bandidos*, en el camino de Beth-Horon, causaron daño a un tal Stephanos. Cumano mandó soldados a los pueblos vecinos e hizo encadenar a sus habitantes: "¿Por qué no habéis perseguido a los bandidos, por qué no los habéis apresado?". Allí un soldado encontró un libro de la Ley santa, lo pisoteó y lo tiró al fuego. Los judíos, imaginándose todo el país entregado a las llamas, unidos por su piedad como por cadenas, corrieron todos con una misma proclamación: "¡O morir, o matar al soldado!". Todos reunidos, suplicaron al procurador que no lo dejara impune después de haber cometido semejante pecado contra Dios y la Ley. Éste, viendo que no se calmarían si no obtenían satisfacción, lo condenó a muerte. Los judíos, vengados, se fueron». (Cf. Flavio Josefo, *Guerra de los judíos*, manuscrito *eslavo*, II, 5, trad. de Pierre Pascal, prof. en la Sorbona, Éditions du Rocher, Mónaco, 1964.)

Tomemos ahora el mismo pasaje, pero en el manuscrito *griego*: «Apenas había pasado esta aflicción, cuando fue seguida por otra. Un criado del emperador, llamado Esteban, que conducía algunos muebles muy valiosos, fue asaltado cerca de Beth-Horon. Y Cumano, *para descubrir quiénes habían cometido ese robo*, envió a que apresaran a los habitantes de los pueblos cercanos. Uno de los soldados que formaban parte de dicha expedición, al encontrar en uno de esos pueblos un libro en el que estaban escritas nuestras santas leyes, lo rompió y lo quemó. Todos los judíos de esta región no se sintieron menos irritados que si hubiesen visto incendiar todo su país. Se reunieron en un momento e, impulsados por el celo de su religión, corrieron a Cesarea a encontrar a Cumano, para rogarle que no dejase impune un tan gran ultraje contra Dios. Como el gobernador juzgó que sería imposible calmar a ese pueblo si no se le daba satisfacción, mandó prender y ejecutar a dicho soldado en su presencia; y así se apaciguó el tumulto». (Cf. Flavio Josefo, *Guerra de los judíos*, manuscrito *griego*, II, xx, traducción de Arnault d'Andilly, Éditions Lidis, París, 1968.)

Aquí observamos diversas contradicciones:

a) Cumano, el procurador, ¿ordenó detener y encadenar a los habitantes de los pueblos vecinos por no haber ayudado al tal Esteban, a quien habían atacado y hecho daño (matado) unos bandidos? ¿O los trató así por complicidad?

b) Cuando se detenía, y especialmente cuando se *encadenaba* a la población entera de un pueblo, esa medida iba inmediatamene seguida de su deportación. Ese fue el caso de los habitantes de Giscala, patria de los pseudo-familiares judíos de Saulo-Pablo. Y en ese caso era debido a que habían prestado ayuda a los guerrilleros *zelotes*. Y el término de «bandidos» utilizado por Flavio Josefo, siempre se aplica a éstos. Entonces, si los aldeanos se negaron a intervenir, o quizás incluso ayudaron y encubrieron a los citados bandidos, es que no se trataba de criminales de derecho común. Sin lugar a dudas debía de tratarse de una banda zelote.

c) No obstante, sabemos por los Hechos de los Apóstoles (7, 58, y 8, 1) que Saulo-Pablo había participado en el asesinato de Esteban. Y las *Antigüedades judaicas* nos lo muestran desempeñando el papel y las actividades de un feudal que vivía del bandolerismo: «Costobaro y Saulo reunían también en torno suyo a una multitud de gentes perversas; *ellos eran de raza real y muy apreciados a causa de su parentesco con el rey Agripa*, pero eran violentos y estaban dispuestos a apoderarse de los bienes de los más débiles». (Cf. Flavio Josefo, *Antigüedades judaicas*, manuscrito *griego*, XX, 214.)

Este Saulo es, pues, el de los Hechos, que «había sido criado por Herodes el Tetrarca» (13, 1), y sobre quien ya hemos dado todas las explicaciones en este particular (*supra*, p. 36). Por lo tanto fue él quien hizo matar a Esteban, alias Stephanos, por sus hombres, y no los zelotes. Y esto sucedió en el camino que va de Jerusalén a Lydda, más exactamente hacia Beth-Horon, ciudad doble, situada a unos 20 km de Jerusalén.

Esta ciudad se dividía en dos grupos urbanos diferentes: la Alta Beth-Horon y la Baja Beth-Horon. Ambas estaban situadas en la antigua frontera de los reinos de Judá y de Israel, y ambas fueron construidas por Sera, hija de Beria, hijo de Efraím, en los tiempos de las doce tribus (I Crónicas, 7, 24). La Baja Beth-Horon, que fue destruida en el curso de las guerras, fue reconstruida por Salomón (I Reyes, 9, 17). Antes, como eran ciudades filisteas, habían sido totalmente paganas. Las ruinas se encuentran en la actualidad en Jordania, *a unos pocos kilómetros de Emaús, al nordeste.*

Fue, pues, a pocos kilómetros de Jerusalén, en el camino que va hacia Beth-Horon, donde a Esteban le «causaron daño» unos bandidos mandados por Saulo, príncipe herodiano de sangre real y «salteador de caminos», a la manera de algunos de nuestros feudales medievales. Los desgraciados judíos de Jerusalén, y su Sanedrín, no tuvieron nada que ver con su muerte. Pero en la época en que el escriba, probablemente sirio, redacta los Hechos, y en especial este episodio, es decir en el siglo IV, el Imperio romano es cristiano, tanto si quiere como si no, y sus emperadores no bromean con la ortodoxia, y menos con la suya. Los judíos se han dispersado por todo el Imperio desde Adriano y la derrota de Simeón-bar-Koseba en el año 135. Y se les puede achacar todos los crímenes imaginables. Entre Saulo-Pablo, árabe idumeo, y los judíos, nuestros escribas árabes sirios no vacilan. La milenaria animosidad continúa.

Pero este Esteban, alias Stephanos, ¿era realmente un criado del emperador, es decir, de Claudio César? En caso afirmativo, debemos plantearnos todavía algunas cuestiones molestas:

1) En este caso no puede tratarse sino de un liberto. Y entonces tiene, por lo menos, dos nombres: el *praenomen*, es decir su nombre distintivo, y el *nomen*, el nombre de la familia, y quizás el *cognomen*, que es el nombre que relaciona al individuo con una colectividad. Los *libertos* añadían a su *praenomen* el nombre del «amo» que los había liberado. Si más adelante tenían el honor de convertirse en ciudadanos romanos (*civis romanus*), añadían el *praenomen* del emperador reinante. Esos eran los *tria nomina* romanos.

Por ejemplo, Palante, el célebre liberto, que fue uno de los amantes de Agripina, se llamaba *Claudii libertus Pallas*. Narciso, a su vez, se llamaba *Claudii libertus Narcissus*. En el caso de la ciudadanía romana, se tomaba asimismo el nombre del emperador reinante. El tribuno Lisias se llamaba, por ejemplo, *Claudius Lysias*.

En el caso de nuestro *Stephanus* (y no *Stephanos*, si era criado del César), ignoramos sus otros nombres. En este supuesto, ¿es plausible que el emperador reinante, Claudio César, enviara a Judea a un servidor de su palacio imperial, para que le llevara unos muebles, cuando una simple carta al gobernador de la provincia de Siria, transmitida al procurador de Judea, su subordinado directo, y una orden de éste a un oficial ordinario, habrían permitido enviar al emperador, sin ninguna dificultad, los muebles solicitados?

2) ¿Cuáles eran esos raros y lujosos muebles que sólo Judea podía proporcionar al emperador? Nos perderíamos inútilmente en conjeturas al respecto, porque en Roma había todo cuanto era necesario. Tanto más cuanto que la palabra empleada por Flavio Josefo significa, *en griego*, tanto muebles como *valiosos jarrones*.

3) ¿Por qué el manuscrito eslavo ignora todos estos detalles?

La respuesta es fácil. Los manuscritos de Flavio Josefo de que disponemos son todos de la Edad Media, no hay nada de antes. Es evidente que los escribas que los copiaron en esta época, al actuar muy lejos los unos de los otros, con sus censuras, interpolaciones y extrapolaciones, al no hablar la misma lengua, al no conocerse siquiera, al transcribir, corregir, suprimir, en épocas diferentes, sin tan sólo conocer los trabajos análogos de sus colegas lejanos, de sus predecesores, no pudieron sincronizar sus «arreglos». Ahora es eso lo que los pierde y revela sus supercherías. Si tuviéramos la suerte de encontrar un original de Flavio Josefo, no faltarían las sorpresas.

La conclusión de todo esto es muy sencilla.

Saulo-Pablo y su hermano Costobaro, «príncipes de sangre real», son no sólo un poco bandidos si se presenta la ocasión, como hemos visto, sino que, además, Saulo es también el jefe de una policía paralela, bajo las órdenes de Herodes Agripa I. Esto es lo que se deduce de la lectura atenta de los Hechos de los Apóstoles, como ya hemos mostrado (*supra*, p. 26).

Se enteró de la misión de un tal *Stephanos*, hombre de confianza y subordinado oficial de Simón-Pedro y de los ayudantes de Jesús, en la región de Beth-Horon, o incluso más lejos, hacia Lydda. Sabía que este Stephanos era un agitador. Fue a su encuentro, o bien le persiguió. Stephanos ya se encontraba en el lugar, o tenía una escolta. Tuvo tiempo de sublevar, o bien él mismo, con la ayuda de prodigios pseudo-mágicos, o bien sus propios subordinados, a la población de uno o dos pueblos próximos a Beth-Horon. Y Saulo-Pablo se tuvo que enfrentar con una auténtica sublevación campesina. Al regresar a Jerusalén, pondría al corriente al procurador Cumano, quien enviaría varias centurias de legionarios a reprimir la tentativa de rebelión zelote.

Entre tanto, a Stephanos o bien le decapitarían en el mismo lugar y enviarían su cabeza a Cumano, *según era costumbre entre los romanos*, o bien lo capturarían, lo conducirían a Jerusalén, y a continuación sería crucificado, como se acostumbraba a hacer con los militantes zelotes que eran hechos prisioneros. Esta ejecución no se sitúa en modo alguno en los años 33 o 36, como pretende falsamente el escriba anónimo de los Hechos, al situar la muerte de Esteban-Stephanos inmediatamente después de la muerte de Jesús.[82]

Porque Ventidio Cumano fue procurador a finales del año 47; sucedió a Tiberio Alejandro, hasta el año 51, año en que fue reemplazado por Antonio Félix. *La muerte de Esteban se sitúa, pues, como muy pronto a finales del año 47*. Y en el mismo año 47, pero algunos meses antes, bajo Tiberio Alejandro como procurador, fueron crucificados en Jerusalén Simón-Pedro y Jacobo-Santiago. Sobre el período que vio el trágico fin de los hermanos y ayudantes de Jesús-bar-Juda, remitimos a la próxima obra, cuyo manuscrito está casi terminado, y que pondrá orden en las leyendas «interesadas»...

Todo esto se sitúa en el período de agitación zelote que corona el famoso sínodo de Jerusalén, y en el curso del cual los más humildes sufrieron del hambre que azotó no «a toda la tierra», como *se hace decir* a Flavio Josefo, sino solamente a Palestina, a consecuencia de las innumerables insurrecciones: «En aquel tiempo azotó a Judea una gran

---

82. Los exégetas católicos y protestantes difieren en esta fecha en tres años, que todavía hay que revisar, a causa del error de cinco años cometido por el monje Denys-le-Petit.

hambre, durante la cual la reina Helena compró muy caro el trigo a Egipto y lo distribuyó a aquellos que lo necesitaban». (Cf. Flavio Josefo, *Antigüedades judaicas*, XX, 101; XXX, xv, 3, y XX, ii, 6.) La reina de Abdiadena, Helena, se había convertido al judaísmo.

Pero todos los historiadores reconocen que es muy difícil situar los acontecimientos de este período. Ni siquiera están de acuerdo en las fechas del ejercicio de los diferentes procuradores.

Algunos, como es lógico, nos van a preguntar dónde está la prueba, en el texto de Flavio Josefo, de la presencia de Saulo, príncipe herodiano, jefe de la policía paralela, en el camino de Jerusalén a Beth-Horon, el día en que se causó daño a Stephanos-Esteban.

Los Hechos de los Apóstoles nos dicen (8, 1) que Saulo había aprobado ese asesinato. Por lo tanto, desempeñó un papel decisivo en este caso, cuando tuvo que determinar la muerte de Esteban. Por último zanjó la cuestión sobre la suerte que le esperaba.

Pues bien, las *Antigüedades judaicas* de Flavio Josefo y los Hechos de los Apóstoles se confirman y se aclaran mutuamente en lo referente al papel y a la importancia de Saulo-Pablo:

«Costobaro y Saulo tenían también consigo gran número de guerreros, y el hecho de que fueran de sangre real y parientes del rey les hacía gozar de una gran consideración. Pero eran violentos y siempre estaban dispuestos a oprimir a los más débiles.» (Cf. Flavio Josefo, *Antigüedades judaicas*, XX, viii.)

«Saulo devastaba la Iglesia, y entrando en las casas, arrastraba a hombres y mujeres y los hacía encarcelar... No obstante, Saulo, respirando todavía amenazas de *muerte* contra los discípulos del Señor, se llegó al sumo sacerdote pidiéndole cartas de recomendación para las sinagogas de Damasco, a fin de que, si allí hallaba a quienes siguiesen ese camino, hombres o mujeres, los llevase atados a Jerusalén.» (Cf. Hechos de los Apóstoles, 8, 3, y 9, 1-2.)

Habría que tener muy mala fe para no reconocer aquí a un solo y mismo personaje. Por otra parte, a Esteban le matan «*fuera de la ciudad*» de Jerusalén (Hechos, 7, 58), y a Stephanos le causan daño «*en el camino de Beth-Horon*», según el manuscrito eslavo, y «*cerca de Beth-Horon*», según el manuscrito griego de Flavio Josefo. Entre Jerusalén y Beth-Horon hay 20 kilómetros como máximo.

A Esteban, en los Hechos de los Apóstoles, se le llama Stephanos en los manuscritos griegos originales de éstos. Y ahora sabemos que Saulo-Pablo es responsable de su muerte. ¿Cómo no reconocer ahí simplemente *una historia en dos versiones diferentes*?

Y si el Stephanos de los Hechos tiene a Saulo como responsable de su muerte, fuera de Jerusalén, el Stephanos de las *Antigüedades judaicas* tiene al mismo Saulo como jefe de los asesinos, fuera de Jerusalén, en el camino de Beth-Horon.

Y por lo tanto, la represión romana que sucedió a su ejecución demuestra que el tal Esteban era un agitador zelote. Y todas esas ejecuciones, repitámoslo una vez más, se insertan en el período que va del año 44 al 63 de nuestra era, la mayor parte de las cuales fueron entre el 44 y el 47. Uno después de otro, los hermanos y los ayudantes de Jesús, sus hijos, sus sobrinos, irán desapareciendo, decapitados o crucificados.[83] ¿A quién podrá hacerse creer que Roma, tan tolerante en materia religiosa, tan respetuosa incluso con el culto judaico, no llevó a cabo simplemente una represión despiadada contra un movimiento de insurrección que, evidentemente, lo era, pero que se justificaba por el propio exceso de las requisiciones romanas, los impuestos, los tributos, es decir, un verdadero bandolerismo administrativo, perfectamente organizado?

Pero la muerte de Esteban sigue constituyendo una clave que nos va a permitir llegar a unas constataciones todavía más importantes que la rectificación histórica objeto de este capítulo. En efecto, indirectamente nos confirmará todo lo que ya hemos descubierto en lo referente a la verdadera personalidad de Saulo-Pablo.

El descubrimiento del combate de Beth-Horon nos aporta una prueba más de las incoherencias, por no decir de las mentiras, que sirven de trama general a los pseudo Hechos de los Apóstoles. Razonemos un poco.

Según esos mismos Hechos, Saulo está en Jerusalén en el año 36 de nuestra era, y allí asiste a la lapidación de Esteban. Entonces es un joven adolescente (*adolescentem*: Hechos, 7, 59) Es alumno de Gamaliel (cf. Hechos, 22, 3), y muy anticristiano (*op. cit.*, 8, 1-3).

¿Cómo admitir entonces que no hubiera conocido a Jesús, y especialmente, que no hubiera asistido a su crucifixión, si ésta tuvo lugar el año precedente en esa misma ciudad de Jerusalén?

Pero es obvio que *Saulo jamás había visto a Jesús*, basta con leer sus Epístolas y los Hechos de los Apóstoles para convencerse, y ningún apócrifo del *Corpus paulinum* habla jamás de tal encuentro.

Por consiguiente, nos vemos inducidos a concluir que:

1) la muerte de Esteban no tuvo lugar en Jerusalén en el año 36;

2) en ese mismo año 36 Saulo no era alumno de Gamaliel, en Jerusalén. Entonces tiene unos trece años y vive en Tiberíades o en Cesarea Marítima, en el seno de su familia herodiana, con Herodes Agripa II y Menahem;

3) en el año 36, como ya se ha dicho, Esteban habría muerto bajo Pilato o Marcelo, procuradores, en cambio murió bajo Cumano, que fue procurador en el año 47, es decir, once años más tarde;

4) si en los años 36-37, como se dice, hubiera estado al mando de una milicia supletoria bajo las órdenes del gran rabino Gamaliel (Hechos, 8, 3, y 9, 1), Saulo necesariamente habría participado con

83. Todos esos hechos serán relatados por nosotros en un próximo volumen titulado: *La vraie fin des apôtres*.

su tropa en el monte de los Olivos y en el apresamiento de Jesús. En cambio jamás nadie sostuvo tal cosa;

5) no es posible que los judíos hubieran tenido en el año 36 el derecho de condenar a muerte a Esteban por haber blasfemado, ya que no habían tenido ese derecho con Jesús, en el año 34, para el mismo tipo de acusación: «Los judíos respondieron a Pilato: "No nos está permitido dar muerte a nadie"». (Juan, 18, 31.) En efecto, el *jus gladii* les había sido retirado en el año 30, en el ámbito religioso, y apenas llegaron los primeros procuradores, en el año 9, también lo fue en el ámbito del derecho común.[84].

No deja de ser sorprendente el hecho de que los exégetas de las grandes iglesias oficiales jamás llegaran a tales constataciones, o, de haberlas hecho, que hubieran creído que su deber era callarlas. ¡A menos que dichas constataciones hubieran desembocado en último término a la solución de León X, que hemos citado como epígrafe al comienzo de la presente obra!

---

84. No obstante, parece ser que lo recuperaron, en el curso de ciertos períodos, y brevemente (*infra*, pág. 203).

154

Segunda parte

Pablo, el que creó a Cristo

> *Yo, yo soy el* ETERNO, *y fuera de mí no existe ningún salvador.*
>
> Isaías, 43, 11

> Si junto a ti surge un profeta, que te muestre una señal o un prodigio y, habiéndose cumplido la señal o el prodigio, te diga: «Sigamos a otros dioses» que tus padres no han conocido, no escuches a ese profeta.
>
> Deuteronomio, 13, 1-3

13

La religión paulina[1]

Para que una religión sea apreciada por las masas, necesariamente tiene que guardar algo del gusto a la superstición.

G.-C. LICHTENBERG, *Aforismos*

Es seguro que Saulo-Pablo jamás estudió la religión judía «a los
pies de Gamaliel», el doctor supremo, tal como él pretende —o como
se le hace decir— en los Hechos de los Apóstoles (22, 3). Ignora
completamente sus sutilezas. Cuando declara, despectivo: «¿Acaso
Dios se ocupa de los bueyes?» (cf. I Epístola a los Corintios, 9, 9),
razona como buen idumeo, como árabe, pero no como hijo de Israel.
Si no, recordaría las prescripciones de Moisés respecto a los animales,
prescripciones llenas de una piedad y una dulzura totalmente extrañas
a la época en que fueron dictadas y a los pueblos que eran entonces
vecinos o enemigos de Israel. Citemos simplemente, para no sobrecar-
gar este capítulo: Génesis, 9, 9; Éxodo, 23, 5, 12 y 19; Deuteronomio,
22, 10, etc. Y el animal al que se sacrifica o al que se inmola no debe
sentir la muerte, para ello, el filo del cuchillo no ha de tener defecto
alguno, ya que el animal no debe sufrir en absoluto, De lo contrario, la
carne es impura y no es apta para el consumo.

Convengamos que, para la época de su promulgación, semejante
ley implicaba un avance moral considerable respecto a las leyes en
vigor. Esta benevolencia hacia nuestros hermanos inferiores la hereda

---

1. Algún crítico «racionalista» y partidario de la inexistencia de Jesús, al reprochar-
nos —cosa curiosa— que hubiéramos evocado algunos aspectos de un Jesús guerrillero,
declara: «Al señor Ambelain le ha faltado explicarnos cómo se le pudo prestar una
enseñanza moral, asimilarlo al Logos y al "pan de la vida", etc. Esos problemas son
escamoteados, y eso es burlarse del lector».

Ahí va nuestra respuesta...

Moisés del antiguo Egipto. El cristianismo, al ser paulino de origen, ignorará todo eso...

Del examen de los textos atribuidos a Saulo-Pablo resulta que jamás conoció las Escrituras judías de otro modo que no fuera a través de su versión griega, llamada de los *Setenta*, la utilizada por los *Gentiles* que se habían adherido a la religión judía, es decir, los prosélitos, los «temerosos de Dios». Ahora bien, si hubiera estudiado, y durante largo tiempo, claro está, «a los pies de Gamaliel», rabino de Israel, los cursos de teología habrían tenido lugar *en arameo, sobre textos hebreos*. Charles Guignebert analizó perfectamente el significativo comportamiento de Saulo-Pablo: «Cuando vuelva a ponerse en contacto con palestinos puros, aunque sean cristianizantes, reinará la incomprensión mutua y la desavenencia. Esto también es significativo. Y mi impresión global sobre su cultura judía es, en definitiva, la misma que parece resultar de su cultura griega: el rabinismo de Pablo es superficial, y ni siquiera le ha inculcado ese respeto a la ciencia sagrada que era su propia razón de ser. Se diría que a los verdaderos rabinos, a los fariseos puros, sólo los ve a través de un prisma que los deforma, y no me sorprendería que fuera, en efecto, así». (Cf. Ch. Guignebert, *Le Christ*, V.)

Por otra parte, sus orígenes sociales elevados, su pertenencia a la aristocracia idumea de los Herodes, le han hecho considerar el Imperio romano de manera muy distinta a como lo hacía un judío auténtico, quien veía en la ocupación romana, en las exacciones de sus procuradores, en ese bandolerismo administrativamente organizado, una prueba deseada por Dios, y por lo tanto pasajera, pero insoportable, impuesta al pueblo elegido por Dios para servir de modelo a las naciones paganas.

Esta pesada ocupación a él no le molesta, pues para él el Imperio romano es una potencia positiva, que ha proporcionado la fortuna a su familia; y también, cuando al esclavo hebreo tenían que dejarle obligatoriamente en libertad al cabo de siete años de servicios (Éxodo 21, 2), ya que el séptimo le aportaba la libertad, Saulo-Pablo no tuvo una sola palabra de condena para ese azote social que es la esclavitud. Es más, plantea como principio que toda autoridad, sea la que fuere, ha sido decidida por Dios (Epístola a los romanos, 13, 1-7). Todo cuanto constituye función de las autoridades, magistrados, todo eso es voluntad de Dios, y «¡para eso pagáis impuestos!». Uno se imagina sin dificultad las reacciones de los desgraciados judíos, explotados y exprimidos por Roma, ante tan cínicas afirmaciones.

Por otra parte, sus orígenes principescos, su calidad de ciudadano romano, sus anteriores actividades de rapiña feudal, bandido cuando se presentaba la ocasión, sus antiguas funciones de jefe de una policía supletoria, le hacen despreciar al pueblo judío, dispuesto a rebelarse contra el ocupante romano. Como se sentía secretamente odiado y despreciado por las masas judías, sus simpatías se inclinaban hacia los *gentiles*.

De todo esto se resentirá la doctrina que poco a poco irá formulando, de cara a la realización de un plan que acaricia profundamente y que pronto abordaremos. Además, su formación religiosa es inicialmente pagana en su infancia. Aunque la Idumea estuviera integrada en la provincia de Judea desde los reyes asmoneos, sólo es judía en la imaginación de aquéllos. Allí abundan los templos paganos, y es testimonio el de Ascalón, en el que era sacerdote uno de sus antepasados directos. De manera que para Saulo-Pablo esa doctrina que comienza a formular en sí mismo reflejará, inconscientemente, sus pasadas creencias. No puede asimilar el estricto monoteísmo de Israel. Y así, también inconscientemente, transpondrá el trinitarismo pagano de los viejos cultos de la Nabatea contemporánea, todavía latente en Idumea, en un trinitarismo bien propio.

Aunque carecía de una cultura inicial, hizo un descubrimiento que revistió importancia para él: conoció las obras de Filón de Alejandría. Filón era el tío de Tiberio Alejandro, procurador romano en el año 47, en Judea. Recordemos que fue él quien estaba en funciones en Jerusalén en el momento en que tuvo lugar el primer sínodo en dicha ciudad; fue él quien hizo crucificar a Simón-Pedro y a Jacobo-Santiago en aquella época. Aparte de eso, Pablo se familiarizó con los rudimentos de la gnosis a través de Dositeo, que entonces se hallaba en Kokba, poco antes de Damasco.

Saulo-Pablo vio el resultado de las mezclas político-religiosas con la tragedia zelote. No se ganaba nada atacando a Roma en el plano material. Y tampoco tenía ningún interés, más bien al contrario. En cambio, con una doctrina seductora, que recogiera los temas que hasta entonces habían atraído siempre a los paganos cultos, predicando una doctrina que recordara la de los «misterios» a los que estaban acostumbrados los gentiles, descartando todo aquello que pudiera hacer levantarse en contra los poderes temporales, obligando a los fieles a vivir como individuos sometidos y dóciles, se tenía la posibilidad de reunir a muchísima gente. Haciéndolo así, podía crearse un verdadero imperio «espiritual», con una capital, provincias regidas por gobernadores también «espirituales», y que vigilaran unos *missi domini* perfectamente serios. Dicho imperio existía ya, y era el de la *Diáspora* judía, sobre el que reinaba el sumo sacerdote de Israel, quien no solamente disponía de poder de jurisdicción, sino también de extradición, y que recibía desde muy lejos los impuestos y los diezmos. Y para Saulo-Pablo ése era el único refugio. En efecto, al hacerse circuncidar y al convertirse oficialmente al judaísmo, cortó con sus orígenes árabes. El ejemplo de Silaios, el intendente general de Aretas, rey de Nabatea, al rehusar dejarse circuncidar, como le pedía astutamente Herodes, para poder casarse con Salomé I, hermana de este último, porque temía que le lapidaran sus compatriotas (*supra*, p. 104) lo prueba. Por otra parte, y como hemos visto (*supra*, p. 46), Roma no admitía la circuncisión para los *gentiles* que abrazaban el judaísmo. A continuación, y en virtud de la *Lex Cornelia*, emperadores como Adriano y Antonino el Piadoso, prohibieron formalmente dicho rito mediante la publicación de edictos. A los hombres libres que se hicieran circuncidar les esperaban penas diversas, como expulsión, confiscación de los bienes o pena capital. En los tiempos de Saulo-Pablo todavía no regía tanta severidad, pero los romanos ya mostraban un rechazo formal hacia todo latino o griego que se hubiera pasado al judaísmo. De manera que nos encontramos a nuestro hombre no sólo separado del mundo idumeo y nabateo, sino también del romano y del griego. ¿Qué podía hacer?

¿Integrarse en los zelotes, entre los mesianistas, dirigidos por los «hijos de David»? Ni hablar. ¡No tenía ningún porvenir! Los primeros puestos estarían siempre reservados a los verdaderos «hijos de la Alianza», a los elegidos de Yavé. De modo que Saulo-Pablo sólo hará que *le admitan momentáneamente*. De esta decisión nacerán contactos episódicos, que sólo durarán algún tiempo, con Simón-Pedro y Jacobo-Santiago, tal como nos lo cuentan los Hechos de los Apóstoles. Luego, cuando los jefes mesianistas hayan sido progresivamente eliminados por las legiones romanas de la manera que ahora sabemos, nuestro hombre podrá al fin volar con sus propias alas. En el período preparatorio habrá tenido tiempo de introducirse, de familiarizarse con los principios y las tradiciones de la nueva corriente «cristiana».

Queda el problema de una doctrina que le permita presentarse como portador de un mensaje de salvación. Ya hemos dicho antes que tuvo conocimiento de la obra de Filón de Alejandría, un extenso trabajo en el que el autor presenta una interpretación alegórica del Pentateuco, especialmente en su *Nomon hieron allegoriai*. Sobre todo tiene la originalidad, siendo judío de nacimiento, de atreverse a afirmar que Dios no establece ninguna diferencia entre los hombres, que no es el nacimiento lo que confiere la nobleza, sino la sabiduría y la virtud. Todos los que se apartan de la idolatría para acudir al verdadero Dios son miembros del auténtico Israel, que no es el *de la carne y el nacimiento*. Y para Filón, que expresaba por primera vez esta enseñanza secreta de los doctores de la Ley, esta especie de cosmopolitismo del judaísmo es la garantía de que constituye la verdadera y la mejor de las religiones.

Y esto colmará de gozo a nuestro Saulo-Pablo. Su concepción de Jesús-Mesías, que extraña en especial a los zelotes, como a Simón-Pedro, quien en las *Homilías Clementinas* le replica que Jesús jamás se había pretendido Dios,[2] podrá elevarse, gracias a Filón, al nivel del *Logos* platónico, del Verbo divino, y le permitirá relegar el *Metatrôn-saar-ha-Panim* de los cabalistas a segundo plano. Porque Saulo-Pablo no inventó nada en este terreno; cuando predica el Verbo es Filón quien habla. Ahora vamos a poder juzgarlo.

---

2. «Nuestro Señor —respondió Pedro— jamás se proclamó a sí mismo Dios.» (Cf. Clemente de Roma, *Homilías Clementinas*, XVI, xv.)

Para Filón, el *Logos* emana de Dios, no es una criatura como el *Métatrôn*. Es la *primera criatura de Dios* (*uios protogonos*), es su *imagen* (*eikon*), su *copia* (*apeikoniosma*), *otro dios*, su *réplica* (*ëteros Oeos, deuteros Oeos*). Es el *portavoz* y el *mensajero* del Altísimo (*logophoros, aggelos*).

Por otra parte, ese *Logos* es además el mediador entre los hombres y Dios, es el sumo sacerdote, el *suplicante* (*iketès*) del Mundo, y es en ese papel como se le representa delante de Dios. Es también el arquetipo inicial sobre el que fue concebido el hombre terrestre, el Hombre en Sí, hecho a la imagen divina (*o' kat' eixona änaropos, a arétupos toü aitiou*).

Además, para Filón el mal no viene de Dios, contrariamente a la teología rabínica. Procede de la Materia, de los Poderes espirituales inferiores, de los *logoi* secundarios, necesariamente imperfectos, que lo configuran por orden de Dios. En esta Materia, informe e inerte, plasticidad coeterna a Dios, han infundido el *espíritu de vida* (el *noùs*), para organizarlo.

Reconoceremos que todo esto se encuentra *íntegramente* en las enseñanzas paulinas.

Por último, al lado de Filón de Alejandría, Saulo-Pablo yuxtapondrá una teoría de la salvación que adoptará del orfismo. Antes de pasar a un breve estudio de éste, conviene precisar que nuestro apóstol ocasional causará escándalo, un escándalo enorme entre los judíos, el que enuncia con la glorificación de la cruz patibular en la que murió Jesús-bar-Juda.

En nuestra obra precedente[3] ya habíamos demostrado que jamás se había hecho alusión alguna, en el Antiguo Testamento, a un *salvador espiritual* diferente del propio Dios, más bien al contrario, pues semejante creencia era ya formalmente desmentida de antemano. Y afirmar que ese *salvador, que plagiaba la obra de Yavé*, había descendido a los más bajos límites de la última degradación, constituía para los judíos ortodoxos una auténtica blasfemia. Porque en el Deuteronomio leemos lo siguiente: «Cuando en un hombre hay un pecado que lo haga reo de muerte, sea condenado a muerte y cuélgalo de un árbol; no dejarás su cadáver toda la noche en el árbol, sino que lo sepultarás el mismo día, porque un ahorcado es una maldición de Dios, y tú no debes contaminar la tierra que Yavé, tu Dios, va a darte en heredad». (Deuteronomio, 21, 22-23.)

Hay que recordar que el ahorcado libera su semen. Y los brujos y brujas iban a recoger esas mandrágoras preciosas que crecían al pie de los patíbulos, ya que estaban impregnadas del esperma de los colgados. Y luego se servían de él para sus maleficios. Por otra parte, los crucificados, tanto si estaban atados como si estaban clavados a su cruz, manchaban el bosque, sus miembros inferiores y el suelo, con sus ex-

___

3. *Jesús o el secreto mortal de lo templarios*, p. 273.

crementos sólidos y líquidos. Por consiguiente, imaginar que un «liberador» terminara así su vida era algo *impensable*.[4]

Y ahora podemos volver al orfismo.

Para Saulo-Pablo, Jesús, hijo de David, muerto en la cruz por sentencia romana como condena a diversos actos considerados delictivos en grado sumo por las leyes romanas, se ofreció él mismo como sacrificio para calmar la cólera de su Padre Celestial Yavé. Esto debió de asombrar considerablemente a los medios apostólicos iniciales, y a los hermanos de Jesús en particular. Porque *jamás* en el curso de los evangelios, *jamás* dicho Jesús declaró que su muerte (que él sabía que era inevitable y dolorosa, y que debía tener lugar en Jerusalén) tuviera por objetivo liberar a la humanidad de una deuda hacia su Padre celestial y calmar su cólera.[5]

Y esto Saulo-Pablo lo saca de los misterios órficos. Ya que si hubiera sido realmente judío, educado «a los pies de Gamaliel», no habría ignorado esta condena pronunciada de antemano contra los sacrificios humanos por los profetas y en nombre del Eterno, aun cuando dichos sacrificios se realizaran en su honor:

«Los hijos de Judá han construido la altura de Tofet, que se encuentra en el valle de Ben-Hinnón, para quemar en el fuego a sus hijos e hijas, cosa que yo no mandé y que jamás me pasó por la mente.» (Jeremías, 7, 31.)

«Presentaron sus ofrendas, que me irritaron... Al presentar vuestras ofrendas y al hacer pasar a través del fuego a vuestros hijos os contamináis...» (Ezequiel, 20, 28-31.)

«... ni profanaréis más mi santo nombre con vuestros dones y con vuestros ídolos...» (Ezequiel, 20, 39.)

«No me son gratos vuestros holocaustos y no me placen vuestros sacrificios...» (Jeremías, 6, 20.)

«¿Por qué me ofrecéis tantos sacrificios? dice Yavé. Estoy ahíto de los holocaustos de carneros y de la grasa de los terneros; la sangre de los toros, corderos y machos cabríos no me es grata. Cuando venís a ver mi rostro, ¿quién solicita tales cosas de vosotros, que venís a pisotear mis atrios?... ¡Vuestras manos chorrean sangre! Lavaos y purificaos...» (Isaías, 1, 11-16.)

«Porque yo quiero amor, no sacrificios..., y el conocimiento de Dios más que los holocaustos...» (Oseas, 6, 6.)

---

4. «Cuando en el año 560, aproximadamente, en Narbona, fue exhibido por primera vez el crucifijo con el cuerpo del ajusticiado, según testimonio de Gregorio de Tours, eso constituyó un tremendo y muy comprensible escándalo», nos dice el R. P. Maxime Gorce en la revista *Renaissance Traditionnelle* (Núm. 5. enero de 1971).

5. El cardenal Jean Daniélou en su obra *Théologie du Judéo-Christianisme* (pp. 112-114) nos demuestra que, para describir la Pasión, utilizaron simplemente, en el siglo IV [en las composiciones redactadas por orden de Constantino y bajo la supervisión de obispos como Eusebio de Cesarea, *N. del A.*], textos consagrados a la víctima propiciatoria en el Antiguo Testamento...

¿Qué pensar entonces de un sacrificio humano?

Se objetará que, no obstante, según el ritual judaico se perpetraban en el Templo sacrificios sangrientos de animales. Es cierto. Pero uno olvida recordar que esa fue una de las causas de la fundación de la secta esenia, que los condenaba. Por otra parte, la casta sacerdotal estaba en gran parte en manos de los saduceos, fracción rica de la población, materialista como es natural (rechazaba la creencia en un destino *post mortem* para el alma), y semejantes sacrificios representaban para los sacerdotes salidos de ella un bonito margen de provechos.

Paralelamente, dichos sacrificios sangrientos no molestaban en absoluto a Saulo-Pablo. Eran normales en la mayoría de los cultos paganos. Y en la Arabia nabatea, vecina inmediata de su patria, Idumea, la trinidad divina adorada por los árabes nabateos los incluía, especialmente su *Dusares*, idéntico a *Dionisos*, durante los *Actia Dusaria*, esas grandes fiestas en el curso de las cuales cautivos y esclavos veían regularmente y en fechas fijas impregnar con su sangre los altares de dicha trinidad: *Dusares*, entre sus dos compañeras diosas, *Ouzza*, desdoblamiento de *Atenea* y *Afrodita*. Por encima de ellos reinaba *Beel-Samin*, el padre celestial, el *señor de los cielos*. Según testimonio de Epífano (cf. *Panarion*), *Dusares* nacía el 25 de diciembre de una virgen madre llamada *Ka'abou*.

Todo esto, es decir, el *filonismo*, el *dusarismo* y el *orfismo* constituyeron una abundante corriente sincretista en el espíritu de Saulo-Pablo. Y vamos ahora a estudiar este último, ya que nuestro amigo *condottiere*, doctor en teología a causa de una pena amorosa, lo que le faltaba a uno lo encontraba en otro. Lo que le permitía poder presentar siempre un aspecto válido de su «evangelio» a los *gentiles* de todas las nacionalidades. Excepto a los judíos de buena tinta, claro está.

El orfismo se nos presenta en dos épocas que muestran una indiscutible mutación progresiva. Ya en el siglo V antes de nuestra era Herodes hace alusión a ello; luego es Platón, en el siglo IV a. C., y Aristóteles, en la misma época, y por último el peripatético Eudemio. Pero lo único cierto que nosotros poseemos es el testimonio de dos papiros de Egipto, bastante mutilados por cierto, que datan uno del siglo III y otro del II *antes de nuestra era*, y que nos aportan el primero fragmentos de un ritual órfico, y el segundo una versión de un relato ritual relativo al secuestro de Perséfone.

Para la segunda época del orfismo estamos mucho mejor dotados, ya que los documentos son mucho más numerosos, y abarcan desde principios del siglo II de nuestra era a finales del IV, época en que las religiones paganas quedan fuera de la ley, los templos son cerrados, las escuelas iniciáticas prohibidas, so pena de castigos muy graves. Vamos, pues, a resumir en pocas líneas las enseñanzas órficas.

Las afinidades del orfismo con el cristianismo paulino son, en efecto, bastante numerosas y bastante sorprendentes. Es una religión revelada, que tiene sus profetas, sus libros sagrados. El dios a cuyo alrededor gira la enseñanza esotérica sufre, muere y resucita, glorioso, junto al Dios Supremo, su padre. Garantiza a sus fieles la redención de una mancha original, y una unión perfecta, en total comunión neumatológica, con la divinidad salvadora. Los no iniciados son amenazados, en función de los pecados que no han purgado, con interminables suplicios en el otro mundo.

El orfismo predica una vida de pureza y de ascetismo, y considera la existencia terrestre como una prueba dolorosa, que el alma debe atravesar purificándose mediante la observación de una moral rigurosa y de ritos a la vez culturales y catárticos. Como siempre en tales campos, el orfismo posee una esoteriología. Veamos aquí un resumen, que exponía mucho más largamente a los *mystes* órficos el tradicional *hieros logos*, o discurso sagrado, de todas las religiones con misterios del mundo antiguo.

La hija de Deméter y de Zeus, Perséfone, fue raptada por Hades. Liberada en parte por su padre Zeus, tuvo con él, en una unión sagrada (hierogamia), un hijo, un joven dios llamado *Díonisos-Zagreus*.

A este hijo divino se le prometió el gobierno del Universo. Pero unos dioses inferiores, los Titanes, consiguieron apoderarse de Zagreus niño, y se repartieron su carne a fin de divinizarse aún más. Como castigo a semejante crimen, Zeus fulminó a los Titanes, pero de sus cenizas, en las que subsistía un último germen divino, nacieron los primeros hombres. Esos hombres participan, pues, de la naturaleza divina, por la chispa que duerme en ellos, y de la naturaleza demoníaca, por lo que les venía de los Titanes fulminados. Esta naturaleza *titánica*, según el término utilizado por Platón, es la que incita a los hombres hacia el mal, mientras la chispa divina los impulsa al bien. Ese crimen de los Titanes, pues, mancilla a todo el conjunto de la humanidad.

No obstante, en el *Hieros logos* se dice que el *corazón* de Zagreus había escapado a los asesinos del divino niño. De ese corazón sacó Zeus el principio de resurrección del joven dios asesinado, y luego, siempre según la doctrina órfica, le confió el gobierno del mundo: «Zeus lo colocó sobre el trono real, le puso el cetro en la mano, y lo hizo soberano de todos los dioses del universo». (Cf. Proclos, *Sobre el Cratilo de Platón*.)

Compárese con lo que dice Saulo-Pablo: «Dios, después de haber resucitado a Cristo de entre los muertos, lo sentó a la derecha en los cielos, por encima de todo principado, potestad, poder y dominación». (Cf. Epístola a los Efesios, 1, 20-21.)

Indudablemente el comentario sobre el *Cratilo* de Platón, por parte de Proclos, es un texto pitagórico, posterior a la Epístola a los Efesios; pero el texto de Platón así comentado es anterior en varios siglos a la epístola paulina. Y la leyenda iniciática de Zagreus no es lo único que sostiene tal mito esotérico. Que el lector se remita a lo que decimos del Mitra en nuestra obra precedente,[6] y quedará bien informado.

---

6. Cf. *Jesús o el secreto mortal de los templarios*, pp. 188-189.

164

"¿QUIÉN, SINO DIOS SOLAMENTE, PUEDE PERDONAR LOS PECADOS?"

Esta pregunta fue hecha por los críticos de Jesús cuando le oyeron hablar con un paralítico y decir, *"Tus pecados se te perdonan."* Jesús no disputó con ellos. En cambio, él les mostró que sí tenía el poder en la tierra de perdonar los pecados, diciéndole al enfermo, *"Levántate y recoge tu cama y vete a tu casa."* (Marcos 2:11) Inmediatamente el hombre hizo lo que se le había dicho, y Dios fue glorificado.

Aquel día el pueblo oyó y vio una gran verdad demostrada ante ellos. Era la verdad de que este Jesús de Nazaret era Dios encarnado con el poder de perdonar sus pecados. También aquel día supieron que ellos también podrían ser perdonados por Cristo mismo.

¿Con respecto a nosotros? ¿Quién perdona nuestros pecados? ¿Les ha dado Cristo este poder a otros? ¿Debemos confesar nuestros pecados a los hombres y esperar que esos hombres perdonen nuestros pecados? ¡No!

¡Sólo Jesucristo puede perdonar nuestros pecados! Ningún otro, vivo o muerto, puede mostrarnos clemencia, concedernos su gracia, salvarnos de nuestros pecados y de la ira de Dios en el futuro.

¿Por qué es cierto esto?

Sólo Dios puede perdonar los pecados. Jesús es Dios; por eso, sólo él nos puede perdonar.

Sólo Jesucristo derramó su sangre como ofrenda a Dios por nuestros pecados, y dice la Biblia, *"sin derramar sangre no hay remisión"* de los pecados. *(Hebreos 9:22)* ¿Sabes de otra persona que murió en una cruz por los pecadores?

Sólo Jesucristo es la fuente de nuestra salvación y nuestro acercamiento hacia Dios. Dice la Biblia que *"tampoco hay salvación en ningún otro; porque no hay otro nombre bajo el cielo proclamado entre los hombres, por lo cual nos hemos de salvar."* (Hechos 4:12) y también dice la Biblia que *"hay solamente un mediador entre Dios y los hombres, Jesucristo hombre."* (I Timoteo 2:5).

Jesús mismo dijo, *"Yo soy el camino, la verdad y la vida; ningún hombre llega ante el Padre sino por mí."* (Juan 14:6).

Leemos en Mateo 28:18 que Jesús dijo, *"Todo el poder en el cielo y en la tierra se me ha dado a mí."* Ahora, sin duda ninguna, aquel poder todavía incluye el perdón de los pecados. Hebreos 13:8 nos asegura que él es *"igual ayer, hoy y para siempre."*

Después de su resurrección él ascendió al cielo y fue sentado *"a mano derecha de Dios,"* (Col.3:1) para siempre, para mostrar clemencia y gracia a todos los que vienen ante él, confiando sólo en los méritos de su sangre preciosa.

Sólo Jesucristo está sentado en el "trono de gracia," recibiendo y perdonando a todos los que llegan a Dios por medio de él, diciendo siempre, "Vengan a mí todos entre ustedes que trabajan y están oprimidos, y les daré descanso." (Mateo 11:28) y "el que venga a mí de ningún modo lo desampararé." (Juan 6:37). Por eso, cada uno de nosotros puede llegar directamente ante el trono de gracia, asegurando por Cristo mismo que nos recibirá.

Así como él perdonó personalmente al enfermo en Capernaum, a ti te perdonará en el mismo momento que le invoques. Invócale en ESTE MISMO MOMENTO con esta sencilla oración:

"Señor Jesús, vengo ante ti, confesando que soy pecador. Creo que moriste en la cruz por mis pecados, y resucitaste, y que me estás escuchando ahora.

Acepto tu salvación que ganaste con tu propia sangre y ahora creo que me aceptas y que tu gracia me salva de todos mis pecados.

Te doy las gracias por entrar en mi corazón y transformarme en un ser nuevo."

Te aseguro por la autoridad de la palabra de Dios que Dios te aceptará y podrás entrar en su presencia con alegría y no con vergüenza.

REV. ROMULE S. BUCHANAN, B.D.

PROJECT LIFELINE
P.O. Box 143, Evansville, IN, USA, 47701

¿QUIÉN PUEDE PERDONAR LOS PECADOS

—sino Dios solamente?

Por último, Saulo-Pablo se dio un papel idéntico al de Orfeo en la nueva religión que se esfuerza por divulgar por el viejo mundo. Orfeo recibió esas enseñanzas, evidentemente, de Perséfone, la diosa iniciadora, durante su descenso a los Infiernos, donde ella reina seis meses al año, al lado de Hades, su esposo. Este descenso él lo hace por amor. Pero, al ser fiel a Eurídice, las mujeres de Tracia lo despedazarán por despecho, al verle rechazar toda participación en su orgía ritual. Pues bien, Saulo-Pablo no fue a buscar su propia revelación a los Infiernos, sino que pretende haberla recibido, cuando subió al tercer cielo, del propio Jesús. (Cf. II Epístola a los Corintios, 12, 2.) Esto, evidentemente, va a parar a lo mismo. Un hombre es elegido por la divinidad para llegar hasta ella, recibir una enseñanza iniciática y difundirla entre los hombres. Como consecuencia de su misión, aquellos a quienes aporta el mensaje le dan muerte. El tema es siempre el mismo, aparece sin cesar en las religiones de «misterios». Y la de Saulo-Pablo constituye una más.

Consúltese el mapa de los viajes de Saulo-Pablo (*infra*, pp. 292-293) y se constatará, como observa muy acertadamente nuestro amigo Jean Desmoulins, que éstos se desarrollaron siempre en regiones del Imperio romano en que florecían los cultos a *misterios con sacrificios*, las religiones en que el dios *muere para renacer* gloriosamente. Pablo tenía allí un terreno favorable para sus temas favoritos.

El hecho de que el orfismo y el filonismo impregnaran a su vez a Saulo-Pablo (ya que su cultura metafísica y teológica era a sus inicios bastante floja) se demuestra por las huellas que se encuentran de ellos en sus expresiones favoritas.

En el orfismo, el *cabrito* era el símbolo del iniciado en los misterios. En esta religión, el misterio se identificaba a Zagreus, y una de las apelaciones rituales era justamente *Erifos*, en griego «cabrito», que se aplicaba al dios. En el ritual constituía una palabra de pase, que se debía pronunciar ante las divinidades del mundo subterráneo (Campos Elíseos e Infiernos) para poder tener *libertad de paso*. Este rito es común a la gnosis, a la cábala, a la francmasonería *esotérica*. La frase clave es: «Cabrito, he caído dentro de leche...».

Y la leche es el primer alimento del *recién nacido*. En las religiones de «misterios» puede escribirse «recién *Nacido*»... Porque la iniciación es un renacimiento a un mundo nuevo, un cambio de «plano», el acceso a otro nivel de «conciencia». Y esta expresión la utilizará Saulo-Pablo varias veces:

«Os di a beber leche, no os di comida porque todavía no la admitíais...» (Cf. I Epístola a los Corintios, 3, 2.)

«Pues los que después de tanto tiempo deberíais ser maestros necesitáis que alguien os enseñe de nuevo los primeros rudimentos de los oráculos divinos, y os habéis vuelto tales, que tenéis necesidad de leche en vez de manjar sólido...» (Cf. Epístola a los Hebreos, 5, 12.)

Como se ve por todo lo que antecede, y como concluyó V. Macchiero en su libro *Orfismo e Paolinismo*, el paso del cristianismo judaico al cristianismo helénico, del hecho *histórico* de Jesús al hecho *místico* del Cristo, de un personaje real que vivió en Judea a un personaje mítico, especie de arquetipo detectado o imaginado, se operó gracias al orfismo, al no ser la cristología de Saulo-Pablo otra cosa que «una transposición del orfismo» (*op. cit.*, p. 18).

Aquí, de hecho, el mito helénico no es sino la representación imaginada de un estado real de conciencia, es decir, una experiencia. Por consiguiente, establecer que los elementos míticos del Cristo de Saulo-Pablo derivan del orfismo equivale a buscar hasta qué punto la resurrección mística en el cristianismo deriva de la del orfismo. Según el lenguaje contemporáneo, se trata de la repetición adaptada de un psicodrama.

Además, las indagaciones interesadas de un Tertuliano contra la liturgia de Mitra, o las de un apologista como Justino contra la del orfismo, se limitan a repetir la infantil explicación de los doctrinarios cristianos de esa época, a saber, que es el diablo quien, de antemano, ha elaborado e inspirado a los hombres esas preparodias del cristianismo. El diablo es el gran recurso de los tontos, lo hemos constatado innumerables veces, ¡incluso a costa nuestra! De manera que dejaremos a nuestros demonómanos, tanto los antiguos como los modernos, con sus infantiles elucubraciones. Y nos encontraremos con un extraño crucifijo, que ellos no dejarán de calificar de «blasfematorio».

Antes que nada, existen dos aspectos de la cruz. Está la *cruz cósmica*, que vamos a estudiar, y la *cruz patibular*, instrumento de suplicio. Ésta ya ha sido descrita en el volumen precedente, y es mejor no perder más tiempo con ella.

Al principio, los primeros cristianos, confusamente avergonzados por la ignominia del suplicio (ya que lo tenían con frecuencia ante sus ojos como castigo a crímenes mayores), se negaban a presentar a Jesús crucificado. Hasta el siglo V no se decidieron a hacerlo, y todavía de forma bastante discreta. En cambio la cruz griega, de brazos iguales, les era familiar, y la utilizaban con fines puramente talismánicos. Veamos lo que dice al respecto el cardenal Daniélou: «No sólo los cristianos trazan con su pulgar la señal de la cruz sobre su frente, sino que poseemos testimonios que atestiguan la práctica de *verdaderos tatuajes. El uso de dichos tatuajes es conocido en los cultos paganos a Dionisos y a Mitra*». (Cf. Jean Daniélou, *Les Symboles chrétiens primitifs*, IX.)

Ese carácter talismánico de la *crux*, o del *sphragis* (sello), se usaba para la vida espiritual, pero también para la vida profana: «Un tesoro que no esté marcado con el sello (*sphragis*) está a merced de los ladrones, una oveja sin señal está a merced de todas las asechanzas». (Cf. Séverien de Gabala, *Sur le baptême; Patrologie grecque*, XXXI, C. 432.)

Y Marcos el Diácono, en el siglo V, cita en la *Vida de Porfirio de*

Gaza a tres niños que cayeron en un pozo y a los que la cruz pintada de rojo en medio de su frente preservó de la muerte. También Agustín recuerda que los paganos reconocen a los cristianos por sus vestiduras, sus peinados y la cruz pintada en medio de su frente. Lo que prueba que el cristianismo no estaba en modo alguno perseguido y que sus seguidores no se veían en la obligación de ocultarse. A veces incluso la cruz estaba pintada o tatuada «sobre el rostro», lo que implica que debía de estarlo en medio de las mejillas o en la barbilla. Justino y las *Odas de Salomón* hacen alusión a ello en pleno siglo II.

Esta costumbre subsistió largo tiempo, ya que un cuento persa inserto en las *Mil y Una Noches* nos dice lo siguiente: «Pero Seharkan, aprovechando el momento en que el cristiano se descubría, le lanzó un segundo venablo que lo alcanzó en la frente, en el lugar mismo en que tenía *tatuada una cruz*». (Cf. *Las Mil y Una Noches*, «Historia del rey Omar-al-Neman», noche núm. 90.) Pues bien, esta recopilación de cuentos comenzó en el siglo X.

Y efectivamente, la cruz de brazos iguales, el *sphragis* o sello divino, era símbolo pagano antes de ser símbolo cristiano. Y bajo el nombre de *staurôs*, el piadoso, marcaba en la gnosis pagana el *límite* entre el mundo divino del Pleromio y el mundo demoníaco del Kenomio. El mismo término de *staurôs* era lo que designaba a una entidad del panteón gnóstico, y el *eón* tenía como misión prohibir a los daimones titánicos el acceso al mundo divino (juego de palabras entre *staurôs*, el piadoso, el límite, y *hôros*, el mismo sentido).

En el *Timeo*, Platón nos presenta el *Alma Universal*, intermediaria entre el *Dios Supremo* y el *Cosmos*, bajo el aspecto de una cruz inclinada, cuya cabeza estaba en el cielo y la base en la tierra. Debido a su inclinación se presentaba, pues, como una «X», una *ji* griega. Mucho más tarde los neoplatónicos representarán esta *Alma Universal*, el *demiurgo*, con·una cruz griega rodeada de un círculo. (Cf. Proclus, *Sobre el Timeo*, III, 216.)

Por consiguiente, mucho antes del cristianismo se considera a la cruz como símbolo iniciático en las religiones de los «misterios». A veces se acompaña de un *dios cruciforme* —incluso de un *dios crucificado*—. Para el primer caso, Porfirio nos ha transmitido la descripción que Bardesana hace del dios creador de la India: según él, Brahma extendía los brazos en cruz; sobre éstos, figuraban innumerables deidades, la Naturaleza, el Mundo. En la mano derecha tenía el Sol, en la izquierda la Luna.

Charles Guignebert, en *Le Problème de Jésus*, nos dice que, en un ritual a Osiris, los brazos extendidos de la cruz simbolizan la regeneración mística, y en algunos amuletos antiguos figuran, en la cruz de Osiris, numerosos brazos humanos:

En el orfismo, que existía ya en el siglo VI antes de nuestra era, el mensajero del dios salvador era, indudablemente, Orfeo, que había traído de su descenso a los Infiernos el *Hieros logos*, la elocución iniciática reservada a los místicos. Y una gema gnóstica del siglo II, propiedad del Museo de Berlín, reproducida por A. Boulanger en su *Orphée*, página 7, nos muestra un Orfeo crucificado. Se trata de un sello de sortija de oligisto, piedra marrón rojiza (óxido férrico natural), en la que está grabada la imagen de un hombre sobre una cruz vertical, con los brazos extendidos (no se ve la señal de los clavos, pero se trata de un crucificado real). La cruz está apoyada en su base sobre dos gruesas clavijas en cuña, y está rematada por una especie de bola (¿falismo?) coronada por un cuarto creciente con las puntas hacia arriba. Encima de la cruz hay un arco de siete estrellas. Una inscripción, grabada de forma bastante tosca, muestra ORFEOS BAKKIKOS, por ORFEUS BAKKIKOS o BAKKIOAKOS. Este objeto es del último tercio del siglo II, es decir de los años 170 a 200 de nuestra era. Se trata pues, sin lugar a dudas, del Orfeo asociado a los «misterios» de Dionisos-Zagreus, aquel a quien despedazaron las bacantes.

Por otra parte, el mito de Orfeo no era desconocido entre los cristianos, ya que Clemente de Roma, en sus *Homilías Clementinas*, nos ofrece un resumen de él. (*Op. cit.*, Homilía VI.)

De hecho la cruz, tanto si es griega como si es la *ji* (cruz en «X»), designa los cuatro elementos que constituyen el mundo material: *Tierra, Agua, Aire* y *Fuego*. Esos cuatro elementos aparecen marcados encima de la cruz patibular de Jesús, en las iniciales del célebre I.N.R.I., que significa, evidentemente, *Iesus Nazarenus Rex Iudaeorum*. Se olvida que esta frase latina no podía pertenecer a los manuscritos originales de los evangelios, ya que éstos fueron redactados en griego, además, sólo figura en el de Juan (19, 20), y en los otros tres, sinópticos, la frase es diferente, y ni en griego ni en latín podían dar la sigla INRI. Para Juan, en griego, da IONOBTI: *Iesûs o Nazaraios o Basileus tôn Ioudaion*. De manera que se montó expresamente la frase latina a fin de obtener INRI. Y tenemos la significación esotérica de esa sigla a través del hebreo, ya que I es *Iebeschah* en hebreo: *Tierra; Nour* es el *Fuego; Ruah* es el *Aire*; y *Iammin* son las *Aguas*.

No puede confesarse ya más abiertamente que, en el espíritu de los mitólogos que «construyeron» el cristianismo sobre bases más antiguas, se asimiló Jesús, el hombre histórico crucificado por Roma, al Cristo Cósmico, al Adan Kadmon de la cábala, y a todos los diosessalvadores «crucificados», es decir, *dispersados en el seno de los cuatro Elementos del Mundo que constituyen la Materia*.

Aquí es donde conviene recordar aquella confesión de Clemente de Alejandría: «Los Misterios se divulgan bajo una forma mística a fin de que sea posible la transmisión oral. Pero esta transmisión se efectuará menos por palabras que por su sentido oculto. Las notas que tenemos aquí son muy poca cosa... *Pero al menos servirán de imagen que recordará el Arquetipo al hombre tocado por el tirso*». (Cf. Clemente de Alejandría, *Stromatos*, I, i, 13.)

«ORFEO CRUCIFICADO»
Gema gnóstica del siglo II. (*Dibujo de J.-P. Tertre.*)

Pues bien, el tirso era una varilla terminada en su extremo por una piña, y rodeada de hiedra. *Y era justamente el cetro de Dionisos-Zagreus...*

Y en la alquimia tradicional (y su indiscutible capital, Alejandría de Egipto, está muy cerca), la cruz de brazos iguales es el símbolo del *crisol*. Poner la *materia prima de la Obra* en el crisol se dice que es *crucificar*.[7]

Por consiguiente, en la alquimia mística, el *dios-salvador*, sea cual fuere su nombre cuando se encarna y se sacrifica, se mezcla a los cuatro *Elementos* del Mundo; como en un crisol, *se crucifica*, (cf. Fulcanelli, *El misterio de las catedrales*), para convertirse a continuación en el *Crisopeo* espiritual.

Por eso, al tomar como eje de su sistema a Jesús, hijo de Judas de Gamala, crucificado por los romanos, cuyos ayudantes y hermanos afirmaban que había resucitado después de su muerte, Saulo-Pablo tenía la partida ya casi ganada, porque:

a) perpetuaba un tema familiar entre los medios helenísticos cultos, tema que había llegado hasta los medios populares y que éstos se habían apresurado, *ipso facto*, a cristalizar de forma real, en un personaje que bastaba sólo con ofrecerles;

b) ese personaje existía, era Jesús-bar-Juda, jefe de los mesianistas zelotes, y sus partidarios le habían hecho ya a Saulo-Pablo la mitad del trabajo preparatorio, al montar la leyenda de la resurrección.

A nuestro hombre no le bastaba ya con afirmar que, al igual que el dios-salvador desmembrado en la cruz celeste de los Elementos se había encarnado en hombre de carne y hueso, esta misma cruz celeste había tenido su reflejo material, tangible, en la cruz patibular en la que había muerto dicho hombre. Saulo-Pablo no se privará de ello, pero además será el único en su época y durante largo tiempo que, frente a la vergüenza cristiana general ante la cruz, construirá la base de una verdadera mística del «escándalo de la cruz»; júzguese:

«Que no me envió Cristo a bautizar, sino a anunciar el evangelio (*el suyo*), y no con sabia dialéctica, a fin de que no se desvirtúe la cruz de Cristo. Porque la doctrina de la cruz es una insensatez para los que perecen, pero para nosotros, que estamos salvados (*hace de ello una certeza*), es un poder de Dios.» (Cf. I Epístola a los Corintios, 1, 17-18.)

«Luego ¿se acabó el escándalo de la cruz?...» (Cf. Epístola a los Gálatas, 5, 11.)

---

7. Se observará que el Orfeo crucificado de la gema gnóstica, reproducido en la página 169, configura esquemáticamente un triángulo, con la punta hacia abajo, coronado por una cruz, a su vez coronada por un cuarto creciente. Y esto constituye un ideograma esotérico muy antiguo, de carácter *profiláctico*, material o espiritual ☿ En alquimia era el símbolo del *agua mercurial*.

170

«En cuanto a mí, jamás me gloriaré en otra cosa sino en la cruz de nuestro Señor Jesucristo, *por quien el mundo está crucificado para mí y yo para el mundo*.» (Cf. Epístola a los Gálatas, 6, 14.)

«Para hacer en sí mismo de los dos (*antiguos*) un solo hombre nuevo, y estableciendo la paz, y reconciliándolos a ambos en un solo cuerpo con Dios, por la cruz, dando muerte por ella a la enemistad (*antigua*).» (Cf. Epístola a los Efesios, 2, 15-16.)

Es cierto que en la Epístola a los Filipenses (2, 8, y 3, 18), en la Epístola a los Colosenses (1, 20, y 2, 14), y en la Epístola a los Hebreos (12, 2) hace una alusión directa al instrumento material del suplicio de Jesús. Pero no es seguro que no le prestara un sentido infinitamente más gnóstico. Recordemos a su primer iniciador, Dositeo. Releamos, con este fin, esos pasajes de doble sentido: «Borró el acta cuyas prescripciones nos condenaban y que era contra nosotros, y la quitó de en medio, clavándola en la cruz. Despojó a los *Principados* y a las *Potestades*, los exhibió a la vista del mundo, triunfando de ellos por la cruz». (Cf. Epístola a los Colosenses, 2, 14-15.)[8]

Lo que, en el espíritu de Saulo-Pablo, significa que se acuerda de las enseñanzas de su maestro Dositeo: para los gnósticos cristianos, los *Arkontes* (*Potestades* y *Dominaciones* secundarias, causa segunda del Cosmos) reinaban antes enteramente sobre el mundo material, sobre el Kenomio. Por el sangriento sacrificio de la cruz, se dice que Jesús apaciguó a su Padre celestial, y ahora son los Arkontes quienes, destronados, están prisioneros en el seno de los cuatro Elementos (la cruz cósmica).

Pero también aquí, en la mente de Saulo-Pablo, el Jesús histórico cede el puesto a un personaje imaginario, el *Cristo Celeste*, quien se sacrifica por el Hombre caído, y, al incorporarse a su esencia, lo transmuta y lo deifica. Cosas todas ellas que el hombre condenado por Pilato jamás había proyectado, y argumentos soteriológicos que se buscarían en vano en el Antiguo Testamento.

Se comprende que ante tales enseñanzas heréticas el judaísmo ortodoxo reservara a nuestro nuevo apóstol una acogida bastante mala. Y se comprende que el mundo helénico, con lo que comportaba ya de tradicional en los mitos paganos anteriores, aceptara discutir sobre el

---

8. Esta versión de *víctima expiatoria, sacrificada para calmar la cólera* del dios irritado, que exigía para eso el martirio de su hijo, Saulo-Pablo la saca del viejo fondo semítico de todos los pueblos de Canaán, que ofrecían a su «Baal» particular, en holocausto ígneo, *a su primer hijo*. El sacrificio de Isaac, que a Abraham le parece tan natural, constituye el ejemplo típico. Todos los recién nacidos varones pertenecían al Eterno; los de los animales le eran sacrificados, y los de los hombres se recuperaban a cambio del holocausto de uno de éstos. (Cf. Éxodo, 13, 1-2 y 11-15). No obstante, Pablo ignora todavía que Jesús jamás presentó su propia muerte como expiatoria de los pecados de todo el género humano. Por eso los Hechos nos cuentan las palabras de Simón-Pedro a este respecto: «A vosotros primero Dios, habiendo suscitado a *su Siervo*, os lo envió *para bendeciros, al apartarse* cada cual de sus maldades». (Cf. ·Hechos de los Apóstoles, 3, 26.) Como se ve, no se habla para nada de *sacrificios*.

tema. El tiempo ha hecho el resto, y especialmente la llegada al poder de emperadores cristianos.

Y no es seguro que el simbolismo del *corazón* de Zagreus, olvidado por la rabia ciega de los Titanes y del que Zeus hizo renacer al dios sacrificado, no sirviera de trama lejana al del *Sagrado Corazón*, para el que se ha construido toda una teología. Ese *Sagrado Corazón* que, por su misericordia potencial, hace renacer (o nacer) al hombre caído. ¡Permanencia casi eterna de los grandes mitos sagrados! Y los versos de nuestro añorado amigo Fernand Divoire nos vienen a la memoria:

> *Cendres du lourd passé où brille para parcelles*
> *La substance du dieu, de Dyonisos mourant,*
> *Ah! Dégage-toi, ô Substance immortelle!*
> *O Coeur, échappe-toi, et renais, Dieu-enfant!*[9]

> (Cenizas del pasado, donde a retazos brilla
> La sustancia divina de Dionisos moribundo,
> ¡Ay! ¡Despréndete ya, oh inmortal sustancia!
> ¡Oh Corazón! ¡Escapa, y renace, niño Dios!)

9. Cf. FERDINAND DIVOIRE, *Orphée*, 38.

14

Las visiones de Pablo
y sus contradicciones

Cuando uno no tiene una vida de verdad, la sustituye
por espejismos.

A.-P. CHÉJOV, *La gaviota*

Las visiones de Pablo, como hemos visto en la página 88, constituyen su principal argumento en cuanto a la legitimidad de su apostolado *personal*, que aporta un evangelio *personal*. En diversas ocasiones «vio» a Jesús, y éste le dio sus instrucciones. Pero lo que no sabe es que éstas a menudo están en contradicción con las que él dio en vida a sus hermanos, los apóstoles. Y eso es algo muy molesto.

No obstante, cuando al final se dio cuenta, intentó afinar los violines poniéndose en contacto con aquellos que le conocieron: «Luego, al cabo de catorce años, subí otra vez a Jerusalén acompañado de Bernabé[10] y llevando conmigo a Tito. Subí en virtud de una revelación, y les expuse el evangelio que predico entre los gentiles, y *en particular a los que figuraban, para que me dijesen* si yo corría o había corrido en vano». (Cf. Gálatas, 2, 1-2.)

Así pues, tiene miedo de predicar un evangelio no conforme, y tiene interés en hacer concordar «su» evangelio (Romanos, 2, 16, y 16, 25) con el que poseen aquellos que vivieron con Jesús y recibieron *otro* en vida. ¿Qué significa esto?

Si el propio Jesús le comunicó un evangelio personal, Pablo no habría de tener dudas. ¿Acaso no nos dice lo siguiente?: «Sé de un hombre en Cristo que hace catorce años —si en el cuerpo, no lo sé; si fuera del cuerpo, tampoco lo sé, sólo Dios lo sabe— fue arrebatado

---

10. Éste posee también otro nombre: José (Hechos, 4, 36). Se observará que, en el entorno apostólico, a menudo se tienen varios nombres, lo que no facilita la vigilancia de la policía romana. Tendremos ocasión de volver sobre ello.

hasta el tercer cielo y oyó palabras inefables *que un hombre no debe repetir*. (Cf. Pablo, II Corintios, 12, 2-4.)

Por otra parte, aquí tenemos una segunda contradicción, ya que si lo que le fue comunicado *no debe repetirlo*, no se trata de un mensaje a difundir entre las naciones. En cambio, en su primera Epístola a los Corintios, declara esto: «Porque yo he recibido del Señor lo que os he transmitido». (Cf. Pablo, I Corintios, 11, 23.)

Continuemos, pues, nuestros controles, porque son gratificantes: «Cuando volví a Jerusalén, orando en el Templo tuve un éxtasis, y vi a Jesús, que me decía: "Date prisa y sal pronto de Jerusalén, porque no recibirán tu testimonio acerca de mí". Yo contesté: "Señor, *ellos saben* que era yo el que encarcelaba y azotaba en las sinagogas a los que creían en ti, y cuando fue derramada la sangre de tu testigo Esteban, yo estaba presente, y me gozaba y guardaba los vestidos de los que le mataban...". Pero él me dijo: "Vete, porque yo quiero enviarte a naciones lejanas".». (Cf. Hechos de los Apóstoles, 22, 17-21.)

¿De manera que Pablo, en presencia de una aparición de Jesús, en la atmósfera angustiosa del Templo, se permite contradecirle y discutir las órdenes de la aparición? ¡Increíble!

Además, en su argumentación, tiende a explicarle a Jesús (*que supone que lo ignora*),[11] que dadas sus acciones anteriores contra los discípulos no tiene nada que temer de los judíos. En cambio, un poco antes, en el capítulo 21 de los mismos Hechos, se nos muestra a éstos intentando linchar a Pablo, y que éste agradeció su salvación exclusivamente a la intervención inmediata del tribuno de las cohortes Claudio Lisias: «Y mientras trataban de matarle llegó la noticia al tribuno de la cohorte de que toda Jerusalén estaba amotinada. Y tomando al instante los soldados y los centuriones, *se precipitó sobre los manifestantes*. Éstos, a la vista del tribuno y los soldados, cesaron de golpear a Pablo». (Cf. Hechos de los Apóstoles, 21, 31-32.)

Aquí tenemos, pues, otra contradicción. Y hay aún otra más. Porque Jesús declaró numerosas veces que su papel de mesías liberador pretendía reservarlo únicamente en beneficio de Israel:

«No he sido enviado sino a las ovejas perdidas de la casa de Israel.» (Cf. Mateo, 15, 24.)

«No vayáis a los gentiles ni penetréis en ciudad de samaritanos; id más bien a las ovejas perdidas de la casa de Israel.» (Cf. Mateo, 10, 5.)

Y en este pasaje confía a Pablo una misión contraria. Pues si Jesús es Dios, ¿cómo Dios puede cambiar sus decisiones, *eternas*? Es inconcebible.

Además, Pablo hace lo que le pasa por la cabeza. Igual sigue las instrucciones del Espíritu Santo, como las pasa por alto. Igual obedece

11. Ha olvidado, por lo tanto, la intervención de Jesús en el famoso camino de Damasco: «¡Saulo! ¡Saulo! ¿Por qué me persigues?» (Hechos, 9, 4). Otro pasaje de los Hechos que, como la *Confesión de san Cipriano*, contradice la veracidad de este episodio.

al primer sueño que tiene, como rehúsa escuchar a un profeta. Júzguese: «En todas las ciudades el *Espíritu Santo me advierte*, diciendo que me esperan cadenas y tribulaciones. Pero yo no hago ninguna estima de mi vida, con tal de acabar mi carrera y el ministerio que recibí del Señor Jesús». (Cf. Hechos de los Apóstoles, 20, 22-24.)

¿Hay que ver en este desprecio de la existencia una especie de renuncia ascética, *que no se le pide, como se ve, sino al contrario*, o una desesperación secreta, una herida incurable: *el recuerdo de la hija de Gamaliel?*

Esta huida lejos de Jerusalén, durante catorce años, tendería a confirmar esta hipótesis. Y entonces Pablo iría deliberadamente y por una especie de suicidio secreto, hacia una muerte deseada desde hacía largo tiempo. Veamos algo que lo confirma:

«Y desembarcamos en Tiro, porque es allí donde había de dejar su carga la nave. Como allí descubrimos discípulos, permanecimos siete días. Ellos, *movidos por el Espíritu Santo*, decían a Pablo que no subiese a Jerusalén. Pero, pasados aquellos días, salimos.» (Cf. Hechos de los Apóstoles, 21, 3-5.)

«Habiéndonos quedado allí varios días,[12] bajó de Judea un profeta llamado Agabo, el cual, llegándose a nosotros, tomó el cinto de Pablo y, atándose los pies y las manos con él, dijo: "Esto dice el Espíritu Santo: así atarán los judíos en Jerusalén al varón de quien es este cinto, y le entregarán en poder de los gentiles".» (Cf. Hechos de los Apóstoles, 21, 10-11.)

Pero Pablo no quiere escuchar: «Después de esto, provistos de lo necesario, subimos a Jerusalén». (Cf. Hechos de los Apóstoles, 21, 15.)

Por cierto que esta visión de Agabo no fue interpretada correctamente, ya que si los judíos asaltaron a Pablo, fueron los judíos de Asia los que, tras haberlo reconocido en el Templo, avisaron a los otros, y no sólo Pablo no fue entregado por ellos a los romanos, sino que fueron estos últimos los que le liberaron, salvándole así la vida. (Cf. Hechos de los Apóstoles, 21, 31-36.)

En lo referente a enigmas y contradicciones, aquí tenemos otros pasajes sobre las visiones de Pablo: «Una noche, en una visión, dijo el Señor a Pablo: "¡No temas, continúa hablando, no calles! Yo estoy contigo y nadie intentará hacerte mal, *porque tengo ya en esta ciudad un pueblo numeroso*". Pasó allí un año y seis meses, enseñando entre ellos la palabra de Dios». (Cf. Hechos de los Apóstoles, 18, 9-10.)

Esta ciudad es Corinto, ciudad voluptuosa, que poseía una escuela de cortesanas célebre, y famosa por el relajamiento de sus costumbres, de donde la expresión significativa de «vivir a la corintia». Era, de hecho, la Capua de Acaya. Pues bien, en la II Epístola a los Corintios (1, 19) se dice que la Iglesia de Corinto fue fundada por Pablo y sus dos

---

12. Están en Cesarea.

colaboradores, Silas y Timoteo, y los Hechos nos lo confirman: «Mas luego que llegaron de Macedonia Silas y Timoteo, Pablo se dio del todo a la predicación de la Palabra, testificando a los judíos que Jesús era el Mesías. Como éstos se resistían y blasfemaban,[13] sacudiendo sus vestiduras les dijo...». (Cf. Hechos de los Apóstoles, 18, 5-6.)

Para ver «un pueblo numeroso en esa ciudad», Jesús tenía que ser muy optimista, tanto más cuanto que sin la intervención del procónsul Galión, hermano de Séneca y «amigo del César», Pablo habría pasado un cuarto de hora muy malo (cf. Hechos de los Apóstoles, 18, 12-18), y cuando finalmente se embarca para Siria, la Iglesia de Corinto no debe de ser muy importante.

Recapitulemos. Pablo ha fracasado rotundamente entre los judíos. Ha obtenido la conversión de un «tal Justo, hombre que adoraba a Dios» (cf. Hechos de los Apóstoles, 18, 7), es decir de un pagano, inicialmente prosélito del judaísmo, luego la de Crispo, jefe de la Sinagoga, con todos los suyos (cf. Hechos, 18, 8), quien, por otra parte, algunos versículos más tarde se llama Sóstenes (cf. Hechos, 18, 17).

Y luego se nos dice que: «Y muchos corintios, oyendo la Palabra, creían y se bautizaban». (Cf. Hechos, 18, 8.) ¿Se bautizaban? Vamos a ver.

Aquí se trata únicamente de paganos a los que Pablo habría convertido a su doctrina religiosa. Para cualquiera que conozca el clima que reinaba por entonces en Corinto, donde predominaba el elemento romano y latino, donde toda regla de vida derivaba del *gozo de existir, y tendía al amor*, donde *varios miles de «servidoras de Afrodita»* gravitaban alrededor de su templo, dominando la ciudad, como tentaciones vivas, famosas por su belleza y su ciencia de las caricias, la hipótesis de un éxito entre «muchos corintios» es una pura bravata.

Por otra parte, Pablo lo único que hacía era enseñar, *él no bautizaba*, y él mismo lo quiso subrayar: «Yo no he sido enviado para bautizar, sino para predicar el evangelio...». (Cf. Pablo, I Corintios, 1, 17.)

Cosa que, recordémoslo, es una prueba más de que no había recibido los famosos *poderes apostólicos* que Simón-Pedro negó a Simón el Mago, *alias* Saulo, alias *Pablo* (véase página 91).

Y ese escrúpulo, esa vacilación, hacen que se cierna una duda sobre la realidad de la misión que Jesús supuestamente le confió.[14] Si no, ¿por

13. Obsérvese la jactancia de los redactores anónimos de los Hechos. Cuando los cristianos ridiculizan las religiones existentes, cuando intentan destruirlas, a eso se le llama «llevar la buena palabra a las naciones». Pero cuando los fieles de esas religiones se permiten replicar, a eso se le llama «palabras blasfematorias, violación de las conciencias, ataques intolerables». Esa actitud tiene ya, por consiguiente, veinte siglos, y se la sigue encontrando. Harto lo sabemos.

14. Por cierto, en el episodio de la curación de Saulo, en Damasco, a través de Ananías (Hechos de los Apóstoles, 9, 10-19), ¿cómo podía saber el citado Ananías lo de la aparición de Jesús a Saulo, si en su comunicación mediúmnica con el mismo Ananías, Jesús no le dice nada al respecto? Basta con releer y comparar los versículos 10 al 16 del capítulo 9, así como los versículos 17 y 18 del mismo, para convencerse. Tenemos, pues, una incoherencia más.

qué este último, tras resucitar *en carne y hueso*, cuerpo glorioso, *en tres dimensiones*, que comía y bebía como ustedes y como yo, iba a verse en la imposibilidad de infundir con las palabras y los gestos clásicos, ese Espíritu Santo necesario para la fundación de toda Iglesia? Porque ese Espíritu Santo jamás lo recibió en las formas sacramentales acostumbradas en los tiempos apostólicos. Jamás obtuvo sino un simple acuerdo, concretado por un simbólico *apretón de manos*, que ya estaba en uso en las sociedades secretas de los «misterios»: «Santiago, Cefas y Juan [...] nos dieron a mí y a Bernabé la *mano en señal de comunión*». (Cf. Pablo, Gálatas, 2, 9.)

Así pues —cosa a la que nadie parece haber prestado atención— ningún obispo puede vanagloriarse de tener una filiación apostólica que se remonta hasta san Pablo.[15] Lo que, teniendo en cuenta el hecho de que Pedro jamás estuvo en Roma[16] convierte en un misterio la identidad del verdadero fundador *apostólico* de ese obispado, a menos que se enfoque el asunto según la explicación que será objeto del capítulo siguiente.

Al comienzo del presente capítulo hemos subrayado la ausencia de todo principio en las decisiones de Pablo, que eran consecuencia de sus visiones. A veces no hace caso de los «mensajes» recibidos, y a veces se pone en marcha creyendo sólo en un simple sueño. Júzguese: «Había allí [en Listra, en Liconia] un discípulo llamado Timoteo, hijo de una mujer judía[17] creyente y de padre griego [...] Pablo decidió llevarlo consigo. Lo tomó, pues, *y lo circuncidó, a causa de los judíos* que había en aquellos lugares, pues todos sabían que su padre era griego [...] Recorrieron la Frigia y el país de Galacia, pues el Espíritu Santo les prohibió predicar en Asia. Llegaron a Misia e intentaron dirigirse a Bitinia, mas tampoco se lo permitió el *Espíritu de Jesús*. Atravesaron, pues, Misia y bajaron a Tróade». (Cf. Hechos de los Apóstoles, 16, 1-8.)

¡Aquí cogemos a Saulo-Pablo con las manos en la masa! Porque no tenía absolutamente ningún derecho a efectuar esa operación ritual, que era realizada *sucesivamente* por *tres mohelim* (operadores) en presencia del *shamoch* (notario), y de al menos *seis testigos mayores*. Esta circuncisión sacrílega es una falsedad más a añadir en el activo de Pablo. Pero continuemos:

Primera observación: unas veces es el *Espíritu Santo*, y otras el *Espíritu de Jesús* el que se comunica con Pablo.

Sostener después de esto que se trata de un dios único nos parece

---

15. La *filiación apostólica* es un verdadero árbol genealógico, que debe remontarse y en último término abocar en *uno de los Doce*. Cada obispo conoce la suya, ya que Roma tiene cuidadosamente al día todas esas filiaciones.

16. Cf. *Jesús o el secreto mortal de los templarios*, p. 80.

17. En la II Epístola a Timoteo, 1, 5, y 3, 15, se nos dice que su madre se llamaba Eunice y su abuela Lois. Pues bien, no son nombres judíos.

muy audaz. Se observará, además, que el *Padre*, por su parte, continúa ignorando a Pablo. Está más bien de parte de los judíos. Se ven contradicciones así dentro de las familias, cada cual tiene sus preferencias.

Segunda observación: ¿basándose en qué criterios reconocía Pablo si se las veía con el uno o con el otro? ¿Bajo qué forma se manifestaba el Espíritu Santo?

Tercera observación: después de su «resurrección» se dice que Jesús apareció *en carne y hueso, con tres dimensiones, comiendo y bebiendo, atravesando paredes*, y se nos precisa que no se trataba de «un *espíritu*, que no tiene ni carne ni huesos». (Cf. Lucas, 24, 39.)

Pues bien, un cuarto de siglo después de esa resurrección, parece ser que había perdido aquel extraordinario privilegio, y se contentaba con no ser sino un *espíritu*, como los que había de todos los muertos según las creencias de aquel tiempo. A menos que en la época de la redacción de los Hechos de los Apóstoles la resurrección *en carne y hueso* todavía no se hubiera inventado.[18]

Pero continuemos leyendo lo que sigue: «Por la noche, Pablo tuvo una visión. Un varón macedonio se le puso delante, y rogándole decía: "Pasa a Macedonia y ayúdanos". Inmediatamente después de esta visión, buscamos cómo pasar a Macedonia, coligiendo que Dios nos llamaba a evangelizarles». (Cf. Hechos de los Apóstoles, 16, 9-10.)

Sería difícil negar que Pablo debió de ser un neurópata, ya que un hombre que anda vagando así a través de todo el Imperio romano, prestando oídos a sueños o a visiones, sin método y sin un plan bien madurado, no puede ser otra cosa que eso.

Y aquí vamos a parar a la misteriosa enfermedad de la que ya hemos hablado en la página 98.

Porque ahora los fenómenos oníricos seguirán manifestándose y la deambulación irracional va a continuar: «Al día siguiente, por la noche, se le apareció el Señor y le dijo: "¡Ten ánimo, porque como has dado testimonio de mí en Jerusalén, así también has de darlo en Roma!"». (Cf. Hechos de los Apóstoles, 23, 11.)

Su confianza se va exacerbando, hasta dar paso a una autoridad en aumento. En el viaje por mar que le conducirá a Roma, el navío cae en una tempestad. Pero Pablo tranquiliza a todo el mundo: «Esta noche se me ha aparecido un ángel del Dios a quien pertenezco y a quien sirvo, que me ha dicho: "No temas, Pablo, tienes que comparecer ante el César, y Dios te concede la vida de todos los que navegan contigo"». (Cf. Hechos de los Apóstoles, 27, 23.)

Los escépticos dirán que había una posibilidad entre dos de que este sueño coincidiera con la realidad. Nosotros nos contentaremos con hacer observar que los neurópatas son a menudo excelentes médiums. Es bien sabido que una tara psíquica a menudo está compensada por una facultad supranormal, y esto hay que reconocerlo. Pablo,

18. Cf. *Jesús o el secreto mortal de los templarios*, pp. 255-258.

es decir, el iniciado en la magia nabatea que se nos oculta bajo el seudónimo de Simón el Mago, poseía el doble don de la clarividencia y la clariaudiencia. De ahí a mezclar en ello a Dios Padre, Dios Hijo o Dios Espíritu Santo va mucho. Eso representaría darles la paternidad iniciática de demasiados sonámbulos extralúcidos, de los que salen en las últimas páginas de los diarios, después de la prensa del «corazón».

Acabamos de pronunciar las palabras *tara psíquica*, y conviene que nos expliquemos.

Volvamos a Flavio Josefo, al episodio referente a las fases sucesivas que precedieron a la muerte de Herodes el Grande, en el año 6 antes de nuestra era: «Sufría de una fiebre lenta que no manifestaba tanto su ardor al contacto con la mano como en el interior de los tejidos que destrozaba. Experimentaba asimismo unos violentos deseos de tomar alimentos, y era imposible no condescender. Añádase la ulceración de los intestinos, y en especial del colon, que le causaba atroces sufrimientos. En los pies, una inflamación húmeda y transparente, y lo mismo alrededor del abdomen, luego la gangrena de las partes genitales, que engendraba gusanos. La respiración era fatigosa cuando estaba incorporado, y era desagradable por la fetidez de su aliento y lo precipitado del hálito. Por último, sufría convulsiones espasmódicas, de una violencia insoportable». (Cf. Flavio Josefo, *Antigüedades judaicas*, XVII, vi.)

Es indiscutible que todos esos síntomas apuntan hacia una sífilis en estado terciario, en sus últimas manifestaciones. Y en esa época, en el Oriente Medio, se trataba de la *sífilis mutilante*, que se ha convertido en la *sífilis nerviosa* de nuestra época en Europa. Pero en esas mismas regiones sigue siendo todavía mutilante a veces, sobre todo en el Extremo Oriente (India, Pakistán, etc.).

Pues bien, Saulo-Pablo es el nieto de Herodes el Grande por parte de su abuela Mariamna y su hija Cypros II, madre de Saulo y de su hermano Costobaro II. Por lo tanto es a través de su madre por donde le ha llegado la triste condición de sifilítico hereditario. Ésta le valió a Saulo un clima psíquico abierto de antemano a diversas formas alucinatorias, una distrofia ocular (se nos dice que bizqueaba), y ósea, que generalmente afecta a los miembros inferiores y produce tibias en forma de «hoja de sable» (tenía las piernas torcidas, como también se nos dice).

Esta herencia sifilítica no lo explica todo. Es cierto que en esas regiones y en aquella época un guerrero, como era inicialmente Saulo, estaba expuesto a toda suerte de aventuras, y el desenfreno e incluso las violaciones, propios de los soldados profesionales, llevaban en sí mismos su elevado y penoso precio. En la vida de nuestro héroe hubo una sífilis *adquirida*, y no sólo ya una hereditaria. Esto no es contradictorio. La herencia sifilítica confiere una cierta inmunización, pero ésta puede borrarse con el tiempo, y se citan casos de hombres que, a pesar de haberse confirmado que eran sifilíticos here-

179

ditarios, sufrieron una *grave* afección sifilítica *en los confines de la edad adulta*. Éste fue probablemente el caso de Saulo-Pablo.[19]

Y en su estadio secundario provoca ya una *esplenomegalia* moderada por hipertrofia del bazo. El enfermo sufre lesiones cutáneas y mucosas, la más corriente es la roseóla, y trastornos de las faneras, como la caída de los cabellos (se quedó calvo a muy temprana edad). En el estado terciario la sífilis presenta gomas, duras e indoloras, ulceraciones profundas de la dermis, accidentes mucosos, sobre todo en la boca (gomas, manchas blancas). El enfermo es repelente. Y el propio Saulo-Pablo nos dice que fue víctima de una enfermedad que causaba asco: «Bien sabéis que estaba enfermo de dolencia corporal cuando por primera vez os anuncié el evangelio, y puestos a prueba por mi enfermedad, no me desdeñasteis ni hicisteis ascos de mí, antes me recibisteis como un ángel de Dios». (Cf. Epístola a los Gálatas, 4, 13-14.)

Ahora bien, en el mundo antiguo, y en el Oriente Medio (y la India todavía en nuestros días, en determinadas regiones), el enfermo afectado de sífilis era considerado como sujeto divino. Porque no se ignora que en sus fases últimas la enfermedad aportaba consigo un extraño fenómeno.

En efecto, de diez a veinte años después de la sífilis primaria, a veces incluso treinta años más tarde, aparece el tabes, o ataxia locomotriz (no fue éste el caso de Saulo-Pablo), *o trastornos psíquicos* ligados a una forma que se conoce con el nombre de *parálisis general*.[20] Ésta puede traducirse simplemente por una afección sifilítica difusa en las meninges y el encéfalo, con manifestaciones mentales y neurológicas. Estas últimas se traducen a veces por un delirio de grandeza, el enfermo se cree Dios o en relación con Dios; está sujeto a alucinaciones o a crisis de excitación (cf. profesor A. Molinier). Es el caso de Saulo-Pablo, en quien sigue a la *esplenomegalia* de la sífilis secundaria. Esta forma de la terrible enfermedad permanece ignorada durante largo tiempo. Además, el paludismo es un poderoso factor que retrasa esta última afección.

En cuanto a las «audiciones» de voces diversas, no olvidemos que en el caso de lesiones sifilíticas que se producen en el aparato auditivo (laberinto, caracol), el enfermo es objeto de alucinaciones auditivas que vienen a añadirse a las alucinaciones visuales. El delirio de grande-

19. No se dice que Saulo-Pablo hubiera contraído su enfermedad por vía venérea. En aquella época, en que se ignoraba todo lo referente a la fauna microbiana y se consideraba que las enfermedades eran un castigo del cielo, las causas de contagio eran múltiples: bastaba con utilizar el vaso o la cuchara de un sifilítico, para que la vía bucal ofreciera a través de sus mucosas numerosos accesos al treponema. Y, una vez más, la sífilis no es una «enfermedad vergonzante», salvo para algunas mentes de cortos alcances.

20. Término que designa un *conjunto de posibilidades, de eventualidades*. El enfermo no tiene forzosamente paralizados sus miembros.

zas se convierte entonces en *teomanía*, y el enfermo se toma por un nuevo profeta o por la reencarnación de un apóstol, o incluso del propio Dios. Por poco que estén compensadas las lesiones cerebrales por la aparición de facultades supranormales, cosa que es frecuente, encontrará fieles, y se formará una secta a su alrededor.

Nosotros pensamos, pues, que la grave enfermedad que intriga tanto a los exégetas como a los historiadores del paulinismo, no fue ni la malaria ni la epilepsia. Fue simplemente algo más común, teniendo en cuenta la región y la época, así como el modo de vida inicial de Saulo-Pablo: la sífilis, enfermedad muy extendida por aquel entonces. Si fue también palúdico (cosa que tampoco es imposible en aquellos lugares), ese detalle explica y justifica las manifestaciones tardías de la enfermedad en su estadio terciario, asociado con la herencia que, como ya hemos señalado, retrasa al igual que el paludismo los efectos de la sífilis adquirida.

Este fue, creemos nosotros, el «*aguijón en la carne*» cuya presencia reconoce tener en él Saulo-Pablo (II Epístola a los Corintios, 12, 2-9). Pero él utiliza el término griego de *akôloph* para designar este aguijón, y *akôloph* no designa un aguijón, sino «*un conjunto de aguijones*», algo que se situaría entre los espinos y la piel erizada de púas del animal llamado precisamente «*erizo*», según nos dice monseñor Ricciotti en su *Saint Paul, apôtre*. Ahí se trataba de la sífilis secundaria, caracterizada por *sifílides* de un tipo eruptivo generalizado, y que afecta precisamente a este aspecto.

Pudimos descubrir que el maravilloso «camino de Damasco» no fue otra cosa que la marcha cadenciosa de una hermosa judía. Ahora vemos que las «comunicaciones» recibidas por Saulo-Pablo no tuvieron otra fuente que una simple enfermedad venérea, muy extendida. Aunque el reino de lo fantástico no gane nada con esto, la historia al menos recupera su verdadero rostro.[21]

---

21. Los fenómenos de premonición, clarividencia. clariaudiencia, pueden tener, como es natural, otro origen más. Puede tratarse de una facultad propia del individuo, y que posee de nacimiento; puede tratarse de fenómenos provocados, con ayuda de fumigaciones especiales, con ayuda de los alucinógenos, o con la ingestión de productos metagnomigénicos (setas, vegetales). Pero las visiones, audiciones y premoniciones son entonces *exactas*. Y no se ve nada de todo esto en las andadurías de Saulo a través de toda la cuenca mediterránea, y los abandonos sucesivos de todos sus colaboradores probaban que éstos, poco a poco, perdían la confianza que habían depositado inicialmente en él. Se gusta de afirmar que fue Pablo quien puso literalmente los cimientos del cristianismo que conocemos. Doctrinalmente, sí, pero en la práctica fue Constantino, y sobre todo sus sucesores, mediante una legislación draconiana.

NOTA: La sífilis fue identificada con casi total certeza en las descripciones de autores antiguos; ahora se sabe que esa enfermedad, que fue durante tanto tiempo tan temida, no la trajeron a Europa los marineros de Cristóbal Colón a su regreso de las islas del Caribe, sino que más bien fue exportada por ellos.

Los defensores de una fuente americana no debieron de efectuar controles cronológicos. Los haremos, pues, nosotros en su lugar:

1) Carlos VIII partió a su primera campaña de Italia en 1493. Duró hasta 1496. Numerosos soldados de todos los grados regresaron de ella contaminados, sobre todo de Nápoles, que fue tomada en 1495. Lo mismo sucedió con las tropas de Luis XII, en el curso de la segunda campaña, que duró de 1499 a 1504.

2) El 3 de agosto de 1492, Cristóbal Colón y sus tres pequeñas tripulaciones salieron de Palos de Moguer (Andalucía), y regresaron a Europa, a Lisboa, el 4 de marzo de 1494. Volvieron a emprender la marcha, esta vez con catorce tripulaciones más, el 25 de septiembre del mismo año de 1494, y no regresaron hasta 1496.

¿Cómo habrían podido, en sólo seis meses que duró su regreso, contaminar los marinos de la *Santa María*, la *Pinta* y la *Niña*, primero desde Lisboa, luego desde Madrid y por último desde Barcelona, a tan gran cantidad de gente en Italia, donde jamás pusieron los pies durante ese período de tiempo, y simultáneamente a la expedición francesa? ¡Tanto más cuanto que este terrible brote de sífilis, si los franceses lo imputaron a las bellas italianas, violadas o conquistadas, éstas, por su parte, pretendían haberla contraído de los mismos franceses! Sea lo que fuere, el «mal de Nápoles» según los unos, o el «mal francés» según los otros, no dejan paso a un «mal caribeño», y si se señala a la Italia de aquella época como uno de los focos que irradiaban la sífilis, no se dice en cambio nada de España y de Portugal, que deberían de haber sido los primeros Estados amenazados. ¿Y cómo un número tan pequeño de marineros, lo que implica un número todavía menor de sifilíticos, habría podido difundir la sífilis de manera tan virulenta, y en tan pocas semanas? Las «canas al aire» de las escalas tienen, a pesar de todo, sus límites, y la virilidad masculina también.

15

Un apóstol ignorado: Salomé, egeria de Jesús

Las mujeres son el alma de todas las intrigas.

NAPOLEÓN,

citado por ROEDERER, *Obras*

Hubo una mujer en la vida de Jesús.

Saulo-Pablo tenía una concubina. Quizás incluso tuvo varias a lo largo de su vida, y tal vez también una esposa.

Sobre la primera poseemos su propisa confesión: «¿No tenemos derecho de llevar con nosotros a una hermana *en calidad de mujer*, como los otros apóstoles y los hermanos del Señor y Cefas? ¿O solamente Bernabé y yo no tendremos derecho a hacer uso de ello?». (Cf. Pablo, I Epístola a los Corintios, 9, 5-6.)

En su *Vulgata* latina, que es el texto oficial de la Iglesia Católica, san Jerónimo emplea el término *mulier*, que designa a la mujer carnal, a la esposa.

Por otra parte, Clemente de Alejandría (*Stromates*, III, 6) declara que Pablo tenía una esposa, fundando su argumento en un pasaje de la Epístola a los Filipenses: «Ruego a Evodia y a Síntique que tengan los mismos sentimientos en el Señor. Y a ti también fiel Syzygo, te ruego que ayudes a ésas, que han luchado mucho por el Evangelio conmigo y con Clemente y con los demás colaboradores míos, cuyos nombres están en el libro de la vida». (Cf. Pablo, Epístola a los Filipenses, 4, 2-3.)

La «fiel Syzygo» es la *syzygie*, término griego que designa en el vocabulario gnóstico de la época la asociada *femenina*, y para cada *eón* metafísico su pareja coeterna. Y esta expresión es la prueba de que Pablo tuvo antes por maestro a *un gnóstico*, y en este caso se trató de Dositeo.

Para Renan, que se adhiere a la teoría de Clemente de Alejandría, esa mujer era Lidia, la vendedora de púrpura, originaria de Tiatira, en Asia Menor. El hecho de comerciar con púrpura suponía en aquella época una verdadera fortuna. Saulo-Pablo, en este caso, no habría hecho mal negocio.

Por otra parte, el célebre exégeta protestante A. de Harnack subrayó la plausibilidad de la hipótesis emitida por algunos de que la Epístola a los Hebreos tuvo por autor a una mujer. Y si se tiene en cuenta la tesis sostenida hace largo tiempo por numerosos historiadores austroalemanes, según la cual el personaje de Simón el Mago fue inventado para enmascarar mejor la lucha sin piedad que enfrentó a Simón-Pedro y Saulo-Pablo, no puede olvidarse la presencia de aquella mujer llamada Helena (en griego: radiante), a quien el pseudo-Simón el Mago llevó consigo de Tiro, centro del negocio de la púrpura en el mundo antiguo. La púrpura de Tiro era célebre, ya que fue allí donde se extrajo inicialmente del *Murex trunculus* (un molusco) el célebre tinte que luego quedó reservado a la aristocracia y a los soberanos. Pues bien, esta púrpura evoca irremediablemente a Lidia, que comerciaba con ella, y que necesariamente se hallaba en constante relación con la ciudad de Tiro, a la que iba con frecuencia. Y todo esto refuerza lo que Renan dedujo al respecto.

Por último, se sabe que la iconografía cristiana utiliza elementos extraídos del «bestiario» sagrado para designar a los cuatro evangelistas: el *león*, que se atribuye a Marcos, el *águila*, a Juan, el *ángel*, a Mateo y el *toro* a Lucas. (Cf. Charbonneau-Lassay, *Le Bestiaire du Christ*, IV.)

Pero con bastante frecuencia se sustituye el *toro* por un *ternero*, porque el ternero es un toro joven, todavía virgen, despojado de toda violencia ciega y destructiva, *que se halla en él en potencia*. Y en el portal de la Calenda de la catedral de Rouen figuran los cuatro evangelistas, en representaciones bastante *esotéricas* por cierto, que demuestran que los maestros de obra y los albañiles que las construyeron tenían en la Edad Media *inspiradores secretos* que estaban perfectamente al corriente de las verdades históricas que la Iglesia creía haber escondido para siempre. Esos inspiradores fueron los templarios, al menos aquellos que constituían en el interior de la *Orden del Templo* el misterioso cenáculo poseedor de unos arcanos que a los ojos de Roma eran demasiado peligrosos.

Y en ese mismo portal de la Calenda de la catedral de Rouen, entre las cuatro nuevas y extrañas representaciones de los evangelistas, Lucas aparece como *una mujer con cabeza de ternera*, o *como una ternera con cuerpo de mujer*. Cierto que parte de los Hechos es obra de una mujer, la misteriosa compañera de Saulo-Pablo. Es evidente aquí la alusión a Helena, prostituta de un lupanar de Tiro, *ciudad de la púrpura*, y a la que Simón el Mago convirtió en su compañera. En efecto, *vitellus*, en latín, significa *un joven ternero*, y también *una caricia, propia de las cortesanas de aquella época.*[22]

---

22. No olvidemos que Lidia, compañera de Pablo, *vende púrpura*, y que ésta, simbólicamente, significa también la *impudicia*, la *lascivia*, cosas todas propias de las cortesanas.

Por otra parte, cuando Saulo-Pablo dirige desde Corinto, donde ha recibido espontánea protección por parte del procónsul Galión (Hechos de los Apóstoles, 18, 12-17), su Epístola a los Romanos, concluye así su misiva: «Saludad a los de la casa de Aristóbulo, saludad a Herodión, mi pariente. Saludad a los de la casa de Narciso, que están en el Señor». (Cf. Pablo, Epístola a los Romanos, 16, 10-11.)

Pero ¿quienes son todos esos personajes misteriosos que uno no esperaba encontrar entre las relaciones romanas de Saulo-Pablo, y que son lo suficientemente importantes como para poseer una «casa», término sinónimo de «séquito», de pequeña «corte» privada? Y, ante todo, ¿quién es ese tal Narciso?

Narciso es el *Narcissus Claudii libertus* de los *Anales* de Tácito, liberto (como indica su nombre) por el emperador Claudio, de quien fue secretario, sobre quien ejerció una gran influencia, se enriqueció escandalosamente, provocó la caída y la ejecución de Mesalina, luego se opuso a las intrigas de Agripina, segunda esposa de Claudio, en favor de su hijo Nerón. Al advenimiento de este último, en el año 54 de nuestra era, fue exiliado por orden de éste, y, a pesar de la oposición de Nerón, que le apreciaba, como nos dice Tácito, recibió la orden de abrirse las venas.

Pero cuando Saulo-Pablo redacta su Epístola a los Romanos, en Corinto, y por consiguiente en el año 52, Narciso se halla todavía en la cumbre de su poder, posee en Roma grandes propiedades y numerosos servidores y esclavos.

Ahora viene Aristóbulo y su «casa». Se trata, sin discusión posible, de Aristóbulo III, hijo de Herodes de Calcis y de Berenice, y por lo tanto nieto de Herodías por esta última y bisnieto de Herodes el Grande por parte de padre. Es un personaje importante. Al advenimiento de Nerón se le nombró rey de la Pequeña Armenia, luego, en el año 60, seis años más tarde, su pequeño reino crecerá gracias a la anexión de una parte de la Gran Armenia. Por último, en el año 70, se convertirá en rey de Calcis, como su padre.

Aristóbulo III se casó con Salomé II, hija de Herodes Filipo y de Herodías, ya viuda sin hijos de su tío Herodes Filipo II. De esta segunda unión Salomé II tendrá tres hijos: Herodión, el mayor (aquel a quien Saulo-Pablo llama su «pariente»), Agripa, el segundo, y Aristóbulo, el menor. Aristóbulo III y Salomé II, protegidos y amigos de Nerón, poseen en Roma una suntuosa propiedad y muy numerosos servidores y esclavos.

Así pues, en Corinto, protegido por el procónsul Galión, hermano de Séneca (consejero y antiguo preceptor de Nerón César), Saulo-Pablo *sabe ya* que en Roma hay cristianos en ciertas mansiones de grandes personajes. Lo mismo sucederá, por cierto, más adelante, en el palacio imperial, bajo Nerón, como el propio Saulo-Pablo afirmará en su Epístola a los Filipenses: «Os saludan todos los santos, y principalmente los de la casa del César». (Cf. Pablo, Epístola a los Filipenses, 4, 22.)

Entre estos últimos se encuentra ya Actea, la liberta fiel, que fue la concubina tiernamente amada por Nerón durante su adolescencia. (Cf. Juan Crisóstomo.)

Pero ¿cómo puede Saulo-Pablo decirse «pariente de Herodión», el hijo de Aristóbulo III y de Salomé II? Pues simplemente porque es *primo del uno y del otro*, al ser bisnieto de Herodes el Grande por parte de las mujeres, y su sobrino nieto por parte de los hombres. De manera que el chiquillo es su primo segundo. El árbol genealógico está ahí para probarlo (véase pp. 112-113).

Eso significa que al llegar a Roma Saulo-Pablo no contaba sólo con Afranio Burro, prefecto del pretorio, ex preceptor de Nerón, o con Séneca (hermano del procónsul Galión), ex preceptor del mismo y su consejero político, para favorecerle en Roma de un régimen privilegiado. Contaba, en efecto, con gente más allegada aún, por ser familiares, con Aristóbulo III, rey de Armenia, y Salomé II, su esposa, y esto no era cualquier cosa.

Pero ¿cómo podía interesarse esta última por el cristianismo? Retrocedamos varios años y consultemos los evangelios.

Poco antes del descubrimiento de los célebres manuscritos de Qumrân en las orillas del mar Muerto, se habían exhumado fortuitamente unos manuscritos igualmente valiosos; esto sucedía en Khenoboskion, en el Alto Egipto, en el año 1947. Entre ellos se encontraba un *Evangelio de Tomás*, que no se conocía sino por citas que de él habían hecho Clemente de Alejandría y Orígenes, a principios del siglo III.

De todos modos, no poseíamos los originales de estos autores, sino que solamente los conocíamos a través de traducciones ulteriores, en manuscritos del siglo V.

El manuscrito hallado en Khenoboskion estaba redactado en copto, y era del siglo IV. Pero existían fragmentos de un papiro que figuraba entre los descubiertos en 1897 en Oxyrhynchus, en el Medio Egipto, y que no se había podido atribuir a ningún autor por estar demasiado incompleto. Ese texto, redactado en griego, era de finales del siglo III, y contenía unos versículos típicos, que no se volvieron a encontrar hasta el *Evangelio de Tomás*, descubierto en Khenoboskion en 1947. Puede, pues, sacarse la conclusión de que el citado *Evangelio de Tomás* existía ya en el siglo III en su redacción completa.

Pero, dado que Clemente de Alejandría y Orígenes, que murieron en el año 220 el primero y en el 254 el segundo, citan a ese *Evangelio de Tomás* como un texto muy antiguo ya en su época, podemos admitir que su redacción inicial debe situarse, por lo menos, en la segunda mitad del siglo II, con una fecha media que podría fijarse en los alrededores de los años 175-180.

Por lo tanto nos hallamos en presencia de un texto que puede clasificarse poco después de aquellos otros citados también por Clemente de Alejandría y Orígenes, el *Evangelio de los Hebreos* y el

186

Evangelio de los Egipcios, que esos dos autores consideraban como los más antiguos apócrifos conocidos.

Veamos ahora el muy canónico Evangelio de Marcos. Jesús acaba de expirar en la cruz: «Había también unas mujeres que miraban de lejos. Entre ellas estaban María de Magdala, María, madre de Santiago el Menor y de Josés, *y Salomé, las cuales, cuando él estaba en Galilea, le seguían y le servían,* y otras muchas que habían subido con él a Jerusalén». (Marcos, 15, 40-41.)

Lucas precisa que esas mujeres: «... le asistían con sus bienes» (Lucas, 8, 3), es decir, con su dinero, puesto que habían abandonado sus casas de Galilea. No se trataba ya, pues, de simple hospitalidad.

Pero he aquí que, en el *Evangelio de Tomás*, encontramos de nuevo a esa Salomé, y en el papel que Pablo daba a su compañera en la Epístola a los Corintios: «Salomé dijo: "¿Y tú quién eres, hombre? ¿De quién has salido *para haberte metido en mi cama y haber comido en mi mesa?...*". Y Jesús le dijo: "Yo soy aquél que se ha producido de Aquél que es su igual. Me han dado lo que es de mi Padre". Y Salomé respondió: "¡Soy tu discípula!".». (Cf. *Evangelio de Tomás*, LXV.)[23]

De esas palabras, del tono adoptado por la tal Salomé, se desprende que gozaba de una situación social materialmente superior a la de Jesús.

El término griego que en Marcos, 15, 40, han traducido por *servir*, significa también *asistir*, como en Lucas, 8, 10.

De manera que Jesús, si no estaba casado, como obligaba la Ley judía a todo judío de raza, y todo lo más tarde a los veintidós años, tuvo, en cambio, una egeria, *que fue asimismo su concubina*, ya que le ofreció su cama y su mesa.

No nos extrañemos. En la Historia han sido muy numerosas las mujeres que ayudaron económicamente al hombre al que amaban o al que admiraban, y a veces asociaron sus ambiciones a las propias en el ámbito político. El ejemplo de Corisanda de Gramont, que ayudó a Enrique de Navarra en su conquista de la corona de Francia está en la mente de todos.

A esa Salomé la encontraremos también en el *Evangelio de los Egipcios*, y los versículos subrayarán que de lo que se trata en el texto antes citado, y en la alusión a Jesús entrando en la cama de Salomé, es, efectivamente, de sexualidad: «Y María-Salomé preguntó al Señor: "Maestro, ¿cuándo acabará el reino de la Muerte?". Y Jesús respondió: "Cuando vosotras, mujeres, no concibáis más hijos... Cuando hayáis depuesto el vestido de vergüenza y de ignominia, cuando los dos se conviertan en uno, cuando *el varón y la hembra estén unidos*, cuando

---

23. Cf. JEAN DORESSE, *L'Evangile selon Thomas, ou les Paroles de Jésus* (Plon éditeur, París, 1959). El versículo citado se encuentra en la página 103, y la página original del manuscrito descubierto en Khenoboskion está reproducida fuera de texto, en una fotografía, frente a la página 15. Corresponde a la página 43 del manuscrito; el texto está en copto.

ya no haya ni hombre ni mujer, entonces terminará el reino de la Muerte...". Y Salomé prosiguió: "¿Entonces he hecho bien, Maestro, de no concebir?". Y Jesús respondió: "Come de todos los frutos, pero del de la amargura (la maternidad) no comas".». (Cf. *Evangelio de los Egipcios*.)

Este texto, que desmiente categóricamente la encíclica *Humanae vitae* del papa Pablo VI, lo cita íntegramente Clemente de Alejandría en sus *Stromates* (III, ix, 66) y Clemente de Roma (muerto en el año 97), en su *II Epístola a la Iglesia de Corinto*. Por lo tanto es evidente que si Clemente de Roma cita ese texto en el siglo I, es que ya forma parte del *corpus evangelicum* de aquella época, y no hace más de sesenta años que ha muerto Jesús. Es decir, que aquí estamos en las mismas fuentes del cristianismo.

Más adelante, en el mismo texto, Jesús responderá a Salomé: «He venido a destruir la obra de la mujer».

Como ya hemos precisado en nuestra obra precedente,[24] el mundo antiguo conocía perfectamente los anticonceptivos mecánicos, generalmente utilizados por las mujeres de costumbres libres: bailarinas, cortesanas, músicas, etcétera.

Lo mismo sucedía con los procedimientos de aborto, y el uso de las plantas abortivas, como la ruda, la artemisa, el ajenjo y, sobre todo, la temible sabina, no tenía ningún secreto para las parteras de aquella época.

Es decir, que la decisión de Salomé de no tener hijos no tenía en sí nada de extraordinario.

¿Quién era exactamente esa Salomé? Una mujer rica, eso es indiscutible, ya que podía permitirse ayudar económicamente a Jesús. Pero ¿era mesianista convencida, ganada al movimiento zelote, o simplemente admiradora de un Jesús que era un prestigioso mago? Es difícil decirlo con certeza. Pero del hecho de que se quisiera ocultar ulteriormente que había sido la concubina de Jesús, y que éste hubiera sacado de ella el máximo que un hombre puede sacar de una mujer, hospitalidad y dinero, sin omitir otros privilegios más íntimos, tenemos como prueba el silencio absoluto de Eusebio de Cesarea respecto a ella. Éste corre un tupido velo sobre todas las mujeres citadas por Lucas como seguidoras y asistentas de Jesús (Lucas, 8, 3). Buscaríamos en vano en su *Historia eclesiástica* cualquir mención de María de Magdala, de Juana, mujer de Chuza, intendente de Herodes, de Susana, etc. ¡Se adivina que ese verdadero *harén* que acompaña a Jesús escandaliza al citado Eusebio! Menciona simplemente, bajo el reinado de Herodes el Grande (o sea en el año 6 antes de nuestra era): «Salomé, hermana de Herodes, esposa de Alexas». (Cf. Eugenio de Cesarea, *Historia eclesiástica*, I, viii, 13.) ¡Ésta, como se sabe, no le molestaba!

---

24. Cf. *Jesús o el secreto mortal de los templarios*, pp. 296-297

Porque todas las mujeres que escoltaban a Jesús no estaban solas con él. Estaban sus hermanos y sus ayudantes, y, a excepción de Simón-Pedro, en ningún caso se trataba de sus esposas. Todo ese estado mayor *mixto* constituía una curiosa «familia», y el comunismo a lo mejor no se limitaba sólo a los bienes. ¡Algún día lo demostraremos!

Y probablemente es por este motivo por el que los padres de la Iglesia citan siempre a Herodías, madre de Salomé, como la bailarina que exigió la cabeza del Bautista, *y jamás a Salomé II*, cuando, según los evangelios canónicos, es Salomé II la que baila, y no su madre (Mateo, 14, 6 y 12; Marcos, 6, 22 y 29), y a continuación la joven le entrega la cabeza a Herodías. Como se ve, a partir del siglo IV intentaron hacer desaparecer a Salomé II de la Historia. Hay silencios muy reveladores.[25]

Para concluir, es evidente que Salomé II, mujer rica según parece, no fue solamente la discípula de Jesús, no sólo le siguió y le sirvió, como reconoce Marcos, desde Galilea hasta Judea, sino que también le abrió su cama y su mesa, y ese hecho *tan humano* nos lo revela el *Evangelio de Tomás*. Ahora comprendemos los motivos de su desaparición.

Es de suponer que en el siglo II esto no constituía escándalo alguno, ya que estaban mejor documentados del *Jesús de la Historia* que en la actualidad, y ése era el episodio que los cristianos de la gran Iglesia consideraban como justificativo de la existencia de una concubina junto a sus clérigos, de los siglos I al V.

Por eso, como nos cuenta Lucas (23, 55), junto con «las mujeres que habían venido de Galilea con Jesús», Salomé, corazón fiel, acompañará a Jesús hasta la cruz, justificando así la palabra de Salomón: «El amor cubre todas las faltas». (Proverbios, 10, 12.)[26]

Permanece en pie un enigma, el de la identidad de la mujer que vierte sobre los pies de Jesús un perfume de elevado precio que contenía un jarro de alabastro, y que seca a continuación con sus cabellos, después de haberlos «cubierto de besos» (Lucas, 7, 38), cosa que evidencia, indiscutiblemente, un amor apasionado, si no, ni las palabras ni los gestos tienen sentido.

No podía tratarse, contrariamente a la leyenda que se alimentó de forma intencionada, de María de Magdala, porque ya revelamos en el volumen precedente su verdadera personalidad.

Tampoco podía ser Salomé, porque el tono de ésta es el de una mujer altanera, rica, acostumbrada a mandar y a ser obedecida. Eso es lo que se desprende de las frases que pone en su boca el *Evangelio de Tomás*, versículo 65: «¿Quién eres tú, hombre? ¿De quién has salido,

25. Sobre la verosimilitud y la realidad histórica de esta leyenda, véase *Jesús o el secreto mortal de los templarios*, pp. 136-138.
26. Según FLAVIO JOSEFO (*Antigüedades judaicas*, XVII, i, 3), Herodes el Grande habría tenido, de una esposa llamada Elpis, una hija que recibió el nombre de Salomé; se trataría entonces de Salomé III.

para haberte subido a mi cama y haber comido en mi mesa?». Sobre esta otra mujer, los evangelios canónicos nos dan algunas precisiones:

Mateo dice de ella: «una mujer» (26, 6-7).

Marcos dice lo mismo: «una mujer» (14, 3).

Juan declara que se llama «María» (11, 2, y 12, 3).

Lucas dice de ella: «una mujer de mala vida» (7, 37).

Y la expresión inicial en el manuscrito griego dice: «una pecadora de la ciudad».

Evidentemente, el *Evangelio de los Egipcios* y la *Pistis Sophia* nombran a Salomé: «María-Salomé». Pero no es ella la mujer del jarro de alabastro.

La María que, según Juan (12, 3), vierte el precioso perfume es la hermana de Marta y de Lázaro. Ambas viven en Betania, modesto pueblo situado en las afueras de Jerusalén, y próximamente demostraremos que se trata de una hermana de Jesús.

Nada de eso evoca a la rica Salomé. Porque, observémoslo de paso, la Ley judía y las costumbres romanas de la época permitían que una mujer dispusiera libremente de su fortuna si era la única heredera de su padre. Lo mismo sucedía con la renta que le debían sus hermanos si, en caso de existir, habían heredado de su padre. Lo mismo sucedía también si era viuda y sin hijos. Y este último caso era el de Salomé II, viuda en primeras nupcias de su tío Herodes Filipo II.

Pero ¿quién era la Salomé que asistió a Jesús?

Ahora tenemos la certeza de que se trataba de una mujer de elevado rango social. Por otra parte, la obra titulada *Pistis Sophia* la llama María-Salomé. Pero jamás, en el judaísmo antiguo, se dio dos nombres como en Occidente (José Luis, María Teresa, etc.). Y María se dice en hebreo *Myrhiam*, es decir, *princesa*, lo mismo que en siríaco. Así pues, María-Salomé no es otra que la «*princesa Salomé*». Parece que tocamos «caliente».

Además, conocemos los nombres de algunas de las mujeres que seguían a Jesús y a los doce «asistiéndoles con sus bienes» (Lucas, 8, 3). Había una llamada Susana, luego una tal Juana (en hebreo *Iochannah*), y que es «esposa de Chuza, intendente de Herodes» (se trata de Herodes Agripa).

Y de inmediato se nos ocurre una pregunta: ¿cómo pudo abandonar esta mujer a su marido para seguir a ese auténtico «maquis» ambulante que Jesús arrastra tras de sí desde Galilea, sin que Chuza, intendente de Herodes, y por lo tanto alto funcionario del tetrarca, la hiciera volver a casa, de grado o por fuerza?

La respuesta es sencilla: *su esposa es la doncella de Salomé*, hija de Herodías y de Herodes Filipo, nuera y sobrina de Herodes Antipas, viuda de Herodes Filipo II. Y no se atreve a oponerse a lo que constituye el servicio en sí de su esposa. Y la *princesa Salomé II* es la *Myrhiam Salomé* de la *Pistis Sophia*, la que abrió su cama y su mesa a Jesús. Enviudó mucho antes del año 33 de nuestra era, según nos dice

Michaud en su *Biographie Universelle* (tomo 37, página 537), y añade pertinentemente: «Debía de ser *muy joven* todavía en esa época». Cosa indudable.

Y una vez más, en este problema histórico, podemos concluir que la realidad supera a la ficción: la nieta de Herodes el Grande, que hizo crucificar a Ezequías, abuelo de Jesús, convertida en la amiguita de este último. Cosa que no pudo sino agravar la mala disposición de Herodes Antipas, nuevo tetrarca de Galilea, hacia el tal Jesús, al ser los celos cosa bastante humana, tanto más cuanto que dicho Jesús añade el hecho de ser pretendiente, o presentado como candidato al trono de Israel.

Lo que parece corroborar ciertos lazos, tanto de familia como de intereses, entre los miembros de la dinastía herodiana y los de la descendencia davídica, cuyos representantes auténticos a principios de nuestra era son Judas de Gamala, y luego su hijo mayor Jesús, es el hecho de que Flavio Josefo nos diga que, durante la estancia de Arquelao en Roma, poco después de la muerte de Herodes el Grande, su padre, y de quien era heredero, los judíos habían entrado en insurrección, y que, *entre los rebeldes*: «Había parientes de Arquelao, a los que César (el emperador Augusto) hizo castigar por haber combatido contra su pariente y rey». (Cf. Flavio Josefo, *Antigüedades judaicas*, XVII, x, 297; *Guerra de los judíos*, II, i, manuscrito eslavo.)

Entre esos rebeldes que pertenecían a la familia de los Herodes se contaba, en especial, Achiab, primo de Herodes el Grande, tío de Arquelao y tío abuelo de Salomé II.

Ahora bien, Daniel-Rops, en *Jésus en son temps*, nos precisa que la insurrección política montada contra Arquelao (aparte de las de puro bandolerismo, y que eran causadas asimismo por bandas diversas), estaba dirigida por Judas de Gamala, llamado también Judas de Galilea (el padre de Jesús).

Y si miembros de la familia herodiana, familiares de Arquelao, como su tío Achiab, montaron una insurrección, no podía tratarse sino de la *política* de Judas de Galilea, y ninguna otra de puro derecho común, por bandidos anónimos.

Es indudablemente en esa alianza con el partido de los «*hijos de David*» de elementos de la familia de Arquelao donde se encuentra la génesis de las relaciones posteriores entre Jesús, «*hijo de David*», como nos dicen los evangelios, y Salomé II, sobrina nieta de Achiab, que entró en insurrección contra Arquelao con otros varios tíos de ésta, en el año 5 antes de nuestra era, en las filas de los insurrectos judíos dirigidos por Judas de Galilea.[27]

Si se pesan exactamente los término de la terrible frase del *Evange-*

27. Véase, especialmente, el papel de Antipater II, padre de Saulo-Pablo, adversario de Arquelao, y su acusador frente al emperador Augusto. El hecho es significativo (*supra*, p. 115).

lio de Tomás, parece ser que Salomé se pregunta por los motivos que pudieron incitarla a ofrecerle su cama y su mesa a Jesús. No obstante, aunque parezca referirse al pasado, declara que seguirá siendo su discípula. Y entonces podemos preguntarnos por qué esta mujer rica, de alta cuna, ociosa (su madre Herodías siguió en el exilio a Vienne, en las Galias, a su segundo esposo, Herodes Antipas, padrastro de Salomé II, y allí hallarían una triste muerte en el año 39), querría dar soporte a una causa tan arriesgada, que ya había costado la vida a su tío Achiab y a varios parientes próximos treinta años antes.

El motivo nos parece muy sencillo.

Salomé II, como todas las mujeres de la dinastía de los Herodes, probablemente fue una ambiciosa, sedienta de poder y de honores. La historia de esta dinastía está ahí para dar fe. Y del hecho de que constituyera la tentación viviente a la que sucumbió Jesús, tanto por su belleza, su riqueza, como por su rango, nos da la prueba el calificativo que le aplica un evangelio muy antiguo: «... y Salomé la seductora...» (cf. *Evangelio de Bartolomé*, 2.º fragmento). Está bastante claro.

Después de haber reinado modestamente sobre la tetrarquía de su tío Herodes Filipo, que comprendía la Gaulanítide, la Traconítide y la Batanea, y luego sobre la de Galilea y Perea, su tío Herodes Agripa I, hermano de Herodías, su madre, se convertirá en rey de toda Judea al advenimiento de Claudio César, en el año 41 de nuestra era. Así éste terminó obteniendo *la totalidad del antiguo reino de Herodes el Grande*.

Y si miramos algunos años atrás, encontramos en Israel dos pretendientes a la corona.

En primer lugar está Jesús. Y esta pretensión a la realeza la afirmó claramente durante toda la primera parte de su vida. La desengañada alusión a un reino «que no es de este mundo» no la formulará hasta mucho más tarde, después de haber sido apresado, y éstos son los pasajes de los evangelios donde se pueden encontrar las huellas de esa pretensión de reinar; no hay ningún equívoco en los siguientes versículos: Lucas, 1, 33; Mateo, 17, 24-26; Mateo, 2, 2; Juan, 18, 33-34; Juan, 18, 37; Mateo, 28, 11; Marcos, 15, 2; Lucas, 23, 3; Marcos, 15, 9-12; Mateo, 26, 17-29; Marcos, 15, 18; Juan, 19, 19; Mateo, 27, 37; Marcos, 15, 26; Marcos, 15, 32; Juan, 19, 21; Juan, 18, 36.

Hubo, no obstante, una época en la que Jesús pudo haberse convertido en rey, si no de Israel en su totalidad, sí de al menos una de sus tetrarquías. Porque en Juan descubrimos este revelador pasaje: «Y Jesús, conociendo que iban a venir para arrebatarle y hacerle rey, se retiró otra vez al monte, él solo». (Juan, 6, 15.)

El porqué de este alejamiento reside simplemente en el hecho de que Jesús rehusaba ser rey de una población tan mezclada, donde judíos y griegos estaban estrechamente entremezclados, gentes sin oficio ni beneficio, más o menos fuera de la ley. Además, quería ser rey de *todo Israel*: «¡Jerusalén, Jerusalén, que matas a los profetas y apedreas a los que te son enviados! ¡Cuántas veces quise reunir a tus hijos a la manera que la gallina reúne a sus pollos bajo las alas, y no quisiste!». (Mateo, 23, 37.)

De ahí sus relaciones, que causan escándalo en Judea, con el territorio impuro de Samaria, reino rival de Judea, con sus cultos particulares. Porque si conseguía esa reunificación del antiguo reino de David y de Salomón, escindido en dos facciones rivales desde que murió este último, podría pensar en devolver a los romanos al mar.

Pero además de sus esperanzas personales, Jesús tenía un aliado que él ignoraba, y ese aliado ignorado *era el emperador Tiberio en persona.*

En efecto, existe un apócrifo copto que el sabio Orígenes consideraba como el más antiguo evangelio apócrifo con el *Evangelio de los Egipcios*, y es el *Evangelio de los Doce Apóstoles*, y ambos probablemente fueron anteriores al de Lucas, quien quizá también fue su autor.

Y ese *Evangelio de los Doce Apóstoles* nos aporta una curiosa revelación.

Se cuenta que Tiberio recibió de Herodes Antipas una denuncia en regla contra su hermano Herodes Filipo, esposo de Herodías y padre de Salomé II. En ella acusaba a su hermano de haber montado una conspiración contra la autoridad romana. Tiberio ordenó a Herodes Antipas que se apoderara de todo el territorio gobernado por Herodes Filipo, y de todos sus bienes, no dejándole sino la vida y la de su esposa y su hija. No obstante, esta incautación se había hecho en provecho de Roma, que a continuación pensaba disponer a su antojo de la tetrarquía de Herodes Filipo. En la mente de Tiberio, de lo que se trataba no era de acrecentar el poder de Herodes Antipas, haciendo de él un verdadero rey de Judea, como lo fuera Herodes el Grande. Y para equilibrar mejor las fuerzas ideológicas presentes, y a fin de dividir para reinar mejor, el astuto Tiberio había imaginado entregar la tetrarquía de Herodes Filipo a Jesús, «hijo de David».

Pero Herodes Antipas, al ver frustradas sus esperanzas y embargado por la rabia, compró a precio de oro la complicidad de Cario, que había sido enviado por el emperador, y éste entregó a Tiberio un informe extremadamente desfavorable sobre Jesús. De este episodio nació la hostilidad entre Pilato y Herodes Antipas, ya que Pilato había apoyado el proyecto del emperador, hostilidad que no desaparecería hasta que envió a Jesús, prisionero, a que compareciera ante Herodes Antipas, tal como cuentan los evangelios: «En aquel día se hicieron amigos uno del otro, Herodes y Pilato, pues antes eran enemigos». (Lucas, 23, 12.)

Así esta hostilidad no tenía ya razón de ser. El episodio aparece reforzado por otro pasaje de los evangelios: «En aquella hora se le acercaron algunos fariseos, diciéndole: "Sal y vete de aquí, porque Herodes quiere matarte".» (Lucas, 13, 31.)

¡Es evidente que si el tiranillo idumeo quiso hacer asesinar a Jesús, no fue por los discursos en los cuales aconsejaba éste a las gentes que se amaran los unos a los otros! Fue porque el tal Jesús ponía sus ambiciones en peligro, y para eso era preciso que fuera pretendiente al trono de Israel, como él. Cosa que acentuaba el hecho de que Herodes no ignoraba que numerosos partidarios de Jesús querían proclamarlo rey: «Y Jesús, conociendo que iban a venir para arrebatarle y hacerle rey, se retiró de nuevo al monte». (Juan, 6, 15.)

De todos modos, el texto añade después: «... él solo». Este retiro no significaba quizás un rechazo, sino que Jesús, antes de aceptar, quería reflexionar, y no podía hacerlo sino en completa soledad.

Sea lo que fuere, ante el informe desfavorable de Cario, comprado por Herodes Antipas, Tiberio renunció a sus proyectos en favor de Jesús.

Así pues, nos encontramos en presencia de dos pretendientes al trono de Israel: Jesús, representante de la filiación real llamada «davídica», y Herodes Antipas, representante de la filiación real llamada «idumea», por parte de su padre Herodes el Grande.

Quedaba todavía la filiación asmonea, llamada de los Macabeos, que a través de Mariamna, esposa de Herodes el Grande, desembocaba en esa época en Herodes rey de Calcis y en su hijo Aristóbulo III, futuro esposo de Salomé II. Pero Herodes de Calcis, rey de dicha provincia, no pretendía al trono de Israel. No quedaban, pues, sino Jesús y Herodes Antipas.

Y es aquí donde volvemos a encontrar a Salomé II.

No es difícil comprender que sus sentimientos hacia Herodes Antipas, el fratricida que despojó a su hermano Herodes Filipo de todos sus bienes, que hizo de su madre Herodías una cautiva adúltera y consintiente, y la despojó a ella misma de una herencia casi real, no podían ser sino de odio. Además, la casó muy joven, y probablemente sin su consentimiento, como era costumbre en esas regiones y en esas épocas, con su tío Herodes Filipo II, hijo de Herodes el Grande y hermanastro de Herodes Antipas. Y eso quizá no fue de su gusto.

Por otra parte, Salomé II recordaba la terrible muerte de su tío Achiab y de otros familiares suyos, crucificados por haberse unido al partido davídico cuyo jefe era Judas de Gamala, padre de Jesús, y eso por horror a los crímenes de Herodes el Grande, horror trasladado a su hijo preferido, Arquelao.

Y quizá todo eso dictó la elección de Salomé en favor de Jesús. Éste sabía, además, que el pueblo judío odiaba violentamente a la dinastía de los Herodes, que odiaba del mismo modo el recuerdo de los reyes-sacerdotes asmoneos, los macabeos, y que, en gran proporción, era partidario de Jesús, quien realzaba todavía más su prestigio real con sus dotes de mago y taumaturgo.

¿Lo conocía bien? Es posible. Después de haber sido secuestrada por Herodes Antipas, ella tuvo que vivir necesariamente en Galilea, en las orillas del lago Genezaret, en la ciudad y el palacio de Tiberíades,

194

construidos por Herodes Antipas en honor a Tiberio. A continuación, después de su matrimonio con su tío Herodes Filipo II, vivió en un palacio personal, en el valle de Genezaret, en hebreo: «*Ginethsaar*», el «jardín de los príncipes». En este afortunado valle, que debe su nombre tanto a su riqueza y a su belleza como a los nobles de alto rango que hicieron construir allí sus lujosas mansiones, crecen el naranjo, el limonero, la palmera, el datilero, todos los árboles frutales, la viña, y esa vegetación subtropical alberga animales reales, como el águila y el guepardo. Es un verdadero paraíso.

Este esposo, que es a la vez un tío de mucha más edad, la dejará viuda muy pronto, y sin hijos, es decir, *totalmente libre*. Su tío y padrastro Herodes Antipas y su madre Herodías se irán a vivir un terrible exilio en las riberas heladas y las brumas del Ródano, en Vienne. Allí morirán muy pronto.[28] Y a través de la madre de su esposo Herodes Filipo II, su propia suegra, es decir, Cleopatra de Jerusalén, entra en relaciones familiares con la estirpe davídica, a la que ésta pertenecía. Y aquí tenemos el lazo inicial entre Salomé II y Jesús.

¿Quién introdujo el cristianismo en los medios serviles de la alta aristocracia romana? ¿Quién, sino Salomé?

A esta pregunta tan importante, responderemos que sí y que no.

Es más que probable que Salomé eligiera entre los partidarios del zelotismo y de Jesús a aquellos de su casa que se proponía llevar consigo a Roma cuando tuvo lugar su segundo matrimonio. Y esto afectaba no sólo a la servidumbre de Galilea, sino también a la de Judea. Porque indudablemente poseía también una casa en Jerusalén, la de su primer esposo Herodes Filipo II, igual que su padrastro Herodes Antipas.

Así pues, esos servidores con las mismas ideas que su ama serían los que divulgarían en Roma las teorías de la nueva secta, mejor o peor asimiladas, y cada día más mezcladas con prodigios maravillosos relacionados con Jesús. Eso es seguro.

En efecto, cuando Saulo-Pablo llega a Roma y entra inmediatamente en relación con los ambientes judíos, éstos le hacen saber sin ambages que lo ignoran todo sobre la secta herética y cismática que en otras partes trastorna a las sinagogas: «Nosotros no hemos recibido de Judea ninguna carta acerca de ti ni ninguno de los hermanos que hayan llegado aquí nos ha comunicado o hablado de ti nada malo. Pero querríamos oír de tu boca lo que tú piensas, porque de esta secta nos es conocido que en todas partes se la contradice». (Cf. Hechos de los Apóstoles, 28, 21.)

Y no obstante, a pesar de esta ignorancia de la plebe judía, hay cristianos en Roma, en la casa de Narciso y en la de Aristóbulo III. Es fácil explicar esta aparente contradicción.

---

28. El *Exilium* comportaba la deportación a una provincia lejana. Si a ello se le añadía la *interdictio aquae et ignis* (prohibición de que se les diera, vendiera o alquilara nada), el condenado moría rápidamente en la indigencia más completa.

Antaño, en la vieja Francia, los servidores de las grandes familias, al igual que sus amos, no frecuentaban sino a sus iguales. Bien calzados, ceñidos en sus ricas libreas con los colores de la «casa» de los citados amos, guardabosques, monteros, palafreneros, cocheros, etc., despreciaban a los humildes campesinos vestidos con bastolino, calzados con zuecos de madera embutidos de heno o de paja, y más o menos cuidados. El intendente se casaba con la señorita de compañía, el primer montero con la costurera y el palafrenero con una camarera. Cuando tenían lugar las grandes cacerías de invierno, entre un castillo y otro se establecían relaciones más extensas con la servidumbre de las otras familias. Durante unos breves días se ampliaba el círculo de relaciones. Pero se seguía ignorando y despreciando a los serviles campesinos, imitando en esto a sus amos.

Lo mismo sucedía en la Roma antigua, y las invitaciones a pasar períodos más o menos largos en las ricas «villas» del Latium o de la Campania, en las orillas de los *Mare Tyrrhenum* o del *Mare Adriaticum* ponían a la servidumbre de las grandes familias en contacto mutuo a veces prolongado. Allí se producía lo que Celso describió tan bien: «Lo mismo sucede en el seno de las familias [...] Sorprenden especialmente a los niños de la casa y a las mujeres, que no tienen más juicio que ellos mismos, y empiezan a relatarles maravillas». (Cf. Celso, *Discurso de la Verdad*, 37.)

Pues bien, Salomé II es de herencia puramente idumea, es decir, que es *una árabe*. Éste es un detalle que el lector profano olvida demasiado a menudo. Y la mujer árabe está íntimamente colmada de fáciles creencias en lo sobrenatural, lo maravilloso. Todavía es así en nuestros días. Veamos algunos testimonios indiscutibles a este respecto:

«El gran mal que causa estragos en el pueblo marroquí es la ignorancia. Y esta ignorancia la alimentan los *talebs*, es decir los brujos. Son los amos de toda la población; la dominan. Peroran, pretenden conocer todos los secretos de la tierra y del cielo, y mantienen una actitud altanera hacia aquellos que van a consultarles. Cuanto más humildes son éstos, más altivos se muestran aquéllos... El *taleb*, es decir, el brujo, es *rey*...» (Cf. Henriette Willette, *Superstitions et diableries arabes*, Fasquelle édit., París, 1931.)

«Las mujeres, para imponer su influencia, recurren a la magia. No sin temor. Las prácticas malditas pueden ser denunciadas por los genios, los lares y los manes, que abundan en las casas [...] Con el fin de obtener del cielo una alianza terrible, las mujeres recurren a la bruja. ¡Qué no obtendrá ella con el agua de luna! En la noche de la *Achura*, la fiesta de los muertos, la amante sombría coloca un plato de barro lleno de agua sobre una tumba recientemente abierta, y dirige la siguiente invocación...» (Cf. Maurice Privat, *Vénus au Maroc*, París, 1934.)

«Ella entonces desentierra un cadáver recientemente inhumado, lo sienta entre sus piernas, y cogiendo las manos del muerto entre las

196

suyas hace rodar cuscús humedecido con agua de luna. Este filtro, comido por un amante veleidoso, hará que muera en él todo amor, excepto hacia la mujer que lo haya incorporado en sus alimentos. Un marido malvado y regañón se tornará mudo como un muerto. Un marido celoso estará ciego a todas las faltas...» (Cf. Dr. Yvonne Légey, *Essai de folklore marocain.*)

«La Arabia *preislámica* está constituida casi en la misma forma que encontrará el Islam y que codificará el Corán. La religión admitía ya la creencia en un solo dios, Alá, el único al que se invocaba en caso de peligro, pero tenía coadyutores, si se les puede decir así, toda una tropa de dioses locales o importados, cuyos ídolos llenaban el templo de La Meca... Las costumbres eran disolutas, la música, la danza y el consumo de licores alcohólicos constituían las principales ocupaciones del pueblo y sus dirigentes, y la magia reinaba como una temible señora...» (Cf. René Pottier, *Initiation à la médecine et à la magie en Islam*, París, 1939.)

Es decir que, en el siglo I de nuestra era, los prestigios mágicos y las curaciones obtenidas por un conocimiento secreto de la medicina, tales como los operó Jesús en el curso de su vida,[29] jamás tuvieron nada de sorprendente para Salomé II. Esos eran espectáculos corrientes en aquellas regiones, y judíos y árabes tenían ante ellos la misma reacción, despojada de toda sorpresa.

También debió de creer firmemente en la veracidad de todo el montaje sobre la pseudo-resurrección. Ella también esperaba su famoso «regreso». Él mismo había precisado: «Cuando veáis todas estas cosas, entended que el Hijo del Hombre está cerca, a las puertas. En verdad os digo que no pasará esta generación antes que todo esto suceda». (Mateo, 24, 33-34; Marcos, 13, 30; Lucas, 21, 32.)

Esta generación pasó, y más de veinticuatro generaciones más pasaron a su vez, y no sucedió nada, y menos aún su regreso sobre las nubes del cielo. Pero sigue habiendo fieles que esperan todavía ese «regreso», así que ¿por qué tirarle la piedra a Salomé? Ésta fue una mujer de su época, ingenua, supersticiosa, que probablemente amó durante un tiempo al prodigioso mago que asombraba a las multitudes. Sus esperanzas y sus ambiciones coincidían con todo esto. Y también su rencor hacia los Herodes, que habían despojado o permitido despojar de todos sus bienes a sus familiares y a ella misma.

Todo ello justifica la actitud y el comportamiento de esta mujer. Sus servidores y servidoras hicieron el resto. Pero si es evidente que, como confió en privado el papa Pío XI, Simón-Pedro «*no puso jamás los pies en Roma...*», quizá fuera Salomé II, sin saberlo, el primer apóstol a través del cual penetró allí el cristianismo.

Y es bastante divertido observar que el primer mensaje de la nueva

29. Cf. *Jesús o el secreto mortal de los templarios*, cap. «La magia en la vida de Jesús», pp. 139-152.

religión fue introducido en la ciudad que debería convertirse en la capital de la Cristiandad, por una de esas mujeres a las que Jesús se había negado a confiar los famosos «poderes» apostólicos.

Como dijo Oscar Wilde, «el sabio se contradice a sí mismo».

En cuanto a la leyenda que la hace morir en un estanque helado, decapitada por el hielo que se cierra bruscamente en torno a su cuello, fue elaborada hacia el año 1325 por Nicéforo Callisto, historiador griego, para dar cuerpo a la rúbrica que él le consagra, pero ningún historiador católico moderno la toma en serio, como es lógico.

Queda un punto por dilucidar, y es el de su comportamiento tras la detención de Jesús.

Dada su posición social, seguro que ocupaba en Jerusalén la rica mansión de su difunto esposo Herodes Filipo (que a su vez era su tío), y esta mansión, sin ser tan suntuosa como el palacio de Herodes (donde residía en la semana pascual Herodes Antipas, tetrarca de Galilea y Perea, tío suyo), era evidentemente digna de la fortuna del desaparecido Herodes Filipo.

Sabemos que asistió a la ejecución de Jesús con las otras mujeres del séquito de éste (Marcos, 15, 40). Pero ¿no intentó nada para salvar a aquél al que admiraba y había asistido y acogido, de todas las maneras posibles, desde hacía varios años? Parece que sí.

En primer lugar, es evidente que no podía proyectarse una evasión basada en una acción armada. En aquella época del año religioso, en plena semana de Pascua judía, la guarnición romana estaba todavía más dotada que de costumbre. La ciudadela *Antonia* estaba llena de veteranos de la cohorte, y se debieron establecer también acantonamientos secundarios de centurias legionarias llegadas como refuerzo. El grupo zelote de Jesús había sido derrotado en el combate del monte de los Olivos, alrededor de los dominios de Ierahmeel, por las cinco centurias de la cohorte,[30] y no se le podía hacer levantar de nuevo en armas para dar el golpe liberador. Además, si la princesa Salomé era objeto de consideraciones por parte de los ocupantes romanos, esto no llegaría hasta el extremo de tolerarle que desempeñara un papel en una conspiración a mano armada.

Lo único que podía hacer era, pues, intervenir. Y es lo que creemos que hizo. Este episodio fue enmascarado voluntariamente, a fin de borrar una vez más la existencia de Salomé y su importancia en la vida de Jesús. Y para ello llegaron incluso a imaginar el sueño de la esposa de Pilato. Y así, en Mateo leemos: «Mientras [Pilato] estaba sentado en el tribunal, le mandó un recado su mujer, diciendo: "No te metas con ese justo, pues he padecido mucho hoy en sueños por causa de él".». (Mateo, 27, 19.)[31]

30. Cf. *Jesús o el secreto mortal de los templarios*, pp. 276-277.
31. Obsérvese que Marcos, Lucas y Juan ignoran esa intervención de la esposa del procurador. Seguramente procede de la intención de los orientales del siglo IV de hacer santificar, por adulación, al procurador Pilato. Cosa que, por cierto, tuvo lugar.

Visiblemente se montó esta frase persiguiendo alguna finalidad concreta. Es absolutamente imposible que la esposa de Pilato empleara un término específicamente hebreo: «... ese justo», en hebreo «*conforme al deseo de Yavé*».

Los *Acta Pilati*, apócrifo copto del siglo IV, sobre una redacción de los *Hechos de Aneas* sacados de textos judaicos de la época y que reciben también el nombre de *Evangelio de Nicodemo*, nos cuentan un episodio parecido: «Pilato llamó, pues, a todos los judíos, y les dijo: "Sabéis que mi esposa es una persona que cree en Dios y que se inclina hacia el lado de los judíos con vosotros". Ellos dijeron: "Lo sabemos". Pilato dijo: "Ved que mi esposa me ha enviado recado, diciendo: 'Aléjate de ese hombre justo. He sufrido mucho a causa de él esta noche, en sueños'.". Los judíos respondieron y dijeron a Pilato: "¿No te hemos dicho acaso ya que es un mago? Ha enviado un sueño a tu mujer".». (Cf. *Acta Pilati*, II.)[32]

El término con el que la designan tendería a situar a la esposa del procurador entre los *prosélitos*, los «temerosos de Dios». Era un hecho conocido el que las mujeres de la alta aristocracia romana gustaban de frecuentar el judaísmo. La gente culta no experimentaba ya satisfacción con el politeísmo romano, que de hecho no era ya sino una angelología deformada. Basta con releer a Juvenal: «¡El que haya en alguna parte unos manes, y un reino subterráneo, y la pértiga de Caronte, y ranas negras en la laguna Estigia, y que una sola barca pueda bastar para hacer pasar por el agua a tantos miles de muertos es algo que ya no se creen ni los niños! Excepto los que todavía van a gatas». (Cf. Juvenal, *Sátiras*, II, 149.)

Por consiguiente, no hay ningún obstáculo para que la esposa de Pilato hubiera sido seguidora.

No obstante, uno puede plantearse algunas preguntas. Antes que nada ¿estaba casado Pilato? No sabemos nada. Y en caso afirmativo, ¿esta esposa se hallaba con él en Judea? Es dudoso. Porque la ley *Oppia*, muy antigua en Roma, prohibía a los altos funcionarios romanos llevar consigo a sus mujeres a las provincias donde gobernaban. Un siglo antes de nuestra era, un senadoconsulto había atenuado este ostracismo, pero la *lex Oppia*, que seguía en vigor, les era muy difícil de derogar. A veces un gobernador de provincia, un legado imperial, obtenía este permiso, aunque comprometiéndose a «asumir toda la responsabilidad por las faltas que ella pudiera cometer». Pero ¿habría obtenido esta autorización un simple procurador? Es muy dudoso. Y en caso afirmativo, ¿quién era su esposa?[33]

32. Observemos de paso que esos textos, que aparecen bajo el reinado de Teodosio (379-385), emperador cristiano fanático, hacen morir a Jesús bajo el reinado de Claudio (41-54), lo que convierte en imposible el hecho de que esto sucediera durante el procurado de Pilato quien ejerció sus funciones del año 25 al 36.

33. En los años 20-22 de nuestra era, siendo emperador Tiberio, Severo Cecina pidió al senado romano que aplicara de nuevo, con todo su rigor, la *lex Oppia*. Pero Valerio

Daniel Rops nos dice en *Jésus en son temps* que el *Evangelio de Nicodemo*, alias *Acta Pilati*, la llama Claudia Procula. Nosotros no hemos encontrado ese detalle en los textos en cuestión. Algunos autores, como Rosadi, creen que podía tratarse de la hija menor de Julia, hija de César Augusto, a quien su padre exilió en la isla de Pendataria para limitar sus desbordamientos sexuales.[34] Aurelio Macrobo, autor latino del siglo V, nos dice en sus *Saturnales* que a Claudia Procula, su madre Julia la había colocado junto a Tiberio, tercer esposo de ésta. Lo que da a entender que el padrastro pudo muy bien haber corrompido a la citada Claudia. Y luego la casarían con Poncio Pilato, ambicioso y advenedizo, probablemente antiguo liberto, quien utilizaría a su esposa para conseguir relacionarse con las altas esferas, y quizás incluso para convertirse en «*amigo del César*», título muy codiciado, que Juan, en su evangelio (19, 12), asegura que poseía.

Sea lo que fuere, es dudoso que Claudia Procula, esposa de Pilato, tuviera un sueño premonitorio referente a Jesús, ya que dicho sueño no fue profético, puesto que nada le sucedió a Pilato por haber condenado a Jesús en función de las leyes romanas y por rebelión contra César. Cuando, mucho más tarde, fue exiliado a Vienne, en las Galias, fue por haber ordenado una matanza entre unos samaritanos iluminados a lo que un agitador zelote había amotinado, para llevar a cabo una nueva sublevación. No había relación alguna con el proceso de Jesús.

Por consiguiente, teniendo en cuenta: *a*) que no estamos seguros de que Pilato estuviera casado, ni de que hubiera podido hacer llegar a Judea a su esposa, en contra de lo que dictaba la *lex Oppia*; y *b*) que esta mujer, en caso afirmativo, no pudo tener un sueño *premonitorio*, como afirma *Mateo* —el único en los cuatro evangelios canónicos—, ya que dicho sueño, si fue real, no se realizó, nosotros sostenemos la hipótesis, quizá más sutil, pero infinitamente más plausible, de que se trató de una artimaña de Salomé, deseosa de influir sobre el procurador, y de hacerle soltar a Jesús.

Dado su rango de princesa de la Casa de Herodes, viuda de Herodes Filipo, asimismo príncipe herodiano, hijastra de Herodes Antipas, tetrarca de Galilea y Perea, recibía a Pilato y era recibida por él. Tanto si estaba casado como si no, tanto si Claudia Procula estaba en Jerusalén como si no, los miembros de la dinastía idumea tenían relaciones mundanas con los altos oficiales de Roma, y en particular con el procurador.

Messalino, y luego Druso Nero, hicieron eludir la proposición de Severo, según nos cuenta Tácito (cf. *Anales*, III, xxxiii y xxxiv). De todos modos, la brevedad de la permanencia de algunos procuradores en Palestina parece justificarse por la ausencia lejos de sus esposas: un año por término medio.

34. Teniendo en cuenta esta herencia galante, es muy dudoso que obtuviera el permiso de acompañar a su esposo Pilato a Oriente, contraviniendo la *lex Oppia*.

Salomé pudo intervenir influyendo sobre Claudia Procula, si ella estaba allí, o directamente sobre Pilato, si se encontraba solo en Jerusalén. ¿Cómo? Mediante una mentira piadosa.

Imaginaron ese pseudo-sueño, sabiendo que los romanos eran supersticiosos, y conociendo bien su creencia en los sueños «enviados por los dioses». No se aleja tanto del terrible ejemplo de Julio César, quien, prevenido por su esposa Calpurnia de un sueño trágico referido a él, y después de que ella le suplicara que no saliera de casa el día de los *Idus de marzo*, despreció dicha advertencia y fue a caer bajo el puñal de los conjurados.

Lo que refuerza esta hipótesis es que Pilato, a lo largo de todos los interrogatorios que se hicieron a Jesús, lo consideró sin cesar como *rey de los judíos*, y no como un simple jefe de banda, en rebelión contra Roma. Fue preciso que le hubieran puesto al corriente, y no pudieron hacerlo los judíos acusadores, ya que, al pertenecer a la secta saducea, la *clase rica de Israel*, y contrariamente a los fariseos, que protegieron en secreto a Jesús durante tan largo tiempo, no consideraban a Jesús como un rey legítimo, y *además se entendían perfectamente con los ocupantes romanos,*. ¡Como se ve, es un eterno volver a empezar de la Historia!

Porque Salomé y Claudia Procula (si se hallaba realmente en Jerusalén) tuvieron que ser necesariamente seguidoras del judaísmo. Si no, la primera jamás habría prestado soporte a Jesús, no lo habría seguido, y no se habría proclamado discípula suya. Pues bien, ellas, todavía bajo el entusiasmo de los neófitos, la religión judía la siguen al pie de la letra. Y según ésta, sólo los profetas, los sacerdotes y antaño los jueces, podían recibir sueños premonitorios. El vulgo quedaba excluido, y no existe ningún ejemplo de que el Eterno hablara en sueños *a alguna mujer* en las Escrituras. Psíquicamente la experiencia demuestra lo contrario, pero es así. Por eso consideramos el sueño de la esposa de Pilato como una artimaña urdida por Salomé en favor de Jesús.

Por último se plantea otro problema: el de la identidad de la persona que aconsejó a Tiberio que entregara a Jesús la tetrarquía confiscada a Herodes Filipo.[35] No fue Pilato. Y menos Herodes Antipas, que no había montado toda esa conjura contra su hermanastro sino para apropiarse de ella, así como de su esposa Herodías. Desde la deposición de Herodes Filipo había pasado ya tiempo. ¿Quién, pues, de no ser Salomé II pudo hacer que Tiberio conociera a Jesús y sugerirle tal proyecto?[36] Y más cuando haciendo tal cosa la ambiciosa Salomé trabajaba también para la realización de su sueño secreto: volver a aquello a lo que su cuna la destinaba inicialmente...

No en vano el *Evangelio de Bartolomé* la llama «*Salomé la seduc-*

35. Cf. *Jesús o el secreto mortal de los templarios*, pp. 157-161.
36. Probablemente a través de Claudia Procula, *pupila del emperador y esposa del procurador*.

201

tora». Y en este caso eso haría que la presencia de Claudia Prócula, esposa de Pilato, en Jerusalén fuera plausible.

De este capítulo el lector sacará sus conclusiones, que es lo único de importancia para el curso de la aventura paulina. Y estas conclusiones pueden repartirse en diversas constataciones:

a) cuando Saulo-Pablo llega a Roma, el judaísmo corriente ignora que existen cristianos en la capital del Imperio;

b) no obstante, en la casa de Aristóbulo III, rey de Armenia, los hay, y son los servidores de su esposa Salomé II, los que han propagado el mesianismo en el seno de la servidumbre general;

c) lo propagarán entre la de la casa de Narciso, secretario del emperador difunto Claudio César, y luego entre «los de la casa del César», en este caso Nerón. Pero esta discreta propaganda se limita a los palacios de Aristóbulo III, de Narciso y de Nerón. En el pueblo y en el seno de la colonia judía se ignora todo cuanto se refiere a la nueva religión;

d) si es cierto que Simón-Pedro jamás estuvo en Roma, y lo mismo puede decirse de Juan, hay que sacar la conclusión de que el *apóstol involuntario* de esas primeras células cristianas en la capital del Imperio, fue inicialmente Salomé II, reina de Armenia y de Calcis, antigua egeria de Jesús. Y esto no es lo menos asombroso de toda la historia.

16

El imperio paulino

> ¡Ser rey es una estupidez! Lo que cuenta es construir un
> reino.
>
> ANDRÉ MALRAUX, *La Voie royale*

Como hemos dicho, del estudio de la existencia de Saulo-Pablo se
desprende la certeza casi total de que tuvo la intención de construirse,
mediante el artilugio de crear una religión nueva cuyo fundador sería
él, un imperio espiritual que abarcaría la cuenca mediterránea oriental
y central. Esta ambición germinó en él cuando frecuentaba a Gamaliel,
el doctor supremo de Israel, y sobre todo a su hija. Había podido
constatar que la autoridad del *cohen-ha-gadol*, el sumo sacerdote, se
extendía por todo el Imperio romano, en el seno de todas las comunidades judías de la Diáspora, tanto en el campo fiscal como en el de la
legalidad penal. Y la propia Roma no se había atrevido a restringirla,
exceptuando el *jus gladii* apenas llegaron los procuradores, en lo que
concernía a los actos de sedición política y de bandolerismo por parte
de grupos armados. Pero en lo que concernía al ámbito religioso, según
un estudio minucioso llevado a cabo por Jean Juster en su libro *Les
Juifs dans l'Empire romain* tanto sobre obras talmúdicas como sobre
los textos neotestamentarios, parece que se puede afirmar con certeza
que el Sanedrín utilizaba libremente el derecho al castigo supremo
contra los judíos en materia de crímenes religiosos. Sin duda, después
del año 70, con la destrucción de Jerusalén, y la dispersión del consejo
sanedrita y su jefe, este poder se le dejó al sumo sacerdote por tolerancia de los romanos. Luego desapareció, tras la gran revolución final del
año 135.

Estos detalles tienen su importancia. Demuestran (como ya hemos
afirmado en nuestro precedente volumen) que, si Jesús fue crucificado,
fue como consecuencia de un proceso puramente romano, para *reprimir*

una rebelión política. Pero si hubiera sido simplemente acusado por los judíos de haber efectuado declaraciones blasfemas, como la de pretenderse dios o hijo de Dios, su crimen hubiera dependido del juicio del gran Sanedrín, y hubiera sido lapidado, y luego colgado por las manos a un patíbulo, con la cara vuelta hacia el Templo (cf. *Talmud*, IV, Nezikin; 4, Sanedrín, VII, 4), sin que los romanos hubieran tenido que meterse para nada. Y también, cuando vemos al rey Agripa y al procurador Albino sancionando al pontífice Anano por la lapidación de Santiago, hermano de Jesús,[37] es porque los delitos mayores reprochados al tal Santiago (Jacobo) dependían de un juicio romano (derecho común), y no de un juicio judaico (delito religioso). Tampoco se excluye que, al hacer lapidar rápidamente a un «hijo de David», Anano hubiera querido simplemente evitarle el horror de la crucifixión y las torturas que precedían a ésta.

Sea lo que fuere, dicho poder (que será el de los papas cuando hayan desaparecido los emperadores romanos), estusiasma de antemano a Saulo-Pablo. Y trabajará para obtenerlo.

Además del sumo sacerdote que representaba el poder espiritual, en Israel existía todavía el que se conocía como el «*Príncipe del Exilio*», es decir el *Exilarca* (en griego: *exilarkès*; en arameo: *resh galutha*), jefe político de los judíos deportados a Babilonia en el año 598 antes de nuestra era. El primero debió de ser Ioiakim, rey de Judá, deportado a Babilonia por Nabukadnetsaar en la fecha citada: «El tercer año del reinado de Ioiakim, rey de Judá, Nabukadnetsaar, rey de Babilonia, marchó contra Jerusalén y la asedió. El Señor entregó en sus manos a Ioiakim, rey de Judá, y una parte de los utensilios de la casa de Dios. Nabukadnetsaar se llevó esos utensilios al país de Esquinear, a la casa de su dios, y los colocó en la mansión del tesoro de su dios». (Daniel, 1, 1-2.)

Los hebreos, instalados en aquella época en el país, crecieron sin cesar y, poco a poco, por su número, consiguieron una organización administrativa que ya se dibujaba bajo la dominación de los persas de la dinastía aqueménida (siglos VII al VI antes de nuestra era), bajo la de los griegos seléucidas (años 321 a 250 antes de nuestra era), y que se afirmó sobre todo bajo la de los partos arsácidas (años 250 a 226 antes de nuestra era). Por último se volvió casi independiente bajo los persas sasánidas (año 226 antes de nuestra era hasta el 650 de ésta) y declinó bajo la dominación árabe, del siglo VII al XI. El «último de los *príncipes del Exilio*» se dice que fue un tal Ezequías, en el año 1040.

Al representar el poder temporal, el poseedor de este título y de los poderes correspondientes, gozaba de los privilegios reales y de todos los beneficios que éstos implicaban: dones en especies, diezmos de todos tipos, ingresos pecuniarios, honores populares, bendiciones clericales. Nosotros poseemos informaciones concretas de todo esto a

---

37. Cf. *Jesús o el secreto mortal de los templarios*, pp. 181-183.

través de Natán de Babilonia, judío babilonio del siglo X de nuestra era, autor de una *Historia del Exilarcado*, algunos de cuyos fragmentos fueron publicados en 1545 por Samuel Schllam en su edición del *Yuchasin*, de Moisés Zacuto.

Cuando los sucesores de Omar y del califa Alí exhumaron las leyes de persecución dictadas por Omar contra los judíos, leyes de las que él mismo no hizo uso, comenzaron a aplicarlas contra esta población. Bajo el reinado de Almutavakille, nieto de Almamún, en el año 856, fue disuelto el gran Sanedrín, el *resh galutha* perdió poco a poco sus privilegios, así como el papel que representaba, y ya hacia finales del siglo IX fueron suprimidos los parlamentos de Soura y de Pombadita. (Cf. Kalixt de Wolski, *La Russie juive*, A. Savine édit., París, 1887.)

No obstante, en el siglo XVIII circulaban en los medios ocultistas y masónicos —aquí hablamos de la masonería *iniciática*, como la del *Rito Primitivo* del marqués de Chefdebien, y no de la masonería bienpensante de J. B. Willermoz— el rumor de que existía un «rey de los judíos», el hombre que entonces estaba más versado en la cábala, y que ese hombre era Hain Samuel Iacob, nacido en Polonia, y más conocido por el nombre de Falk-Schek (1710-1782). Fue el maestro de masones ilustres, altos iniciados, como Toux de Salverte, Gleichen, Waldenfels, y cuando Savalette de Langes redactó sus fichas de filiación destinadas al marqués de Chefdebien con vistas al acceso a la célebre junta general de Wilhelmsbad (1782), la indicación «*conoce a Falk, ha trabajado con Falk, alumno de Falk*» mostraba a Chefdebien que se encontraba frente a un masón altamente iniciado. Pues bien, el gran rabino Hain Samuel Iacob, alias Falk-Schek a quien el lenguaje profano designaba «rey de los judíos», era en realidad el «príncipe del Exilio», en aquella época. Y la masonería oculta le debe mucho, si no *todo*. Porque al *resh galutha* Falk-Schek le debe la francmasonería moderna numerosos detalles de su ritual, el esoterismo de sus *palabras sagradas*, de sus *consignas*, cuya utilización *práctica* son incapaces de sospechar los masones racionalistas y los masones bienpensantes, unidos por la misma anteojera dogmática.[38]

Y hace veinte siglos Saulo-Pablo soñó con ser a su vez un equivalente al «Príncipe del Exilio», con todo lo que esto comportaba de ventajas materiales, como es obvio. Y, al mismo tiempo, el «Sumo Pontífice». ¿Por qué no? Dos fuentes de beneficios valen más que una sola.

Tanto más cuanto que ese poder real se duplica, con la certeza de un bienestar futuro en el campo material. Porque el *cohen-ha-gadol*

---

38. Lo que nosotros llamamos Masonería Oculta se compone de los seis grados de la famosa «*Masonería Negra*», llamada así por el color de sus «cordones» y de sus emblemas fúnebres, lo que, con los tres grados preparatorios de la «*Masonería Simbólica*» permite constituir un rito de nueve grados, donde reposan todos los arcanos de la magia masónica. Abordaremos este tema en una próxima obra.

recibe los impuestos de toda la Diáspora, determina su cantidad y fija la fecha de percepción de éstos. Aquí tenemos un ejemplo: «Rabban Gamaliel y los Ancianos estaban sentados en un escalón de la montaña del Templo, y delante Iochanan-ha-cohen, el secretario. Le ordenaron transcribir lo que sigue: ''A nuestros hermanos, los habitantes de la Galilea Superior y de la Galilea Inferior, ¡que tengáis salud! Os hacemos saber que ha llegado la fecha del impuesto. Retiraréis, pues, el diezmo de las tintas de aceite. A nuestros hermanos los habitantes del Daroma inferior, ¡qué tengáis salud! Os hacemos saber que ha llegado la fecha del impuesto. Retiraréis, pues, el diezmo de las gavillas de trigo. A nuestros hermanos los exiliados de Media, de Babilonia, a los exiliados de la Héllade, y los exiliados de Israel en los otros países, ¡que tengáis salud! Os hago saber que las ovejas están todavía débiles, que los pollitos son jóvenes, que la época de la madurez todavía no ha llegado. He tenido, pues, a bien, así como mis colegas, añadir a este año un mes de treinta días». (Cf. *Talmud*, Sanedrín, 1, 2.)[39]

Y el *fiscus judaicus* representaba a pesar de todo una suma muy importante, ya que este impuesto anual, deducido no sólo en Israel sino en toda la Diáspora, ascendía a dos dracmas por persona. Si se evalúa la población judía a comienzos de nuestra era en unos cuatro millones de almas, en total, esto representa una tesorería anual de ocho millones de dracmas, es decir casi *un millón y medio del dinero circulante en el año 1926...*

Vemos, pues, que el sueño de Saulo-Pablo va perfilándose poco a poco. Como ya hemos dicho, ha cortado con la dinastía herodiana, ha sido rechazado por los judíos a causa de su pasado, tanto en su calidad de aristócrata bandido como por ser miembro de una familia odiada y despreciada; desde su circuncisión y sus relaciones, quizás interesadas, pero aun así reales, con los rebeldes zelotes, se ha vuelto sospechoso a los ojos de los romanos. Sólo le queda un campo, el de una religión nueva, que no sea sospechosa desde el punto de vista de la legalidad romana, que sea fácil de difundir entre los *gentiles*, por ser sincretista, y que le abra un imperio espiritual análogo al del pontífice de Israel.

Rápidamente supo adquirir una autoridad indudable en el seno de una secta judeocristiana, la de los *nazarenos*, rama mística de las más antiguas (si no la más antigua) en el cristianismo naciente. Los miembros de la secta se reclutaban únicamente entre los judíos de raza, querían que se observara la ley de Moisés, honraban a Jesús como un hombre justo y santo, nacido de padre desconocido según los unos, de donde la leyenda de que el que lo engendró fue el Espíritu Santo, y

_____

39. Mes llamado *embolismal*, debido al hecho de que el año se compone de trece meses, lo que permite al año lunar judío recuperarse periódicamente de su retraso (citado por GÉRARD NAHON, *Les Hébreux*).

de un padre y una madre perfectamente carnales según los otros. Sobre el hecho de que Saulo-Pablo fue durante un tiempo el jefe de la secta tenemos como prueba que el evangelio de ésta, llamado *Evangelio de los Doce Apóstoles*, o *Evangelio de los Hebreos*, se considera también que fue el que Saulo-Pablo denomina «mi evangelio».

Por otra parte, los Hechos de los Apóstoles confirman que fue durante un tiempo el jefe de dicha secta: «Hemos hallado que este hombre es una peste, que excita a sedición a todos los judíos del mundo, que es además el jefe de la secta de los nazarenos, y que intentó incluso profanar el Templo». (Cf. Hechos de los Apóstoles, 24, 5.)

Ésta es la acusación de Tértulo, abogado del Sanedrín, cuando compareció ante el procurador Félix, en Cesarea, una delegación de sanedritas que había acudido a él para denunciar a Saulo-Pablo.

De todos modos, aquí abriremos un paréntesis, ya que el historiador serio no es simplemente un narrador o un recopilador de datos, sino, ante todo, un investigador. Y a ese título tiene que ser curioso y desconfiado. Y entonces la primera pregunta que se plantea es la siguiente: ¿por qué Juan, también llamado Marcos, dejó a Saulo y a Bernabé? Primero por prudencia, lo que es muy probable, pero seguro que también por divergencia doctrinal grave. Ya que Juan, alias Marcos, *era un zelote*, y debió de terminar por descubrir que los objetivos de Saulo eran muy diferentes, o incluso opuestos a los de los verdaderos fieles del Jesús de la historia. El hecho de que más tarde Bernabé, que es su primo, no lo olvidemos (cf. Epístola a los Colosenses, 4, 10), se separe también de Saulo, igual que Juan, alias Marcos, parece probarlo.

En efecto, Juan-Marcos, primo de Bernabé, era hijo de una tal María, y la casa de esta última en Jerusalén era un centro de reunión de los zelotes, ya que fue allí donde se refugió Simón-Pedro después de su evasión de la prisión de Herodes Agripa I (cf. Hechos de los Apóstoles, 12, 12). Por otra parte, la opinión general de los exégetas católicos y protestantes es que ese Marcos es el mismo personaje que huye, vestido sólo con un lienzo, cuando se produce el apresamiento de Jesús tras el combate de los Olivos.[40] En su libro *Saint Paul, apôtre*, monseñor Ricciotti nos dice que: «... quizá la casa donde tuvo lugar la última Cena, o bien *el jardín de Getsemaní, fueran propiedades de su familia*». (*Op. cit.*, p. 255.)

En este caso, véase lo que hemos descubierto sobre dicho jardín[41] y sabremos cómo se llamaba ese Juan-Marcos según su nombre de

---

40. Cf. *Jesús o el secreto mortal de los templarios*, pp. 148-149.
41. *Op. cit.*, p. 239. El territorio de Ierahmeel sirvió otra vez de trinchera a los guerrilleros adversarios de Roma, tal como lo relata Flavio Josefo en su *Guerra de los judíos* (II, xxiii), donde se ve a «una falso profeta» *egipcio* (sinónimo de *mago*) instalarse allí con treinta mil rebeldes con intención de tomar Jerusalén. El procurador Antonio Félix combatió con él y lo derrotó.

circuncisión: Iochanan-bar-Ierahmeel. Todo esto demuestra que, efectivamente, nos las vemos con un zelote, igual que su padre Ierahmeel, que albergó y avitualló a los compañeros de lucha de Jesús. Entonces no es ilógico prever que no será durante mucho tiempo víctima de las palinodias paulinas y de su mesianismo de agua de rosas, que trataba con miramientos y adulaba a los romanos opresores.

Mucho antes Saulo-Pablo hizo lo necesario para ser introducido en el seno de la generalidad mesianista, y para ello, para estar bien documentado sobre el Jesús histórico, y a fin de no correr el riesgo de decir tonterías, tomó la precaución de entrar en contacto con sus ayudantes más directos: «Luego, pasados tres años, subí a Jerusalén para conocer a Cefas, a cuyo lado permanecí quince días. A ningún otro de los apóstoles vi, si no fue a Santiago, el hermano del Señor». (Cf. Epístola a los Gálatas, 1, 18-20.)

Este período de tres años separa aquella estancia en Jerusalén del período en que nuestro hombre, después de su huida de Damasco, pasó una breve temporada en Arabia, nabatea o idumea (*supra*, p. 104), seguida de una nueva permanencia en Damasco, más concretamente en Kokba, sin duda al lado de Dositeo, su iniciador.

La estancia en casa de Simón-Pedro demuestra en todo caso algo importante, a saber, que en Jerusalén, Simón y Santiago estaban perfectamente tranquilos, en seguridad, y que los judíos no los perseguían ni los entregaban a los romanos.

No obstante, para poner a prueba a este personaje, a pesar de todo sospechoso a causa de su pasado como perseguidor de los zelotes, y que pudiera demostrar su sinceridad, Simón-Pedro y Jacobo-Santiago le confiarán una misión de prueba. Tendrá que ir a Chipre, al país de los Kittim, esos famosos Kittim a los que odiaban tanto los seguidores de Qumrân, si damos crédito a los célebres manuscritos del mar Muerto. Una vez cumplida su misión, ya verían. Y para vigilarlo mejor, y también para guiarlo, le pusieron en manos de dos «ángeles guardianes». El primero era uno de los doctrinarios de la comunidad de Antioquía, su nombre de guerra era Bernabé, porque su verdadero patronímico era José: «José, al que los apóstoles llamaban Bernabé...». (Cf. Hechos, 4, 36.)

El segundo tenía unas posesiones en la isla de Chipre, y por lo tanto conocía perfectamente el itinerario a seguir una vez allí. Se llamaba Juan (*Iochanan* en hebreo), pero también tenía un nombre de guerra: «Bernabé quería llevar consigo a Juan, llamado Marcos». (Cf. Hechos, 15, 37.)

Esos cambios de estado civil son clásicos en el seno de las sociedades secretas y de los medios políticos clandestinos. Así, muy pronto Shaul se convertirá en Saúl, después en Saulo y por último en Pablo.

Los tres se conocían muy bien, pues entre la estancia de quince días en Jerusalén, en casa de Simón-Pedro y Jacobo-Santiago, y el viaje hacia Chipre, Saulo pasó tres años en Antioquía, efectuando allí colectas en provecho de la comunidad zelote de Jerusalén, y sobre todo, encontrándose con su hermano de leche Menahem, nieto de Judas de Gamala, «que había sido criado con Herodes el tetrarca y Saulo». (Cf. Hechos de los Apóstoles, 13, 1.) Saulo, bien adoctrinado (o al menos haciéndolo creer), estaba preparado, por lo tanto, para la misión que Simón-Pedro y Santiago iban a confiarle. Luego ya verían...

Saulo-Pablo también pensaba lo mismo. Luego ya vería...

Porque pronto se separaría de ese medio peligroso en el que uno corría a cada instante el riesgo de acabar crucificado por rebelión contra el César. A los zelotes los conocía bien, no había sido el jefe (junto con su hermano Costobaro) de una policía paralela a las órdenes de Roma sin conocer a aquellos a los que perseguía. Y las cosas no habían cambiado. A él la leyenda de Jesús resucitado no le engañaba. Si no, ¿a qué venían tantas precauciones? ¿Por qué tanto secreto en sus acciones? ¿Por qué esas identidades diversas? La difusión de una doctrina espiritual de renuncia y de purificación moral no exige identidades falsas.

Bernabé es un personaje de los más curiosos. Porque de hecho se llamaba José, y el sobrenombre de Bernabé significaba en Hebreo «*Hijo de Consolación*». Vive en Antioquía, junto a Menahem, cuyo nombre significa «Consolador». ¿Era Bernabé hijo de Menahem? No es imposible; entonces sería él también «hijo de David». Y esta cualidad es muy peligrosa, ya lo hemos visto. A este sobrenombre de Bernabé, que le han aplicado otros zelotes (cf. Hechos, 4, 36), él le añadirá un tercero, esta vez latino, Justus: «Se presentaron dos: José, llamado Bernabé, por sobrenombre Justo, y Matías». (Cf. Hechos de los Apóstoles, 1, 23.)

Así pues, nuestro José, alias Bernabé, alias Justo, había sido uno de los dos candidatos a la sucesión de Judas Iscariote, con Matías. La suerte designó a este último. Para que tuvieran en cuenta su nombre, tenía que ser necesariamente «hijo de David» o miembro de la familia. Que por consiguiente fue un personaje importante, es seguro. Si lo dudáramos, nos bastaría con recordar que podía resultar molesto a algunos, *ya que fue objeto de una tentativa de envenenamiento*. Volvamos a leer a Eusebio de Cesarea, citando a Papías: «Él [Papías] cuenta [...] y otro hecho extraordinario que concierne a Justo, llamado Bernabé, quien bebió un veneno mortal y no experimentó malestar alguno por la gracia del Señor». (Cf. Eusebio de Cesarea, *Historia eclesiástica*, III, xxxix, 9.)

Es evidente que los venenos mortales no vienen solos, y que aquel o aquellos que nos los hacen llegar tienen en ello un indiscutible interés. Para adivinar el nombre del envenenador, el viejo adagio judicial sigue siendo válido: «Busca a quién le beneficia el crimen». Pues bien, entre los miembros de la comunidad de Antioquía había uno al que, sin lugar a dudas, su importancia le molestaba. Y no descartamos a Saulo-Pablo por otros motivos...

Porque no fueron los romanos los que intentaron envenenar a Bernabé, ni los judíos; tanto los unos como los otros disponían de todo un arsenal legal para terminar con un agitador. Observemos, no obstante, que las múltiples y cambiantes identidades de los personajes analizados demuestran bien que nuestros dos apóstoles no eran sino agitadores políticos, y nada más. Porque en Israel el nombre era una realidad mística. Uno no lo cambiaba sino en circunstancias extremadamente graves, cuando la vida corría peligro, o para salvaguardarla. Y para adoptar un nombre nuevo había un ritual religioso muy concreto. Así pues, y sin discusión posible, la existencia de esas diversas identidades era, en los apóstoles y los discípulos, la prueba de una imperiosa necesidad. Ahora bien, en *aquella época todavía no había tenido lugar ninguna persecución religiosa*, por la excelente y definitiva razón de que los romanos ignoraban la existencia del cristianismo todavía por venir, y lo único que conocían era la rebelión zelote.

Recordemos la exclamación del emperador Juliano: «¡Cómo! ¿El nombre de "evangelio" fue ignorado por los romanos durante más de dos siglos?». (Cf. Juliano, *Contra los Galileos, suplemento.*)

Volvamos ahora a nuestro equipo en misión especial.

Saulo-Pablo, Bernabé y Marcos fueron, pues, a Seleúcia, que era el puerto de Antioquía de Siria. Se embarcaron y llegaron a Salamina. Después de haber «atravesado la isla entera» (Hechos, 13, 6), llegaron a Pafos, al otro extremo de Chipre. Exceptuando contactos *discretos* con los judíos de la sinagoga de Salamina, cuando desembarcaron en la isla, no se detuvieron por el camino, al menos *no en localidades*; la meta real era Pafos, y sin duda no deseaban que se supiera su llegada antes de estar allí. Aquí tomaremos el texto de los Hechos de los Apóstoles, aunque después tengamos que hacer precisiones: «Luego atravesaron toda la isla, hasta Pafos, y allí encontraron a un mago, falso profeta, judío, de nombre Bar-Jesús,[42] que se hallaba al servicio del procónsul Sergio Paulo, varón prudente. Éste hizo llamar a Bernabé y a Saulo, y manifestó el deseo de oír la palabra de Dios. Pero Elimas, el mago —que eso significa este nombre— se les oponía y procuraba apartar de la fe al procónsul. Mas Saulo, *llamado también Pablo*, lleno del Espíritu Santo, *clavando en él los ojos*, le dijo: "Hombre lleno de todo engaño y de toda maldad, hijo del diablo, enemigo de toda justicia, ¿no cesarás de torcer los rectos caminos del Señor? Ahora mismo la mano del Señor caerá sobre ti y *quedarás ciego*, sin ver la luz del sol por cierto tiempo". Al punto se apoderaron de él las tinieblas, y buscaba a tientas quien le diera la mano». (Cf. Hechos de los Apóstoles, 13, 6-11.)[43]

---

42. Ese nombre significa *«hijo de Jesús»*, en hebreo: *bar-Ieshuah.*

43. Un *hadîth de Mahoma* cuenta que en La Meca había un mago célebre, *que mataba con su simple mirada*, y que quiso ejercer dicho poder sobre el Profeta: pero el ángel Gabriel le previno de las intenciones del mago y le dictó, como exorcismo de protección, las suras coránicas CXII y CXIII. Cuando se presentó el hechicero, Mahoma las recitó en voz alta, e inmediatamente el mago *perdió la vista* (cf. *Melusina*, IX, p. 224).

Admiremos antes que nada la mansedumbre perfectamente «cristiana» del citado Saulo-Pablo. Al faltarle la elocuencia y la dialéctica (aunque el Espíritu Santo se expresara por su boca), tuvo que replicar cegando a aquel hombre fiel a la religión de su niñez. Y también aquí, como en el asesinato de Sefira y de Ananías por parte de Simón-Pedro y su joven guardia, sigue siendo el Espíritu Santo quien se erige en verdugo.

Pero la continuación es todavía más sorprendente: «Entonces el procónsul, al verlo, creyó, maravillado de la doctrina del Señor». (Cf. Hechos de los Apóstoles, 13, 12.)

¡Admirable doctrina, ya que prefigura la mar de bien los procedimientos de la Inquisición! Así será como más tarde el jesuita Anchieta podrá decir: «La espada y la vara de hierro son los mejores instrumentos de la propagación de la fe». ¡Como para convertir a un romano culto, amigo de las ciencias y de las artes, embebido de toda la filosofía antigua, y sobre todo de su tolerancia, común a todo el mundo antiguo!

Podría creerse que nuestro procónsul Sergio Paulo, siendo magistrado romano, ignora las leyes del Imperio y la terrible represión que llevan a cabo hacia la brujería y la magia criminales, sortilegios, maleficios, etc. ¡Pues, evidentemente no! Pero el escriba anónimo que compilará y adornará, censurándolos al mismo tiempo, en el siglo IV, los documentos primitivos, sí que las ignora, o las olvidó voluntariamente en el curso de su redacción. Porque, recordémoslo: la *Ley de las Doce Tablas* condenaba a muerte a todo ciudadano, *incluso romano*, culpable de haber dañado, con hechizos o con palabras encantatorias, maldiciones o sortilegios materiales, etc., a las personas, a los animales domésticos o a las cosechas. Y Augusto, Tiberio y luego Nerón confirmaron con nuevos edictos el vigor de las antiguas leyes romanas contra la magia negra.

Y, a pesar de todo, delante del procónsul Sergio Paulo, Saulo-Pablo puede infligir impunemente la ceguera a su oponente, mediante palabras de maldición indiscutibles, [44] sin que el citado procónsul tome la defensa de su amigo, el judío Elimas-bar-Jesús, y aplique inmediatamente con todo rigor las leyes romanas habituales, *esas leyes que justamente él tiene como misión hacer respetar y aplicar*. Peor aún: «Entonces el procónsul, al verlo, *creyó, maravillado de la doctrina del Señor*». (Cf. Hechos de los Apóstoles, 13, 12.)

¡Fíjense, pues! ¡Ese milagro es todavía mayor!

La verdad es más sencilla, y también más sórdida, como siempre. A Saulo-Pablo, personaje muy equívoco a los ojos de los zelotes, teniendo en cuenta su pasado, se le confió una misión para probar su sinceridad y su valor: suprimir a un adversario, bien situado en la corte de un procónsul romano. A continuación, al estar suficientemente comprometido, Saulo estaría en manos de nuestros sicarios, y no po-

44. O por sugestión hipnótica.

dría volverse atrás. Y esa misión consistiría en asesinar a Elimas-bar-Jesús. Pero el atentado debió fracasar en parte y, a consecuencia probablemente de unos golpes insuficientes o mal dados, Elimas-bar-Jesús quedaría simplemente ciego. Hay numerosos casos en que esto se ha producido, especialmente en los campos nazis de deportación, donde algunos traumatismos cerebrales acarrearían una parálisis ocular.

El asunto fracasó, por lo tanto, en parte, y por eso, por prudencia, Juan llamado Marcos se separará pronto de Saulo y de Bernabé. Los tres se embarcarán de inmediato en Pafos; no es cuestión de regresar para visitar a la comunidad judía de Salamina, tienen que actuar de prisa. En cuanto a Sergio Paulo, procónsul con rango pretoriano, Plinio no menciona en absoluto, y con razón, su pretendida conversión al cristianismo, cuando habla de él en su *Historia Natural*, en los libros I y XVIII. Sin duda debió de movilizar a todos los soldados romanos bajo sus órdenes en pos de nuestro «comando» zelote. Por otra parte, Saulo, que después de su proeza parece que asumió el mando del trío, cambió también de identidad. A partir de la expedición a Pafos, tomará el nombre de Pablo (en griego *Paulos*), en lugar de Saulo. Cosa fácil. ¿Qué debía ser entonces un salvoconducto proporcionado por las autoridades romanas, para pasar de una provincia del Imperio a otra? Probablemente un título de formato reducido, sobre papiro o pergamino. Debió de resultar fácil transformar el nombre primitivamente inscrito: SAVL, en PAVLVS. Y así, ¿quién podría identificar a ese hombre de nombre latino, que hablaba griego, *a partir de ahora originario de Tarso, en Cilicia*, con un judío (que su desafortunada circuncisión le obligó a ser) al que busca la policía romana en Chipre?

Mejor aún, más tarde, a su regreso a Jerusalén, y para escapar a toda identificación, se rapará los cabellos, bajo el falaz pretexto de un voto, y se mezclará con otros cuatro peregrinos que se hallan en el mismo caso. Y para mayor seguridad, cargará en su nombre y por ellos con los gastos de la ceremonia (cf. Hechos de los Apóstoles, 21, 24). Cosa que, de hecho, representa el pago de su complicidad, como resulta de ese mismo pasaje de los Hechos:

«Pero han oído de ti que enseñas a los judíos de la dispersión a renunciar a Moisés, y les dices que no circunciden a sus hijos ni sigan las costumbres judaicas. ¿Qué hacer, pues? ¡Seguro que sabrán que has llegado! Haz lo que vamos a decirte [...]

»Hay entre nosotros cuatro hombres que han hecho voto; tómalos contigo, purifícate con ellos y págales los gastos para que se rasuren la cabeza. Y así todos conocerán que no hay nada de cuanto oyeron sobre ti, sino que tú también sigues en la observancia de la Ley.» (Cf. Hechos de los Apóstoles, 21, 21-24.)

Es evidente que las acusaciones imputadas a Saulo-Pablo son verídicas, combate la circuncisión y las costumbres judaicas. Y también es evidente que esas precauciones que le aconsejan tomar sus discípulos locales no son otra cosa que una estrategia de guerra. Todo ese parágrafo destila duplicidad. Para Saulo-Pablo se trata de poder raparse la cabeza, es decir, de cambiar de fisonomía, haciendo uso de un motivo altamente válido a los ojos de los judíos de Jerusalén. Después, lejos de la ciudad, en las otras provincias, esto le permitirá cambiar más completamente todavía de fisonomía, afeitándose a continuación la barba y el bigote.

Por otra parte, los sacrificios rituales impuestos por la culminación de un voto de nazireato eran muy costosos; se encuentran con detalle en el Libro de los Números (6, 13-21). *Pero ¿desde cuándo es Pablo un nazir?* Jamás se ha hablado de ello, y sería anonadante imaginar que este hombre, que en todas partes predica en contra de las costumbres de la ley mosaica hubiera hecho semejante voto, que le imponía especialmente no beber vino, ni vinagre, ni zumo de uva, ni comer uva, ni fresa ni pasa, no acercarse a un muerto, etcétera.

En realidad, nuestro hombre llevaba los cabellos largos, como era habitual en aquella época y en aquellas regiones (Nabatea, Idumea, Judea, etc.), pero mientras un *nazir* no se los cortaba jamás durante el tiempo de su nazireato, es seguro que Saulo-Pablo se los cortaba «a la griega», según era costumbre en Idumea. En lugar de ser «hirsuto» como un verdadero *nazir*, llevaba simplemente los cabellos «largos», cortados a la altura de los hombros. Las placas de barro vidriado decoradas de Medinet-Abou nos muestran a beduinos y sirios peinados igual. Por el contrario, los romanos llevaban el pelo corto. Esta será una cosa más que se reprochará a Nerón: haber renunciado al severo corte romano para peinarse «a la griega» y «a la judía». Pero Saulo-Pablo, por prudencia, ahora prefiere tener aspecto de romano, al alegar sin cesar su título de *civis romanus*. Y además, el hombre de Pafos al que buscaba la policía de la isla tenía los cabellos largos... Porque hemos de volver a nuestros tres cómplices.

Aquí tenemos, pues, a nuestro equipo de hombres apresurándose a abandonar la isla de Chipre. Pronto comprenderemos por qué van a dirigirse hacia la Panfilia: «De Pafos navegaron Pablo y los suyos, llegando a Perge de Panfilia, pero Juan, llamado Marcos, se separó de ellos y se volvió a Jerusalén». (Cf. Hechos de los Apóstoles, 13, 13.)

Esta separación puede ser una simple medida de prudencia. En efecto, estaban buscando a tres hombres siguiendo un mismo itinerario. Y ya no quedaban más que dos en uno, y uno solo en otro. Unos se van por tierra, el otro por mar. Esto también puede significar el miedo de Juan, llamado Marcos, a ser arrastrado a otra aventura. Esta última hipótesis es la más probable, ya que Pablo (démosle su nuevo nombre) guardará siempre rencor a Marcos por este abandono, e incluso más tarde se enfadará con Bernabé, por rencor contra Marcos: «Algún tiempo después, Pablo dijo a Bernabé: "Volvamos a visitar a los hermanos por todas las ciudades en que hemos anunciado la Palabra del Señor, y veamos cómo están". Pero Bernabé quería llevar consigo también a Juan, llamado Marcos. Pero Pablo juzgaba que no debían llevarle, por cuanto *los había dejado* desde Panfilia, y no había ido con ellos a la obra. *Se produjo tal exacerbación de ánimos, que se separaron uno de otro*, y Bernabé, tomando consigo a Marcos, se embarcó para Chipre, mientras que Pablo, llevando consigo a Silas, partió encomendado por los hermanos a la gracia del Señor». (Cf. Hechos de los Apóstoles, 15, 36-40.)

No obstante, plantearemos una cuestión embarazosa: en el versículo 23 del mismo capítulo nos precisaron que dicho Silas, «*que es también Silvano*» (I Timoteo, 1, 1; II Timoteo, 1, 1; II Colosenses, 1, 19; I Pedro, 6, 12) —otro agente secreto con múltiples identidades— *se ha vuelto a Jerusalén*. ¿Cómo puede estar todavía en Antioquía, donde se desarrolla este altercado entre Pablo y Bernabé?... Que lo entienda quien pueda.

Sea lo que fuere, una vez desembarcados en Perge de Panfilia, procedentes de Pafos, y después de que Juan llamado Marcos los hubiera abandonado así, Pablo y Bernabé salieron de esta ciudad y tomaron rumbo hacia el norte del país, y por consiguiente hacia el centro del Asia Menor.

Remontando el curso del Cestro de aguas tumultuosas, llegaron primero a Adada, luego a Antioquía de Pisidia (que no hay que confundir con Antioquía de Siria). Tuvieron que necesitar por lo menos dos buenas semanas para recorrer los ciento ochenta kilómetros que representa el trayecto de Perge a Antioquía de Pisidia, cargados de víveres y de objetos de campamento, y a veces incluso de agua.

Este camino, pista de acémilas, se hundía primero en las gargantas salvajes del Cestro, de aguas rugientes, luego, remontando progresivamente hacia la alta meseta de Pisidia, se elevaba a más de mil metros de altitud, rodeando altas cimas coronadas de nieve, atravesando vastas extensiones desiertas, cubiertas de espeso bosque, sin puntos de referencia, y torrentes salvajes, cuyos vados eran desconocidos, o incluso inexistentes.

Esta región, infestada de bandidos y de esclavos fugitivos que se habían reunido con sus bandas, todos ellos sin nada que perder y deseosos de evitar a cualquier precio la crucifixión final, era tan poco hospitalaria como un desierto tanto durante el día como durante la noche, a causa de las hienas y los lobos. Es decir, que el viajero allí arriesgaba cada día su vida, y en consecuencia tenía que mantenerse en continuo estado de alerta. ¿Y qué iban a hacer allá, al menos oficialmente, y si damos crédito al piadoso embustero de los Hechos de los Apóstoles, Pablo y Bernabé? Pues simplemente llevar la buena palabra del Señor. Y sin duda a los bandidos, a los esclavos fuera de la ley, sin olvidar a las hienas y a los lobos, adelantándose así en doce siglos al dulce Francisco de Asís.

Confesaremos que si esta salida de Pafos, esta separación de los cómplices, y ese regreso por regiones tan poco hospitalarias no se parecen a una fuga (justificada por el atentado cometido sobre el

214

amigo y consejero del procónsul Sergio Paulo) es que Pablo y Bernabé carecían entonces de juicio.

De Antioquía de Pisidia fueron hasta Iconio, por un camino que atravesaba aún altiplanicies desérticas, estepas pantanosas, a lo largo de casi ciento cincuenta kilómetros, y siempre con el inevitable cargamento de víveres, de objetos de campamento y una reserva de agua. Tras una breve estancia en Iconio, y en vista de la acogida judaica, se vieron una vez más obligados a huir, y llegaron a las ciudades de Lycaonia, Listra y Derbe. En Listra fue donde supuestamente lapidaron a Pablo fuera de la ciudad, pero a continuación Bernabé lo reanimó. Como esta lapidación sancionaba una acusación de blasfemia, tenía que ir seguida del colgamiento del cadáver por las manos, una vez bien constatada su muerte (cf. *Talmud*: Sanedrín, VII, 4). Es decir, que la lapidación de Pablo en Iconio es muy dudosa, tanto más cuanto que el privilegio del sumo sacerdote en esta materia no podía extenderse a una comunidad judía puramente local de la Diáspora.

Pablo y Bernabé volvieron entonces sobre sus pasos, y pasaron de nuevo (muy discretamente esta vez, seguro) por Listra, Iconio, Antioquía de Pisidia y llegaron a Perge, descendieron al puerto de Attalia, y desde allí se embarcaron para Seleúcia, que era el puerto de Antioquía de Siria. Se observará que no volvieron a pasar por la isla de Chipre, donde supuestamente habían constituido una comunidad en Salamina y convertido al excelente procónsul Sergio Paulo, quien jamás debió de volver a ver a ese Pablo que le había hecho ganar la vida eterna al convertirle. Esta prudencia de nuestros dos aventureros es, en efecto, muy significativa.

Parece ser, por cierto, que el más comprometido era Pablo, ya que Bernabé regresaría más tarde discretamente a Chipre para vender allí la propiedad que poseía, pero lo hará con Juan, llamado Marcos, *y Pablo se negará a seguirlos*; nunca es uno bastante prudente. Y llegará a Cilicia a través de Siria, viaje largo, pesado y peligroso. (Cf. Hechos de los Apóstoles, 4, 36, y 15, 37.)

Una vez aquí, veamos cómo estamos. Este asunto de Pafos, el atentado contra el amigo y protegido del procónsul, el judío llamado Elimas-bar-Jesús, es el primer expediente abierto por la policía romana contra un judío llamado Saulo, o al menos un idumeo con dicho nombre. Este expediente es muy grave, implica la pena de muerte, incluso para un ciudadano romano.

Pronto se abrirá un segundo expediente, en respuesta a las quejas del Sanedrín y de los judíos de Jerusalén, pero contra un tal Paulus. Comprenderá acusaciones de blasfemia y sacrilegio, lo que implica un juicio de orden judaico, y una acusación política: agitación mantenida un poco por todas partes en favor de un movimiento mesianista dirigido por un tal Jesús-bar-Juda, crucificado por el procurador de Roma

Poncio Pilato por rebelión contra César, y que el citado Pablo pretende que ha resucitado y que sigue vivo. Esta acusación está confirmada por el edicto de Claudio César en el que expulsa a los judíos de Roma, porque se sublevan sin cesar en nombre de ese Jesús, llamado también «*Chrestos*».

Ese segundo expediente, gracias a las altas relaciones de Pablo con el tribuno Claudio Lisias y con el procurador Antonio Félix, se transformará en un *elogium* muy favorable. Desgraciadamente, la pieza desaparecerá en el naufragio del navío que conducía a Pablo a Roma (*supra*, p. 52).

Y seguirá un tercer expediente, infinitamente más grave, y que implicaba a Pablo en una conspiración contra César, en este caso Nerón, seguido de un cuarto, referente a sus responsabilidades en el incendio de Roma. Y estos dos últimos expedientes serán los que anunciarán el final de nuestro extraordinario aventurero. Vamos ahora a estudiarlos con detalle.

17

Las pruebas de Saulo-Pablo

La desgracia, al igual que la piedad, puede convertirse en una costumbre.

GRAHAM GREENE, *El poder y la gloria*

Queda un problema por examinar: el de las pruebas supuestamente sufridas por Saulo-Pablo en el curso de sus campañas de propaganda. Lo menos que puede decirse es que se adjudica un bonito papel, y que, en la realidad, seguro que fue muy diferente. ¿Qué nos dice? «Combatí contra las fieras, en Éfeso...» (Cf. I Epístola a los Corintios, 15, 32.)

Si tomamos los Hechos de los Apóstoles en los pasajes que relatan la permanencia de Saulo-Pablo en esta ciudad, constataremos que no hay nada de eso. Basta con releer los Hechos (19, 1-40), y se ve a nuestro hombre acusado de unas tentativas de arruinar el tráfico local (la fabricación y la venta de efigies de la *Diana* de Éfeso), y librarse de ello gracias a la discreta protección (una más) de los *asiarcas* de la ciudad. También aquí su título de ciudadano romano lo protegió oficialmente; los *asiarcas*, en efecto, eran elegidos cada año por las ciudades de la provincia de Asia. Estaban encargados de presidir el culto de Roma y del emperador, así como los juegos celebrados en dicha ocasión; cuando expiraba su cargo, conservaban el título. Como la función acarreaba grandes gastos de representación, exigía de los candidatos una situación social muy elevada. Los magistrados y sacerdotes de Roma no podían lanzar a las fieras, con los condenados a muerte del origen más bajo, a un ciudadano del Imperio. Eso habría constituido un escándalo que les habría costado muy caro, si se tenían en cuenta las leyes romanas.

Por otra parte, la frase antes mencionada parece insinuar que Saulo-Pablo combatió *victoriosamente* contra las fieras. Ahora bien, tales combates no eran ya los de los condenados a muerte, que eran lanzados delante de las fieras desarmados; entonces se trataba de especialistas llamados *venatores* que, aunque menos considerados que los gladiadores clásicos, ejercían un *oficio* con toda regla, que requería una *técnica de combate*, según la fiera a la que se enfrentaban, y esos *venatores* llevaban entonces unos *nombres de guerra*, justificados por su *reputación* a los ojos del público. Prestar a Saulo-Pablo esta posibilidad es absolutamente descabellado.

Lo mismo sucede, pues, con la afirmación en la que nos dice con aplomo: «Fui librado de la boca del león». (Cf. II Epístola a Timoteo, 4, 17.) Cuando escribe esta carta a su lugarteniente, que entonces estaba en Éfeso, se halla por segunda vez en Roma, trasladado de Troas en el año 66. Está encerrado en la *custodia publica*, esperando el final de su proceso. Ha comparecido ya ante los magistrados romanos por todos los hechos que se le reprochan. Pero no ha corrido el peligro de que le echaran a los leones, dado que todavía ignora la sentencia que será pronunciada contra él. Por otra parte, no corría tampoco dicho riesgo de ejecución durante su primer proceso ante el tribunal del César a consecuencia de su «apelación», ya que era ciudadano romano, y el suplicio de las fieras no se aplicaba jamás a esa aristocracia del Imperio.

Vayamos ahora a los malos tratos de los que se queja aquí y allá. Nos declara: «Cinco veces recibí de los judíos cuarenta azotes menos uno, tres veces fui azotado con varas, y una vez fui apedreado». (Cf. II Epístola a los Corintios, 11, 24-25.)

La flagelación, entre los judíos, se efectuaba con la ayuda de un simple látigo de cuero, y no lleno de bolas como los látigos romanos, y con el fin de no correr el riesgo de pasarse jamás de los cuarenta golpes, lo máximo de la pena, el verdugo no debía golpear la espalda del condenado más que treinta y nueve veces. (Cf. *Talmud*: IV, Nezikim-Makkoth.) Pues bien, tendríamos muchas dificultades en encontrar esas cinco flagelaciones en el relato de su vida, como nos la cuentan los Hechos de los Apóstoles y sus Epístolas. ¡No están!

Además, en un pasaje de los Hechos Saulo-Pablo subraya que, como ciudadano romano, no puede ser sometido al azote o a las varas: «¿Os está permitido azotar con varas a un ciudadano romano que ni siquiera ha sido condenado?». (Cf. Hechos de los Apóstoles, 22, 25.) Y, efectivamente, un ciudadano del Imperio no podía ni ser flagelado ni pasado por las varas, ya que la ley romana lo prohibía. Entonces, ¿cómo imaginar que lo que le estaba vedado a un procurador romano, a un tribuno de las cohortes, o a un magistrado urbano, fuera admitido por un *sinagogarca* judío, inferior, por consiguiente, en la jerarquía social? ¡En qué sanciones no hubiera incurrido de haber humillado así a un *civis-romanus*!

Tanto más cuanto que la calidad de éste venía atestiguada por un pergamino firmado por la alta autoridad que la había atribuido,[45] a la vez que reconocía que los derechos de acceso a dicho privilegio habían sido pagados por el beneficiario. No bastaba con afirmar que uno era ciudadano romano para que los magistrados de Roma lo reconocieran inocentemente, sin pruebas. Al revés, las señales de *infamia social*, seguidas de condenas graves o de servidumbre, estaban marcadas en la carne misma del desgraciado que era objeto de ella: incisión al rojo vivo para el esclavo, que iba del hombro izquierdo al derecho, pasando por la nuca, donde era más profunda, como un yugo; un ojo vaciado y corva rajada con un hierro candente para el condenado a minas; marca de hierro candente sobre la frente para el esclavo fugitivo apresado de nuevo; dedo o mano cortada para el ladrón reincidente; señales de las varas o de los látigos, en la espalda, para todos los antiguos condenados, civiles o militares.

El liberto, que era inevitablemente un antiguo esclavo, llevaba pues la *incisión* sobre la nuca. Para probar su calidad de hombre libre debía poseer el acta de manumisión que le había entregado su antiguo dueño, pieza asimismo de pergamino. Esta pieza anulaba entonces la marca, que él conservaba a pesar de todo en su carne hasta la muerte.

Es decir que Saulo-Pablo, por su cuna principesca, no corría absolutamente ningún riesgo de sanción corporal, tanto más cuanto que en todas sus enseñanzas se mostraba un celoso defensor de la legalidad romana y un ardiente sostén de la jerarquía social tal como estaba establecida por los azares de la cuna o por la fortuna.

En cuanto a su pretendida lapidación por los judíos venidos de Antioquía de Pisidia y de Iconio a Listra, en la provincia de Lycaonia (Hechos de los Apóstoles, 14, 19-20), habría ido seguida inevitablemente del colgamiento del cadáver hasta la puesta del sol, y luego de su inhumación, según los términos de la legislación judía. Y no hubo nada de esto.

Además, el *jus gladii* no podía ser concedido a los judíos de la Diáspora en una ciudad de la importancia de Listra, que era una simple colonia romana establecida sobre las pendientes del Kara Dagh, un imponente volcán apagado, y cuyas ruinas se hallan hoy en día en las cercanías de Katyn Serai. En Listra no había ni siquiera sinagoga, y la ciudad estaba bajo la vigilancia de un tribuno de las cohortes, magistrado militar que no hubiera tolerado que un partido de judíos oscuros, extraños a la ciudad y procedentes de Antioquía de Pisidia y de Iconio, no sólo vinieran a crear el desorden y la sedición en su guarnición, sino que pretendieran dar muerte a un ciudadano de Roma. Toda esta historia es una invención de los escribas anónimos del siglo IV. Una más.

45. El *derecho de ciudadanía* era conferido por el pueblo de Roma originalmente, luego por el Senado, y más tarde por el emperador. Bajo el reinado de Claudio, Mesalina traficó con este derecho en condiciones irrisorias, según nos cuenta Dion Cassius en su *Historia romana* (LX, 9-17). Al nacer, un niño de padre romano debía ser declarado dentro de los treinta primeros días ante el Prefecto del Tesoro, en Roma, o ante los notarios públicos en las provincias. *De ahí el hecho de que se llevara un registro y de que hubiera documentos que lo probaran.*

Tercera parte

Las llamas de Roma

Y cuando os contemplemos, hundidos en las llamas eternas, ¡ah, cómo reiremos! ¡Cuánta será nuestra alegría!

TERTULIANO, *De paenitentia*

18

La prostituta del Apocalipsis

Quienquiera que se atreviera a poner la mano sobre
Roma sería culpable de parricidio a los ojos del mundo
civilizado y en los juicios eternos de Dios.

Pío XII, al Colegio Cardenalicio, 1944

Será consumida por el fuego [...] Y su humo ascenderá
por los siglos de los siglos.

Apocalipsis, 18, 8, y 19, 3

De 1919 a 1932 los Estados Unidos de América vivieron bajo la ley llamada de la «Prohibición», que prohibía la venta y consumo del alcohol. Esa fue, entonces, la gran época del gangsterismo. Antes de estar en condiciones de hacer uso de las diversas armas automáticas que hicieron de las bandas norteamericanas terribles asociaciones de maleantes, los asesinos de éstas y los guardaespaldas de sus jefes usaron un arma terrible: la *lupa* o *lupara*. Dicho de otro modo, «*la loba*».

Se trataba de un fusil de caza, de dos tiros o de repetición, que lanzaba cartuchos con postas, y al que se había serrado el cañón hasta la mitad de su longitud y acortado la culata recortándola a la altura de la empuñadura de una pistola. La simple posesión de un arma de este tipo implicaba la detención inmediata y a ello seguía una investigación.

Hay que decir que este tipo de arma había sido adoptada por los asesinos de la *Cosa Nostra*, sociedad secreta siciliana, en recuerdo de un arma análoga utilizada por los pastores de Sicilia. El fusil de cañones recortados, derivado de la antigua escopeta (en italiano: *Schiopetto*) de los siglos XV y XVI, así como el trabuco (en italiano: *Trombone*), podía disimularse fácilmente bajo un impermeable, se manejaba con las dos manos, pero permitía obtener a muy corta distancia una dispersión de proyectiles suficiente como para no tener que apuntar, lo que permitía disparar inmediatamente. Éste era el motivo por el que los pastores de Sicilia lo conservaron durante siglos, ya que servía tanto contra los lobos como contra todo ataque de un miembro de un clan enemigo.

Pero uno se preguntará por qué darían a esta arma el nombre de «*loba*» (*lupa* o *lupara* en italiano, igual que en latín). Pues bien, como consecuencia de un juego de palabras erótico. A esta arma la identificaban con la «compañera fiel» del pastor. Y el latín *lupa* designa no sólo a la loba, sino también a toda mujer de mala vida, ya que a ambas se las conoce por su enorme sensualidad. De ese nombre derivan los *lupercales*.

Estas fiestas se celebraban en Roma el 15 de las calendas de marzo, es decir, el 15 de febrero, en honor al dios Lupercus, nombre romano de Pan. En ellas se sacrificaba a dos cabras y un perro, y con las pieles de las víctimas se hacían látigos, y los encargados de la celebración de la fiesta, los *lupercos* (*luperci*), recorrían las calles de Roma armados con esos látigos y azotando con ellos a todos aquellos y aquellas a los que encontraban. El dios Lupercus, protector de los rebaños frente a los lobos, era al mismo tiempo un dios de fecundidad. Las mujeres se ofrecían, pues, semidesnudas a esta flagelación, que tenía la virtud de hacer fecundas a las esposas estériles y de procurar a las mujeres encintas un feliz parto. Como esta flagelación podía muy bien no resultar eficaz genéticamente hablando, pero en cambio podía excitar los sentidos de las mujeres, estas últimas hicieron degenerar poco a poco la fiesta de Lupercus en una inmensa orgía, lo que, naturalmente, facilitaba las fecundidades ulteriores. Hasta finales del siglo IV no se obtuvo la supresión de los *Lupercales*, cosa que consiguió el papa Gelasio I.

Pues bien, volviendo a la «loba», compañera de pastores, constataremos que aplicaron este nombre a su arma en recuerdo de una antiquísima tradición latina. En la Roma antigua, el pastor era o bien el hijo menor de la casa, o bien el esclavo. Vivía aislado durante meses, con su rebaño y sus perros, alimentándose de olivas, de frutos, miel, leche, queso y agua clara. Para satisfacer las exigencias sexuales de esos pastores hubo durante mucho tiempo prostitutas itinerantes. Como el pastor no tenía dinero, tanto si era hijo de la casa como si era esclavo, tenía que componérselas para pagarle a la mujer que le concedía esos favores que valían dinero. Tanto si pagaba en especie lo que le era dado, como si liquidaba con dinero, era inevitablemente el rebaño del amo quien cargaba con el gasto. Y entonces tenía que procurarse el dinero vendiendo subrepticiamente un cordero o una oveja, o bien daba el uno o la otra al esclavo que hacía de sirviente de la prostituta, así como de guardaespaldas «privilegiado».

Así pues, esas mujeres no eran todavía «devoradoras de diamantes»,

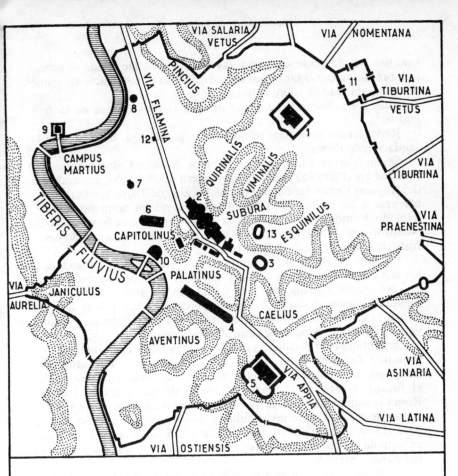

ROMA BAJO EL IMPERIO

1: BAÑOS DE DIOCLECIANO

2: FOROS

3: COLISEO

4: CIRCUS MAXIMUS

5: BAÑOS DE CARACALLA

6: CIRCUS FLAMINIUS

7: PANTEÓN

8: MAUSOLEO DE AUGUSTO

9: MAUSOLEO DE ADRIANO

10: TEATRO DE MARCELO

11: CUARTEL PRETORIANO

12: ARA PACIS

13: DOMUS AUREA

Escala

0   500 m   1000 m

sino lisa y llanamente «devoradoras de rebaños». De donde su sobrenombre de «lobas», tanto por sus costumbres y temperamento como por su modalidad de cobro habitual.

Pues bien, Roma debe a una de esas «lobas» la vida de su fundador...

Recordemos aquí, para simplificar lo que seguirá, la leyenda de la fundación de Roma.

Según Varrón (que vivió en tiempos de Julio César), Roma fue fundada en el año 753 antes de nuestra era por Rómulo, descendiente del troyano Eneas, quien después de la caída de Troya vendría a establecerse a las orillas del Tíber. Rómulo tenía un hermano gemelo, llamado Remo. Ambos eran hijos de la vestal Rhea Silvia, hija de Numitor, rey de Alba Longa, y Rhea Silvia los había concebido como fruto de sus amores con el dios Marte.[1]

El trono de Numitor fue usurpado por Amulio, quien abandonó a los dos niños en las aguas crecidas del Tíber, pero fueron recogidos al pie del monte Palatino por una loba, que los amamantó bajo una higuera. Luego crecieron bajo la protección de un pastor llamado Faustulo y, al llegar a adultos, mataron al usurpador Amulio y restituyeron el trono de Alba Longa a su abuelo Numitor.

A continuación decidieron fundar una ciudad, y eligieron para ello el monte Palatino, donde habían sido criados por la loba. Rómulo, designado rey a suertes, trazó con el arado un surco que debía marcar el futuro recinto de la ciudad. Rómulo decidió entonces llamarla Roma, palabra derivada de su propio nombre. Remo, furioso por el hecho de que la suerte no le hubiera designado rey, atravesó burlándose el foso trazado por el arado de Rómulo. Éste, ofendido por lo que en aquella época era un sacrilegio en los ritos de fundación, mató a su hermano gemelo.[2]

El primer rey de Roma hizo de esta nueva ciudad un asilo para vagabundos y los fuera de la ley. Para procurarse esposas y poblar definitivamente la nueva ciudad, raptaron a las mujeres y las hijas de un pueblo vecino, los sabinos. A ello siguió una guerra entre las dos comunidades rivales. Pero, gracias a la mediación de las sabinas raptadas, que sin duda le habían encontrado gusto a su nueva vida, las dos ciudades se fusionaron. En cuanto a Rómulo, dice la leyenda que desapareció misteriosamente durante una tormenta en el curso de una celebración religiosa. Y entonces se le elevó a la categoría de dios, con el nombre de Quirino. Ese nombre probablemente se deriva del término *quirites*, nombre que inicialmente llevaban los sabinos, adoptado luego por los romanos cuando los primeros tuvieron la hegemonía sobre la Liga Latina, en el siglo VIII antes de nuestra era. Derivaba de Cures, capital de los antiguos sabinos. Los romanos llevaban ese nom-

1. Al menos ésa es la explicación que ella había dado a su padre...
2. En sacrificio expiatorio, ofrecido a las divinidades ctonianas.

bre en la ciudad, pero jamás cuando se hallaban en armas, ya que era un término utilizado en los licenciamientos militares.

El lector ya habrá sospechado la verdad detrás de la leyenda.

La loba que amamantó a Rómulo y Remo no fue otra cosa que una de esas prostitutas itinerantes, bien porque fue su madre natural a más no poder, o bien porque se limitó a recoger y adoptar a los hijos gemelos de una de sus colegas fallecida. La hipótesis de que los criara en el aprisco de uno de sus clientes habituales, el pastor Faustulo, quien se habría cuidado de ellos y los habría alimentado durante las ausencias profesionales de su madre adoptiva, no tiene nada de inverosímil. Y el que este aprisco hubiera estado situado a la sombra de una gran higuera, también es posible.

Pero que fuera una loba real la que recogiera y amamantara a los dos gemelos es poco admisible. Es indudable que se han encontrado niños que han sido criados por una pareja de lobos, en medio de los lobeznos, sus hermanos en adopción. Pero entonces el niño permanece en un estado de total animalidad. Deambula a cuatro patas, bebe el agua a lametones, como un perro, devora la carne cruda, y aúlla de forma animal. Es muy difícil reeducarlo y, en caso de conseguirlo, muere apenas llega a adulto. Y es que, en efecto, hay traumatismos psicofisiológicos que no perdonan. Imaginar que dos niños amamantados y criados así por una loba real, pudieran a continuación acceder a la vida humana normal con las simples técnicas de un pastor tan primitivo como iletrado, y convertirse en personajes tan importantes como los gemelos de la leyenda, es de lo más inverosímil. Nosotros nos adherimos, pues, a la tesis de la «loba» humana, prostituta itinerante, que fue también probablemente una mujer de buen corazón.

Entonces la *higuera* se convirtió a su vez en uno de los símbolos de Roma. En Tácito leemos lo siguiente: «Ese mismo año [el 58 de nuestra era], el árbol del Comicio, la higuera Ruminal, que más de ochocientos años atrás había abrigado la infancia de Remo y Rómulo, perdió sus ramas y su tronco se secó, cosa que fue vista como un presagio siniestro». (Cf. Tácito, *Anales*, XIII, 58.)

Según Varrón, esa higuera había recibido el sobrenombre de Ruminal (del latín *rumis*: mama), porque fue bajo su sombra donde la loba había amamantado a los dos gemelos. La tradición legendaria contaba que esa higuera, situada primitivamente en el *Lupercal* (es decir, en la prolongación del monte Palatino, al noroeste, lugar llamado Cermalo), había sido milagrosamente transportada, bajo los auspicios de Attus Navius, augur de Tarquinio el Antiguo, al Comicio, al este del Foro, no lejos del Capitolio. (Cf. J. Carcopino, *Bulletin de l'Association Guillaume Budé*, núm. 5, p. 22.)

No es imposible que el episodio de la *higuera estéril*, a la que Jesús maldice y hace perecer porque no da frutos fuera de temporada, se utilizara como un cargo contra Jesús durante su proceso. Al considerársele como jefe zelote, sometido a vigilancia romana como todo *hijo de David*, los romanos pudieron muy bien ver en esa maldición contra un árbol que era *el símbolo del nacimiento de Roma*, un acto mágico para causar daño, dirigido en realidad contra la propia Roma. Leamos de nuevo a Marcos:

«Al día siguiente, al salir de Betania, sintió hambre y viendo de lejos una higuera con hojas, fue a ver si encontraba frutos. Pero no encontró nada sino hojas, *porque no era tiempo de higos.* Tomando entonces la palabra, dijo a la higuera: "Que nunca jamás coma ya nadie fruto de ti [...]". Y sus discípulos le oyeron [...]

»Pasando de madrugada, cuando regresaban a la ciudad, vieron que la higuera *se había secado de raíz.* Acordándose Pedro, le dijo: "¡Mira, maestro!" La higuera *que has maldecido* se ha secado".» (Cf. Marcos, 11, 12-13 y 20-21.)

De manera que esa desgraciada higuera habría debido adivinar, como una criatura razonable, que Jesús tendría hambre, y arreglárselas para producir *instantáneamente* frutos, aunque estuvieran fuera de temporada.

De este episodio se puede deducir el carácter rencoroso de Jesús, con ese fondo dañino que ponían de relieve ya los *Evangelios de la Infancia,*[3] así como *la limitación de sus poderes ocultos*, pues para el «hijo de Dios» hubiera sido muy fácil dar a un humilde vegetal el poder de producir frutos fuera de temporada, ya que era absolutamente descabellado imaginar que éste pudiera darlos por sus propias fuerzas. Y este episodio confirma que se trataba, por parte de Jesús, de poderes mágicos, como le reprocharon a menudo los judíos, y no de los dones todopoderosos divinos de un dios encarnado.

De todos modos, si este hecho llegó a los oídos de los funcionarios de Roma, éstos pudieron ver en la infortunada higuera un acto dañino dirigido contra el Imperio romano, y tanto la *Ley de las Doce Tablas* como la *Ley Julia* castigaban con la pena capital todo sortilegio dirigido contra los hombres, los animales o las cosechas, recordémoslo una vez más.

Volvamos a la *loba*, a la *higuera* y al pastor *Faustulo*, en el monte Palatino.

«*Había abrigado la infancia...*» nos dice Tácito. Es difícil imaginar a una loba permaneciendo durante años bajo una misma higuera, sin que pastores y cazadores no acudieran a desalojarla a golpes de flecha. Por todas esas inverosimilitudes, nosotros no veremos en esa caritativa «loba» sino una prostituta de gran corazón. *Y esta conclusión concuerda con la tradición judía contemporánea a las palabras de Varrón.* Constituye una áspera réplica de éste.

Varrón, poeta y polígrafo latino, nos ha legado un *De re rustica*, un tratado de agricultura. Eso es más o menos todo lo que queda de un

3. Cf. *Jesús o el secreto mortal de los templarios*, capítulo titulado «La magia en la vida de Jesús», y más concretamente las páginas 140-141.

conjunto hoy desaparecido. Vivió de los años 116 al 27 antes de nuestra era. Murió dejando tras de sí la reputación de una brillante inteligencia, verdadera enciclopedia de la época.

En nuestro primer volumen[4] demostramos que el Apocalipsis no fue redactado por Juan el evangelista hacia el año 94, sino por el propio Jesús, antes de regresar de su exilio en Egipto, es decir poco antes de los años 27 a 29 de nuestra era, *sólo medio siglo después de la muerte de Varrón y de la difusión de la leyenda relativa al nacimiento de Roma.*

Y por primera vez en los textos antiguos vemos allí el término «*prostituta*» utilizado para designar a la capital del Imperio romano:

«Vino uno de los siete ángeles que tenían las siete copas, y habló conmigo y me dijo: Ven, te mostraré el juicio de *la gran prostituta que está sentada sobre las grandes aguas.* Con ella han fornicado los reyes de la tierra,[5] y los moradores de la tierra se embriagaron con el vino de su fornicación.» (Cf. Apocalipsis, 17, 1-2.)

«Los diez cuernos que ves son diez reyes, los cuales no han recibido aún la realeza, pero con la Bestia recibirán la autoridad de reyes por una hora [...] Los diez cuernos que ves, igual que la Bestia, aborrecerán a la *prostituta*, y la dejarán desolada y desnuda, y comerán sus carnes *y la quemarán al fuego* [...] La *mujer* que has visto es *aquella ciudad grande* que tiene la soberanía sobre todos los reyes de la tierra.» (Cf. Apocalipsis, 17, 12-18.)

«Las aguas que ves, sobre las cuales está sentada *la ramera*, son los pueblos, las muchedumbres, las naciones y las lenguas...» (Cf. Apocalipsis, 17, 15.)

«Salud, gloria, honor y poder son de nuestro Dios,[6] porque verdaderos y justos son sus juicios, pues ha juzgado *a la gran prostituta* que corrompía la tierra con su fornicación, y ha vengado la sangre de sus siervos por su mano [...] *Y su humo ascenderá por los siglos de los siglos...*» (Cf. Apocalipsis, 19, 1-3.)

---

4. Cf. *Jesús o el secreto mortal de los templarios*, capítulo 2: «Las piezas del expediente».

5. Se trata de las naciones paganas de Asia y de sus soberanos, que eran nombrados por Roma y permanecían bajo sus órdenes, y que habían adoptado el *culto imperial*, es decir, la divinización de los emperadores, lo que constituía una horrible blasfemia para los judíos monoteístas.

6. Ésta es una prueba más de que el Apocalipsis fue, en efecto, inicialmente un *documento exclusivamente judío*, pues aquí nos encontramos frente a una paráfrasis de una oración célebre, la letanía «*haadereth vehaemunah lehay olamin*», incluida en la liturgia de las grandes festividades, y que los comentaristas medievales denominaban todavía «*el canto de los ángeles*». Veamos su comienzo:
«La magnificencia y la fe son de Dios, eternamente vivo;
la excelencia y la fidelidad son de Dios, eternamente vivo;
la sabiduría y la bendición son de Dios, eternamente vivo;
la majestad y la grandeza son de Dios, eternamente vivo...»
Esta letanía comprende *24 afirmaciones litúrgicas.*

229

Ese término de «prostituta» incluía, además, una *degradación* metafísica, y a los ojos de los judíos letrados y místicos, más o menos iniciados en los arcanos de la cábala, este hecho sobreentendido subrayaba todavía más su horror hacia todo lo que materializaba Roma.

En hebreo, la palabra *prostituta* se traduce por *quliphah*. Designa un *mundo*, un *plano*, una «*biosfera maléfica*», una *dimensión* en la que todo lo que *en la vida* hay de corrompido, de contrario a los absolutos designios del Absoluto, y de eternamente rechazado por él, debe ser expulsado, y concentrado en esa especie de *excrementos metafísicos*. De hecho, es el mundo demoníaco.

La *quliphah* es pues, en cierto modo, el cubo de basura del mundo invisible. Se subdivide en diez planos o esferas secundarias, que entonces, en plural, llevan el nombre de *quliphtoh*, cada una de ellas opuesta a su *sephirah* correspondiente (plural: *sephiroth*). De ahí y de ese conjunto se desprende todo un universo metafísico complicado, pero profundamente apasionante en lo que se refiere a su estudio. Remitimos al lector a las obras especializadas en la difusión de la cábala.[7]

Por esos rápidos paralelismos analógicos se comprende entonces hasta qué punto los judíos integristas, especialmente los zelotes, odiaban todo aquello que simbolizaba el Imperio romano, y particularmente su capital: Roma.

Si a ello se añaden las decenas de millares de combatientes procedentes de la resistencia judía que, transportados de Palestina a Italia, terminaron su vida en medio de los horrores de los juegos circenses; si se añade a ello los millares de mujeres y de jovencitas, de muchachitos y muchachitas que fueron vendidos allí, tanto a particulares como a propietarios de lupanares, y todo eso mucho antes de que los cristianos descendieran a su vez a las arenas, se comprenderá hasta qué punto fue vivo el odio hacia Roma, desde los tiempos en que Jesús redactó su Apocalipsis y lo envió mediante un mensajero a su primo Juan.

Nosotros citaremos simplemente la forma como Tito, hijo de Vespasiano, celebró el cumpleaños de su hermano menor, Domiciano: «Ese gran príncipe solemnizó en aquel mismo lugar de Cesarea el aniversario del nacimiento de su hermano Domiciano con grandes magnificencias, y a costa de la vida de más de dos mil quinientos de los judíos prisioneros a los que se había juzgado a muerte. Parte de ellos fueron quemados vivos, el resto fue obligado a combatir contra las fieras o los unos contra los otros, como gladiadores y por muy grande que pareciera la inhumanidad que hacía perecer a ese pueblo de tan diversas maneras, los romanos estaban persuadidos de que su crimen merecía un castigo todavía más rudo. Tito fue a continuación de Cesarea a Berite, que es una ciudad de Fenicia y una colonia romana. Como permaneció allí largo tiempo,

---

7. Cf. R. AMBELAIN, *La Kabale pratique*, Niclaus éditeur, París, 1951.

celebró, con todavía más magnificencia, el día del nacimiento de su padre, el emperador Vespasiano. Entre tantas diversiones y espectáculos que dio al pueblo, se vio perecer a numerosos judíos de la misma manera que acabo de contar». (Cf. Flavio Josefo, *Guerra de los judíos*, VII, viii.)

En la obra de Roland Auguet *Cruauté et Civilisation: les jeux romains*,[8] se encontrará todo lo referente a los combates de gladiadores, de fieras entre sí, de hombres contra fieras, de víctimas (de ambos sexos) sufriendo atroces suplicios en el curso de reconstrucciones mitológicas, como algunas mujeres condenadas a muerte, que, encerradas y «presentadas» en una vaca de madera a un toro en celo quedaban desgarradas vaginalmente a fin de representar de forma *real* el mito de Pasífae.

8. Flammarion, París, 1970.

19

El incendio de Roma en el año 64

> La verdad no tiene hora, es de todos los tiempos,
> precisamente cuando nos parece inoportuna.
>
> DR. A. SCHWEITZER,
> *A l'orée de la forêt vierge*

En el libro XV, capítulo xxxviii, de los *Anales* de Tácito leemos lo siguiente:

«A continuación sobrevino un desastre (no se sabe si debido al azar o a la malignidad del príncipe, ya que las dos versiones tienen sus partidarios). Pero fue el más grave y el más espantoso de todos los que la violencia de un incendio hizo experimentar a Roma.[9]

»El fuego prendió primero en la parte del Circo contigua a los montes Palatino y Celio. Allí, a causa de las tiendas repletas de mercancías donde se alimenta la llama, el incendio, ya violento desde su nacimiento y activado por el viento, se propagó a todo lo largo del Circo. Porque no había ni casas protegidas por fuertes cercados, ni templos rodeados de muros, ni nada que pudiera oponerse al progreso de las llamas. De modo que se extendió impetuosamente, primero sobre las partes llanas, luego se abalanzó hacia las alturas, y descendía de nuevo para asolar las partes bajas, con la misma rapidez con que la enfermedad adelanta a todos los medicamentos, pues la ciudad le ofrecía una presa fácil, con sus callejas estrechas y tortuo-

---

9. Roma, en efecto, estaba expuesta a incendios frecuentes pero parciales: «Bajo su principado [Tito] se produjeron ciertas catástrofes *debidas al azar*: una erupción del Vesubio en Campania, un incendio que devastó Roma durante tres días y otras tantas noches, así como la peste más terrible que quizá jamás se haya visto».·(Cf. Suetonio, *Vida de los doce Césares: Tito*, VIII.) Este incendio se produjo en el año 80. Sin embargo, Augusto había creado una guardia de noche y vigilantes contra este tipo de azote (*op. cit.*, libro II, xxv).

sas, sus calles trazadas sin orden, como la Roma de antaño. Además, las lamentaciones de las mujeres aterrorizadas, la debilidad de la edad o la inexperiencia de la infancia, aquellos que pensaban en su propia seguridad o en la de otros, los que arrastraban o esperaban a los más débiles, unos demorándose y otros precipitándose, obstaculizaban todos los socorros.

»A menudo, al mirar hacia atrás, uno era atropellado por los lados o por delante. Si uno conseguía escapar hacia el vecindario, veía que éste también estaba envuelto en llamas, e incluso los barrios a los que por su lejanía se creía al abrigo de las llamas, se los encontraba en el mismo estado.

»Por último, al no saber ya qué había que evitar o buscar, se entorpecían las calles, la gente se tumbaba a campo traviesa. Algunos, al haber perdido toda su fortuna, y al no tener ya ni siquiera con qué subvenir a las necesidades cotidianas, y otros por amor hacia aquellos a los que no habían podido arrancar a la muerte, perecieron, aunque hubieran podido salvarse. *Y nadie se atrevía a combatir el incendio ante las amenazas repetidas de aquellos que, en gran número, impedían apagarlo. Otros lanzaban abiertamente hachones, y gritaban que estaban autorizados a hacerlo*, bien porque querían ejercer sus rapiñas con más facilidad, o bien porque efectivamente habían recibido órdenes.

»*Durante ese tiempo Nerón estaba en Antium, y no llegó a Roma sino en el momento en que el fuego se aproximaba a la casa que él había construido para unir el Palatium con los jardines de Mecenas.* Pero no se pudo detener el incendio antes de que hubiera devorado el Palatium, sus habitaciones y todo el entorno.

»Para aliviar al pueblo errante y sin asilo, Nerón les abrió las puertas del campo de Marte, los monumentos de Agripa e incluso sus propios jardines. Mandó construir a toda prisa barracas para acoger a las multitudes de indigentes. Se hicieron llegar víveres de Ostia y de los principales municipios, y se redujo el precio del trigo hasta tres sestercios.

»Pero todas esas medidas no hacían blanco en su meta: la popularidad; porque se había extendido el rumor de que en el mismo momento en que la ciudad había prendido en llamas, el príncipe había subido a su teatro doméstico y había cantado las ruinas de Troya, buscando en el pasado comparaciones con el desastre presente.»

¿Por qué Troya? Cuando uno recuerda que Pablo fue detenido (después de su huida de Roma, durante el incendio de ésta), en *Troas, capital de la antigua Tróade*,[10] uno puede preguntarse si no fueron los cristianos los que, inconscientemente, imaginaron, por simple asociación de ideas, ese pseudo-poema sobre las ruinas de

---

10. Troas, la antigua Ilion. Ésta había resultado totalmente incendiada durante la ocupación por los griegos mandados por Agamenón (cf. Homero, *La Odisea*).

Troya, relacionadas con el incendio de Roma. Y esos cristianos que lanzan semejante acusación, ¿no son acaso los de «*la casa del César*» de los que habla Pablo en su Epístola a los Filipenses (4, 22)? ¡Una vez más, Nerón, en su debilidad, al tolerar a mesianistas entre sus servidores, había alimentado en su seno a víboras!

Pero sigamos leyendo a Tácito (*Anales*, libro XV, 38-44):

«Hasta el sexto día no se consiguió detener el incendio en la parte baja de las Esquilias, demoliendo los edificios en un espacio muy grande, para oponer a aquella continua violencia una llanura desnuda y, por así decirlo, el vacío del cielo. Pero todavía no se había desterrado el temor y el pueblo no había recobrado la esperanza, cuando el fuego se reavivó, aunque en un barrio más abierto; por lo tanto también hubo menos víctimas humanas. Pero los templos de los dioses y los pórticos dedicados al recreo dejaron ruinas más extensas.

»Este segundo incendio dio lugar a peores rumores, porque comenzó en una propiedad de Tigelino, en el barrio Emiliano, y se creía que Nerón buscaba la gloria de fundar una ciudad nueva y de darle su nombre. Roma está dividida en catorce regiones; cuatro permanecieron indemnes, tres quedaron destruidas hasta el suelo, las otras siete presentaban apenas algunos vestigios de viviendas en ruinas o medio quemadas.

»Sería difícil dar el número de casas, manzanas y templos destruidos. Pero los más antiguos monumentos de la religión, el que Servio Tulio había consagrado a la Luna, el Gran Altar, y el templo dedicado a Hércules Redentor por el arcadio Evandro, el templo de Júpiter Estator, levantado por Rómulo, el palacio de Numa, el santuario de Vesta, con los Penates del pueblo romano, fueron enteramente destruidos por el fuego, sin contar las riquezas, premios de tantas victorias, las maravillas del arte griego, por último los monumentos antiguos y aún intactos del genio literario. Incluso en medio de los embellecimientos de la ciudad renaciente, los ancianos recordaban numerosos tesoros cuya pérdida era irreparable. Algunos observaron que el incendio había prendido el día catorce antes de las calendas del mes *sextilis*, el mismo día en que los Senones, después de haber tomado Roma, la habían entregado a las llamas. Otros se tomaron incluso la molestia de llevar los cálculos hasta encontrar un número, el mismo, para contar los años, los meses y los días que transcurrieron entre los dos incendios.[11]

»Sea lo que fuere, Nerón aprovechó las ruinas de su patria, y construyó una mansión en la que las pedrerías y el oro no eran lo más maravilloso de lo que había, ya que ese lujo es desde hace tiempo normal y corriente. Pero se veían campos cultivados, estanques, y, como en las soledades, aquí bosques, allá espacios descubiertos, y

---

11. Transcurrieron 418 años, 418 meses y 418 días entre los dos incendios. Pero no fue en julio del año 64, sino en marzo cuando ardió Roma.

hermosas perspectivas. Esos trabajos habían sido dirigidos y dispuestos por Severo y Celer, cuya audaz imaginación exigía al arte realizar lo que la naturaleza se había negado a hacer y se convertía en un juego abusar de los recursos de un príncipe. Le habían prometido abrir un canal navegable desde el lago Averno, cerca de Cumes, hasta las bocas del Tíber, a lo largo de un litoral árido o a través de las montañas. Para alimentar el canal no hay más aguas que las de los pantanos Pontinos, el resto del terreno es seco o escarpado, e incluso si se hubiera conseguido vencer todos los obstáculos, la empresa era excesiva y no se justificaba suficientemente. Pero Nerón deseaba lo increíble, e intentó abrir las altitudes vecinas a la Averna. Subsisten aún restos de su vana esperanza.

»Ahora bien, los terrenos de Roma que no habían sido invadidos por la mansión de Nerón, no fueron reconstruidos al azar y sin orden como después del incendio de los galos. Las casas se pusieron en alineación, las calles fueron ensanchadas, la altura de las casas se redujo, se abrieron patios y se elevaron pórticos para proteger la fachada de las manzanas de edificios. Esos pórticos Nerón prometió construirlos con sus denarios, también se comprometió a devolver a sus propietarios los terrenos por construir, después de haberlos hecho desescombrar. Instituyó, además, primas proporcionadas al rango y a la fortuna de cada cual, y determinó el plazo en el que, una vez terminadas las habitaciones o los pisos, podrían entrar en ellos. Destinaba los pantanos de Ostia a recibir los escombros, y quería que los navíos que remontaban el curso del Tíber con un cargamento de trigo, lo descendiesen cargados de escombros. En cuanto a las construcciones, quiso que en algunas de sus partes no entrara la madera, sino que, para asegurar su solidez, se empleara la piedra de Gabias o la de Alba, que son a prueba de fuego. El agua era desviada abusivamente por algunos particulares para su uso; para que fluyera con más abundancia y se hallara en más lugares a la disposición del público, estableció vigilancia; tuvieron que ponerse a la disposición de todos, en lugares de fácil acceso, sectores preparados contra incendios; por último, las viviendas no debían tener paredes medianeras, al tener cada casa su recinto particular. Esas medidas, que fueron bien acogidas porque eran útiles, contribuyeron también al embellecimiento de la nueva ciudad. Algunos creían, no obstante, que el antiguo plano de Roma era mejor para la salubridad, ya que la angostura de las callejas y la altura de los edificios no permitía que pasaran los ardientes rayos del sol, mientras que ahora, esos amplios espacios, a los que no protege ninguna sombra, son abrasados por un calor insoportable.[12]

»Éstas fueron las medidas que aconsejaba la prudencia humana.

12. Este inteligente urbanismo, como se observará, demuestra el espíritu abierto y el sentido social de Nerón, lo mismo que sus medidas de asistencia después del incendio.

Luego se recurrió a las expiaciones a los dioses y se consultaron los libros de la sibila, basándose en los cuales se dirigieron oraciones públicas a Vulcano, a Ceres y a Proserpina; se ofreció asimismo un sacrificio expiatorio a Juno por medio de las matronas, primero en el Capitolio, luego a la orilla del mar más cercano, del que se sacó agua para rociar con ella el templo y la estatua de la diosa; por último se celebraron sellisternas y vigilias por medio de las mujeres casaderas. Pero ningún medio humano, ni larguezas principescas ni ceremonias expiatorias hicieron callar el infamante rumor según el cual el incendio había sido ordenado por Nerón.

»De manera que, para acallarlo, buscó a unos supuestos culpables, e infligió refinados tormentos a aquellos cuyas abominaciones hacían detestables y a los que la gente llamaba *cristianos*. Ese nombre les viene del Cristo, que, bajo el principado de Tiberio, había sido entregado al suplicio por el procurador Poncio Pilato. Esta detestable superstición, aunque había sido reprimida por el momento, resurgía de nuevo, y no sólo en Judea, donde había nacido este mal, sino incluso en Roma, donde confluye y halla numerosa clientela todo cuanto de horroroso y vergonzoso hay en el mundo.

»Se empezó, pues, por apresar a aquellos que eran abiertamente partidarios, *y luego, según sus indicaciones, a otros muchos, que, si no eran culpables del crimen del incendio, sí lo eran de odio hacia el género humano.*

»No se contentaron con hacerlos perecer; convirtieron en un juego revestirlos con pieles de animales para que fueran desgarrados por los dientes de los perros; o bien los ataban a cruces embadurnados con materias inflamables, y cuando había expirado el día, alumbraban las tinieblas como antorchas. Nerón había ofrecido sus jardines para este espectáculo, y proporcionaba juegos al Circo, donde a veces participaba en la carrera de pie sobre su carro, o a veces, disfrazado de cochero, se mezclaba entre el populacho.

»Pero *aunque estas gentes fueran culpables y dignas de los últimos rigores*, uno se apiadaba de ellas, puesto que la gente se decía que no era sólo con *vistas al interés público*, sino por la crueldad de uno solo, por lo que se las *hacía desaparecer*.»

Y aquí, puntualicemos.

No deja de ser curioso que este incendio se produzca precisamente en el momento en que Menahem, nieto de Judas de Gamala, en hebreo «el Consolador», está poniendo de nuevo a Judea a sangre y fuego.

También es curioso que Nerón, deseoso de contemplar un gran incendio para componer mejor un poema que celebrara el de Troya, se marchara a Antium en lugar de quedarse, si no en Roma, al menos bien cerca, en Ostia por ejemplo, para contemplar el espectáculo.

Es, en verdad, extraño que unos romanos, y el propio Nerón, tan superticiosos, aceptaran cometer sacrilegios tales como la destrucción de los templos de los dioses, y sobre todo los de los más sagrados, ligados a la vida oculta de Roma.

De hecho, ¿quiénes eran esos que *«en gran número, impedían apagarlo»*? ¿Quiénes eran esos que *«lanzaban abiertamente hachones, y gritaban que estaban autorizados a hacerlo, bien porque querían ejercer sus rapiñas con más facilidad, o bien porque efectivamente habían recibido órdenes»*? Son *«los de la casa de César»*, es evidente.

Porque las medidas de asistencia adoptadas por Nerón no son las de un loco delirante.

En cuanto a la acusación extremadamente grave que levanta Tácito contra aquellos a los que llama «cristianos», consiste en el hecho de *«odiar al género humano»*, *«de ser dignos de los últimos rigores»*, y que, a pesar de todo, *«el interés público exigía hacerlos desaparecer»*, y demuestra simplemente que, en el curso de las pesquisas, *habían descubierto ejemplares del Apocalipsis*, y vamos a demostrarlo.

Se pretende que ese libro fue redactado por el apóstol Juan en el año 98 o en el 94. Pues bien, cuando se produce el incendio de Roma nos hallamos en el 64.

Y en el Apocalipsis encontramos el relato de ese incendio de Roma, que aconteció en el año 64, y el de la caída de Jerusalén y de su santo Templo, acaecida en el 70.

Por consiguiente, o bien el tal Juan se burla del mundo al presentar como profético un libro que anuncia hechos producidos *treinta años antes*, o bien el Apocalipsis no es obra suya; si es realmente profético (o simplemente un esquema de combate, semejante a los *manuales de combate ritual* de los manuscritos del mar Muerto), es muy anterior.

El lector encontrará en el precedente volumen los motivos por los cuales estimamos que el autor de ese libro es el propio Jesús.[13]

El Apocalipsis ofrece en el capítulo 11, versículos 1 al 13, el relato de la revolución del año 44, y la crucifixión de Simón-Pedro y de Jacobo-Santiago en el año 47, en Jerusalén.

El capítulo 18 nos describe el incendio de Roma. Porque es evidente que la Babilonia del Apocalipsis no es la antigua ciudad de ese nombre, destruida desde hacía siglos; todos los exégetas declaran que se trata de Roma, y tienen razón. Se habla de unos marinos que, desde el mar, contemplan el incendio. Ahora bien, Babilonia estaba muy lejos, tierra adentro. Pero Roma en llamas era visible desde Ostia, su puerto, que estaba muy cerca, y los navíos, en la desembocadura del Tíber, podían contemplar el incendio con todo su horror. Además, Roma está construida sobre colinas, y desde el litoral el incendio era perfectamente visible. El texto del Apocalipsis de con-

13. Cf. *Jesús o el secreto mortal de los templarios*, pp. 30-36.

tenido más significativo corresponde a los versículos 1 a 8 y 11 a 17 del capítulo 18. Y qué decir de esto: «Pilotos y navegantes, marineros y cuantos bregan en el mar se detuvieron a lo lejos y gritaron, al contemplar el humo de su incendio; diciendo: ¿Qué otra es semejante a la gran ciudad? [...] ¡Ay, ay, oh ciudad grande, en la cual se enriquecieron con su suntuosidad cuantos tenían naves en el mar, que en una sola hora ha sido aniquilada!». (*Op. cit.*, 18, 18-19.)

Vienen después los versículos 20 a 24. Y sigue: «Después de esto oí en el cielo una voz fuerte de numerosa multitud, que decía: ¡Aleluya! ¡Salud, gloria y poder *a nuestro Dios*!, porque verdaderos y justos son sus juicios, pues ha juzgado a la gran prostituta que corrompió la tierra con su fornicación, y ha vengado la sangre de sus siervos por su mano. Y de nuevo dijeron: ¡Aleluya! *Pues su humo ascenderá por los siglos de los siglos*». (*Op. cit.*, 19, 1-4.)

Es evidente que los romanos, ante los cadáveres calcinados de miles de mujeres y de niños, al enterarse de lo que los *cristianos que residían en Roma les deseaban y esperaban febrilmente desde hacía tanto tiempo*, pudieron adivinar, con bastante acierto, que esos fanáticos que iban perdiendo la paciencia hubieran acelerado la realización de esa delirante profecía, y organizado sabiamente todo ese montaje. Porque los acontecimientos de Judea eran conocidos en Roma. Y la destrucción de todo el patrimonio, *religioso y civil*, debió de suscitar un verdadero torrente de odio hacia ellos. Y desgraciadamente el Apocalipsis, tanto si era profético como si no, estaba allí para justificar la reacción romana.

Porque, a fin de cuentas, ¿cómo dudar que fueran los cristianos quienes incendiaran Roma, cuando se leen esas frases vengativas en ese mismo capítulo 18, donde está tan bien descrito el incendio?:

«*¡Dadle a ella como ella ha dado!* Más aún, duplicad dándole el doble según sus obras: en la copa en que ella mezcló, mezcladle el doble [...]

»Por eso vendrán en un mismo día sus plagas: la mortandad, el duelo y el hambre, *y será consumida por el fuego...*» (Apocalipsis, 18, 6-8.)

Así pues, al llegar a Roma la noticia de la revolución llevada a cabo en Jerusalén por Menahem, nieto de Judas de Gamala, debió de ser inevitable que los elementos extremistas del mesianismo, ebrios de venganza, excitados por tales lecturas, pensaran en ejecutar las órdenes despiadadas del Apocalipsis, órdenes lanzadas ya en el año 27, es decir, treinta y siete años antes, por el propio Jesús, su verdadero autor, antes de su llegada a las orillas del Jordán.

En fin, con el Apocalipsis, sus maldiciones, sus amenazas, su odio delirante contra las naciones y sobre todo contra Roma, nos hallamos muy lejos de la cantinela habitual: perdón de las ofensas, amor a los enemigos, después de que la mejilla derecha sea abofeteada, ofrecer la izquierda; quien golpee por la espada, perecerá por la espada, etcétera.

Si el Apocalipsis no hubiera sido conocido mucho antes del año 94, fecha en la que la Iglesia pretende que Juan el Evangelista efectuó la redacción de este libro (absoluta contradicción, por cierto, con el espíritu evangélico de entonces), ¿cómo podía acusar Tácito a los cristianos de «*odiar al género humano*»? Porque «*Dadle a ella como ella ha dado...*», eso es el Talión, y no el evangelio. (Apocalipsis, 18, 6.)

Tácito vivió del año 55 al 120. Como murió cuando contaba unos 65 años de edad, debió de redactar sus *Historias* y sus *Anales* en los aledaños del 95, por consiguiente, cuando contaba más de cuarenta años.

Si el Apocalipsis hubiera sido de Juan el Evangelista, y datara del año 94, ¿cómo iba a conocerlo Tácito, dado que estos textos cristianos fueron guardados en secreto durante largo tiempo, y con sobrados motivos?

Por el contrario, si era del mismo Jesús, si lo redactó hacia el año 27 de nuestra era, antes de su llegada al Jordán, hacía ya cerca de sesenta años que se había podido conocer ese libro decisivo, y las persecuciones que siguieron al incendio de Roma debieron ponerlo de manifiesto. Por eso, ante ese pavoroso texto, Tácito pudo hablar de una secta «*que odiaba al género humano*».

Pero, en contrapartida a esta constatación, *es evidente que Tácito ignora nuestros evangelios actuales*, todos inocencia, mansedumbre y perdón. Y con razón, ya que no serán redactados hasta que los cristianos se hallen en el poder, con Constantino, *en el siglo IV, en su forma actual*.

Una de las pruebas complementarias de que Juan jamás «vio» el Apocalipsis reside en el testimonio de Prócoro, su discípulo, citado en los Hechos de los Apóstoles (6, 5), como uno de los siete diáconos elegidos por éstos para asistirlos. Prócoro compuso un libro titulado *Los viajes de Juan* (a quien llama *Iochanan*, como en hebreo). Tillemont atribuye el manuscrito que ha llegado hasta nosotros al siglo XIV. V. Guerin lo descubrió en un convento de Pathmos en el siglo XIX. Pues bien, ese Prócoro, que se dice que vivió diez años con el apóstol Juan (del 86 al 96), primero en Pathmos y luego en Éfeso, quien afirma que escribió con su propia mano el evangelio que le dictaba el apóstol, que asistió a sus últimos instantes, y que le vio ascender a los cielos, como Jesús, ese Prócoro *ignora que Juan, en Pathmos, había compuesto el Apocalipsis*, Juan no le había dicho nada de esa visión alucinante. Más aún. ¡Prócoro ignora que Juan fue lanzado a una caldera de aceite hirviendo en Roma! ¡Increíble!

¿Por qué? Pues simplemente porque el Apocalipsis hacía ya sesenta y ocho años que había sido escrito y difundido por un tal Jesús, quien declara desde un buen principio que es el autor y que él es el «vidente» a quien Dios se lo ha manifestado. Y Prócoro no ignora nada de todo esto. En cuanto a la aventura de Juan en Roma, para que nuestro escriba la conociera habría sido necesario que el tal Juan hubiera podido ir a Roma, y en aquella época, desde Tiberio y Claudio, a los judíos libres se les ha prohibido permanecer en la capital del Imperio. Y esto tampoco lo ignora Prócoro.

Otro argumento en favor de la antigüedad del Apocalipsis, primer escrito cristiano, como tan bien adivinó Daniel Massé, lo encontramos en la comparación entre algunos de sus pasajes y otros extraídos de los Hechos.

Estos últimos, en el capítulo 15, versículo 28, dicen lo siguiente: «Porque nos ha parecido al Espíritu Santo y a nosotros[14] no imponernos ninguna otra carga más que éstas necesarias: que os abstengáis de las carnes inmoladas a los ídolos, de sangre y de los animales ahogados, y de la fornicación».

Ese decreto se adopta durante el famoso concilio de Jerusalén, es decir en el año 47. Pues bien, ¿qué leemos en el Apocalipsis? Esto:

«Mensaje a la iglesia de Pérgamo: [...] Pero tengo algo contra ti: tienes ahí a algunos que profesan la doctrina de Balam, el cual enseñaba a Balac a arrojar escándalo ante los hijos de Israel, induciéndolos a comer carnes sacrificadas a los ídolos y a fornicar...» (Cf. Apocalipsis, 2, 11 y 14.)

«Mensaje a la iglesia de Tiatira [...] Pero tengo contra ti que dejes hacer a la mujer, Jezabel, que se llama profetisa, enseñar y seducir a mis siervos para hacerlos fornicar y comer de los sacrificios de los ídolos...» (Op. cit., 2, 20.)

Es evidente que resultaría asombroso que el Apocalipsis, presuntamente dictado por Jesucristo a Juan en el curso de su visión, en el año 94, en Pathmos, se limitara a presentar como una «revelación» divina unas decisiones adoptadas por el concilio de Jerusalén en el año 47. Evidentemente, lo que sucedió fue lo contrario: los jefes del movimiento cristiano, reunidos en Jerusalén en un decisivo consejo de guerra, tomaron esa decisión porque venía directamente de Jesús, autor del Apocalipsis hacia el año 27 de nuestra era.

El que más adelante añadieran interpolaciones a este libro, para hacer creer mejor que estaba destinado a los cristianos de finales del siglo I, no cambia nada el problema. Los elementos de base, es decir la fracción más importante del Apocalipsis, son del propio Jesús, como declara en el prólogo del libro.

14. El hecho de que los jefes del movimiento cristiano se asociaran, modestamente, al Espíritu Santo es, de hecho, la prueba de que para ellos se trataba en efecto de *un hombre*, y no de una «persona» divina. Y Robert Stahl, en su libro *Les Mandéens et les origines chrétiennes* (París, 1930), nos demuestra que en Juan, 23, 31, a 14, 31, el Espíritu Santo es una entidad divina, mientras que en la redacción inicial, capítulos 15 a 17, se trataba de un hombre de carne y hueso. Y ese hombre así anunciado era *Menahem*, en hebreo «*Consolador*», nuevo jefe de un nuevo levantamiento mesiánico. ¡Y, claro está, también nieto de Judas de Gamala!

240

Pero permanece una confesión involuntaria sobre la responsabilidad de los cristianos en el incendio de Roma en el año 64. Existe un apócrifo titulado *Hechos de Pedro*. Entre los *Acta apostolorum apocrypha* ocupan, efectivamente, un lugar especial. El abad Vouaux, en su prefacio a la traducción de las diversas versiones (*imprimatur*, Nancy, 1921), observa que son «los de carácter más controvertido. Si al principio se vio en ellos una obra de espíritu gnóstico, luego en cambio se los restituyó, no sin ciertas reservas, a su verdadero lugar, a los *círculos populares ortodoxos* de los que habían salido. Esas mismas vacilaciones prueban el interés que puede tener el estudio de sus doctrinas, por pobres que sean».

Añadiremos esta opinión de Daniel-Rops: «Desde un punto de vista más estricto, *los apócrifos aportan algunos detalles históricos que pueden resultar nada despreciables*». (Cf. Daniel-Rops, *Les Evangiles apocryphes*.)

Y, efectivamente, los *Hechos de Pedro* nos aportan la confirmación de lo que siempre habíamos sospechado sobre los verdaderos incendiarios de Roma en el año 64. Claro que el Apocalipsis nos lo predecía con bastante claridad: la capital del Imperio romano tenía que ser destruida por un incendio gigantesco, en castigo por la muerte de tantos combatientes mesianistas judíos en los crueles juegos circenses. No podía tratarse todavía de cristianos, ya que las persecuciones contra la nueva religión no comenzaron *hasta después de dicho incendio*, pues la primera data, en efecto, del año 64, según los historiadores eclesiásticos, y porque se imputaba a estos sectarios dicho incendio. En cambio, y desde siempre, cada vez que Judas y Galilea se habían levantado en armas contra la ocupación romana, a los prisioneros zelotes les había esperado la terrible muerte reservada por Roma a los rebeldes: crucifixión, hoguera, combates a muerte en las arenas, bien contra las fieras, bien contra ellos mismos, bajo el aguijón de hierro candente manejado por los siervos del circo.

Pero los mismos historiadores eclesiásticos habían rechazado siempre con indignación la acusación lanzada contra los cristianos en lo referente a su responsabilidad en ese incendio. Ahora bien, los *Hechos de Pedro* poseen diversas versiones. En el original griego, aparte de un fragmento muy corto, no queda ya sino el final de la obra, en dos manuscritos tardíos, uno del siglo IX, y el segundo del X o del XI. Los manuscritos de la versión latina son del siglo VII, las versiones coptas son del V, pero *la siríaca derivaría directamente del original griego*, según los unos, o de la versión copta utilizada por los monofisitas de Egipto y de Siria. Existen, asimismo, versiones armenia, árabe y etíope.

Y la versión siríaca nos aporta una extraña amenaza, y, una vez más, vemos allí a un poseedor del *poder apostólico* subyugando a las mujeres en provecho de su acción. En este apócrifo Simón-Pedro por lo visto había ido a Roma, y allí había ganado para su causa a las cuatro concubinas del prefecto del pretorio, llamado Agripa.[15] Este último, furioso, habría hecho arrestar a Simón-Pedro y ordenado crucificarle por ateísmo, acusación legal y habitual contra los cristianos. Ahora viene la protesta de éstos en favor de Pedro: «Entonces todos los cristianos acudieron en tropel, ricos y pobres, huérfanos y viudas, humildes y poderosos. Querían ver y apoderarse de Pedro, y el pueblo gritaba sin interrupción y con voz unánime: ¿De qué es culpable Pedro, Agripa? ¿Qué daño ha hecho? ¡Díselo a los romanos! ¡Cometes una injusticia contra Pedro, oh Agripa! Nosotros, que somos romanos, no hemos visto que Pedro hiciera ni una sola acción merecedora de la muerte. *Si no lo liberas, incendiaremos la inmensa Roma con fuego y saldremos de ella.*» (Cf. *Hechos de Pedro*, versión siríaca, XXXVI.)

Está muy claro.

Y el incendio de Roma en el año 64, que fue obra de cristianos fanáticos, tuvo como émulo el de Bizancio, en el año 404. Estalló la misma noche en que Juan Crisóstomo tuvo que abandonar la ciudad, exiliado por orden del emperador Arcadio, y a petición de la emperatriz Eudoxia, una gala que no aceptaba las consignas autoritarias y la intolerancia de Crisóstomo. Ardieron, en especial, la basílica de Santa Sofía, el Senado, la magnífica biblioteca, etc.; y la emperatriz Eudoxia murió un año más tarde, en el curso de un parto.

En el intervalo se produjo otro incendio, el del palacio imperial de Nicomedes, en el año 303, que también fue atribuido a los cristianos y que suscitó contra ellos una nueva persecución.

Y qué decir del cinismo agresivo de Tertuliano, quien no vacila en declarar, en el año 197: «Estamos en todas partes, porque somos numerosos... Si no fuésemos sino un pequeño grupo, *una sola noche y algunas antorchas bastarían*». (Cf. Tertuliano, *Apologeticon*, XXXVI, 3.)

Después de esto, ya podrán los cristianos afirmar que su religión les impone ser ciudadanos pacíficos.[16]

15. No hubo jamás un prefecto del pretorio con este nombre bajo el reinado de Nerón, en Roma. Se trata de Herodes Agripa I, rey de Judea, quien efectivamente, según los Hechos, mandó detener a Simón-Pedro. ¡Pero el redactor de los *Hechos de Pedro* quiso justificar el incendio de Roma demostrando la presencia de Pedro en ese momento en esa ciudad! Es una confesión inconsciente.

16. En su número del 25 de julio de 1971, el *Provençal du Dimanche* publicó el suelto siguiente:

«Para evitar la invasión de los turistas, la Iglesia de Grecia ha pedido a los monjes del país que recen unas oraciones especiales. En una circular, el Santo Sínodo de la Iglesia Griega dio los textos de dos oraciones "anti-turistas", entre las que habían de formularse con ocasión de acontecimientos particulares:

»"Bendecid las ciudades, las islas y los pueblos de nuestra madre patria ortodoxa, y los santos monasterios, que sufren de la oleada turística. Aportad una solución a su dramático problema, y proteged a nuestros hermanos, que se hallan bajo la amenaza

Por otra parte, Tácito nos dice que el incendio de Roma estalló el «día catorce antes de las calendas del mes *sextilis*» (cf. Tácito, *Anales*, XV, xxxviii), es decir el 20 de julio. No obstante, teniendo en cuenta lo censurados, mutilados e interpolados que han estado por parte de los monjes copistas de la Alta y Baja Edad Media, y constatando que los únicos manuscritos antiguo de Tácito que han llegado hasta nosotros son de los siglos IX y XI, seremos desconfiados. Porque hay otros textos, *más antiguos que éstos, que nos dan otra fecha, que probablemente es la verdadera.*

En el capítulo que trata sobre la correspondencia apócrifa entre Pablo y Séneca hay una carta, la que hace doce, que nos revela la verdad. Claro que es apócrifa, pero fue redactada por un cristiano de buena voluntad, que no sospechaba que, haciéndolo, hablaba por los codos y destruiría el maquillaje de sus sucesores de la Edad Media. Veamos esta carta: «Séneca a Pablo, ¡salud! Te saludo, mi muy querido Pablo. ¿Crees que no siento tristeza de que vuestra inocencia se vea condenada a tan frecuentes suplicios? ¿De que el pueblo, juzgándoos tan poco sensibles y tan criminales os atribuya todas las desgracias de la ciudad? Pero resignémonos, y vivamos de la suerte que la Fortuna nos depara, hasta que una felicidad inalterable ponga fin a nuestros males. Las edades antiguas también tuvieron que sufrir al macedonio hijo de Filipo,[17] y a Darío, y a Dionisio, el nuestro, y a C. César,[18] que no tuvieron más reglas que su capricho. Sobre el origen de los frecuentes incendios que sufre Roma, no hay duda posible. Pero si unos hombres oscuros pudieran decir cuál es la causa, si estuviera permitido en estas tinieblas hablar impunemente, todos los ojos verían entonces toda la verdad. Los cristianos y los judíos están siendo enviados sin cesar al suplicio como incendiarios. Pero el bandido, sea quien fuere, cuya voluptuosidad está en su sangre, y que se cubre de mentiras, ¡a ese por fuerza le llegará su día! Del mismo modo que los mejores dieron su cabeza como víctimas expiatorias,

---

del espíritu modernista de esos invasores occidentales contemporáneos", dice una de esas oraciones.»

Aquí se utilizó una vez más el *incendio* para desalentar a los «invasores occidentales contemporáneos», y el sábado 28 de agosto de 1971, el ferry-boat griego *Heleanna* ardía en el mar, en circunstancias tan escandalosas como trágicas, y sin que se llegara a saber cuál fue exactamente el número de víctimas. Más tarde, en la semana del 1 al 5 de septiembre de 1971, otros dos incendios se declararon en navíos griegos, del mismo modo que sucedió con el *Heleanna*, fueron incendios que se comunicaron una mañana por la radio, pero sobre los que la prensa guardó un silencio absoluto, al haber sospechado al fin el Gobierno griego su carácter criminal.

Apenas había transcurrido un mes entre esas oraciones «en cadena» en el seno de los monasterios y los tres incendios citados...

17. Se trata de Alejandro de Macedonia.
18. Cayo César designa a Calígula.

del mismo modo ese hombre será condenado, por todos, al fuego que le consumirá. Ciento treinta y dos casas, cuatro manzanas, ardieron durante seis días; el séptimo cedió el desastre. Deseo, hermano, que estés bien de salud. *28 de marzo, bajo el consulado de Frugi y de Basso*».

Al indicar los dos cónsules anuales, tenemos la prueba de que la carta data del año 64, pero no del 20 de julio, sino del *28 de marzo. Y ahí está la confesión.*

Porque esos textos son del siglo IV. Esta correspondencia entre Pablo y Séneca la cita san Jerónimo en el año 362, y san Agustín en 414. No hay nada anterior.

Así pues, en una época en la que no se teme la crítica libre, donde nadie se atrevería, bien por miedo, o bien por ignorancia, a evocar la posibilidad de que los cristianos hubieran incendiado Roma en el año 64, no vacilan en dar la fecha exacta del inicio del incendio: ¡*marzo del año 64, ya que la carta que habla de él es del 28 del mismo mes!*[19]

Sabemos, por otra parte, por los historiadores antiguos, de los que se hizo eco Daniel-Rops en *Jésus en son temps*, que los procuradores romanos desconfiaban de la avalancha de peregrinos judíos que acudían a Jerusalén con ocasión de la gran fiesta pascual. La ciudadela *Antonia*, donde generalmente se alojaba una cohorte veterana y el tribuno que la mandaba, es decir, seis centurias de legionarios, se veía ocupada por considerables refuerzos, que acampaban un poco por todas partes, y que habían subido de Cesarea Marítima con el procurador en persona.

Y es que la policía romana no ignoraba que todas las rebeliones judías habían tenido su inicio en Pascua, es decir, en la luna llena del mes de Nisán, y tenemos textos auténticos que expresan la certeza de que la liberación de Israel tendría como punto de partida ese solemne aniversario de la salida de Egipto:

«Del mismo modo que Israel, antaño, fuera liberada de Egipto en el mes de Nisán, volverá a serlo de nuevo en el mes de Nisán...» (Cf. *Talmud: Rosch Haschana*, XIV, 2.)

«Poseemos una tradición precisa que nos enseña que la liberación de Israel se producirá la víspera de Pascua, a la entrada del Sábat...» (Cf. Rabbi Neftalí, *Emeck Hammeleck*, XXXII, 2.)

Esto nos da una definición muy clara del día «J» y la hora «H» de toda insurrección judía organizada de antemano. Se trata del viernes de la semana pascual, en el momento en que la luna llena se eleva por encima del valle del Cedrón, y el sol se oculta tras los valles de Ge-Hinnom y Refaím. Claro que en la práctica había que tener en cuenta ciertas contingencias. Pero se mantiene en pie el hecho de que la luna llena de la *teqoupha* de primavera servía de señal celeste y de esperanza para toda Palestina.

De modo que fue en marzo-abril cuando Menahem levantó a su vez

---

19. Recordemos que en aquella época el calendario juliano hacía comenzar el año el 1 de enero, lo mismo que nuestro calendario gregoriano actual.

el estandarte de la revolución del 64, época del incendio de Roma. Pero ¿cuál de los dos precedió al otro? Es difícil precisarlo en la actualidad, *pero sigue siendo seguro, históricamente, que esos dos sucesos están interrelacionados y que los separaron pocos días.* Su sincronización era demasiado importante como para que se pasara por alto, y no había que desmentir a las profecías.

Mucho más tarde, al censurar a Flavio Josefo, se pensaría en dar otra fecha en los *Anales* de Tácito. Porque había que evitar que pudiera establecerse una relación entre el motivo de ese atentado y la nueva rebelión que acababa de estallar en Judea. Era preciso evitar que pudiera adivinarse que el incendio había sido provocado para estimular a los combatientes zelotes, haciéndoles creer que la profecía del Apocalipsis comenzaba a realizarse ¡y que el final del Imperio romano estaba a la vuelta de la esquina! Era muy importante que los *zelotes* que habían seguido a Menahem (en hebreo: *consolador*, en griego: *paraklètos*), nieto de Judas de Gamala, sobrino de Jesús, no se desalentaran ante el contraataque romano.

Porque Flavio Josefo aporta su testimonio en favor de Nerón: «Son muy numerosos aquellos que han contado la historia de Nerón. Pero los unos no fueron fieles a la verdad por darle gusto, porque habían sido bien tratados por él, y los otros, por odio y por enemistad contra él, lo maltrataron tan impunemente con sus mentiras, que ellos son los que merecen ser vituperados». (Cf. Flavio Josefo, *Antigüedades judaicas*, XX, viii, 3.)

Y la revuelta de Menahem y el incendio de Roma estuvieron extrañamente sincronizados. Júzguese:

1) todo eso estalló en el año 64, treinta y tres años después del apresamiento de Juan el Bautista. Y el treinta y tres es, en el Antiguo Testamento, el número de toda purificación, (cf. Levítico, 12, 4);

2) fue aprehendido el 28 de mayo del año 31 de nuestra era, y ejecutado en la ciudadela de Maqueronte[20] el 29 de marzo del año 32. Ahora bien, el escriba anónimo que compuso la pseudo-carta de Séneca a Pablo, en el siglo IV, da la fecha del 28 de marzo del año 64. Por lo tanto no ignoraba la relación entre el aniversario de la muerte de Juan el Bautista y la fecha del incendio de Roma. E inconscientemente se traicionó.

Ese Menahem se apoderó a continuación de la fortaleza de Massada (que caería, en las circunstancias que se harían célebres, en el año 73), luego se hizo reconocer como jefe de la nueva revolución, hizo matar al sumo sacerdote, así como al hermano de éste, llamado Ezequías, y ante todos esos éxitos se convirtió en un tirano insoportable. Entonces el pueblo se rebeló, y le dieron muerte después de haberle sometido a numerosas sevicias. Se pueden encontrar todos los detalles en la *Guerra de los judíos* de Flavio Josefo (libro II, capítulos xxx-xxxii).

20. Cf. *Jeşús o el secreto mortal de los templarios*, capítulo 13, titulado: «Juan, el Precursor y el Bautista».

Pero, dirá el lector, ¿se tiene la seguridad de que la revolución del 66 comenzó en realidad en el 64, con la de Menahem y el incendio de Roma?

Nosotros responderemos que sí, y aquí están los argumentos:

1) Fue en marzo del año 64 cuando Menahem izó el estandarte de la nueva revolución judía. *Pero no se nos dice el motivo.*

2) En aquella época, en Cesarea Marítima, la antigua Torre de Estraton, judíos y sirios se disputan la administración de la ciudad. «Los judíos la quieren gobernar, arguyendo que Herodes, su rey, la había construido», nos cuenta Flavio Josefo. Los sirios, a los que él también llama los griegos, alegan que es una ciudad pagana, por sus templos, erigidos por el mismo Herodes para el culto de sus dioses, etc. Y también es cierto. Y entonces estallan motines sangrientos. Por último, Antonio Félix, procurador de Roma, los sofoca, y al fin se puede recurrir al arbitraje imperial. Una delegación se embarca con dirección a Roma. ¿Cuántas semanas, o incluso meses, invertirá para llegar? Pablo necesita un año para llegar de Cesarea a Roma... ¿Cuánto tiempo transcurriría entre esta solicitud de arbitraje, entre su decisión, el embarque de la delegación en Ostia y su regreso a Antioquía de Siria o a Cesarea Marítima? ¿Cuánto tiempo entre ese regreso y la difusión de la noticia de que la ciudad está definitivamente confiada a los griegos y a los sirios? Porque aquí tenemos el texto de Flavio Josefo: «Y los griegos de Cesarea llegaron con cartas de Nerón: Que la ciudad sea griega [...] *Y entonces se inició la guerra*, en el año XII del reinado de Nerón, XVII del reinado de Herodes Agripa II». (Cf. Flavio Josefo, *Guerra de los judíos*, manuscrito eslavo, II, 6.)

Y Pierre Pascal, al traducir el texto eslavo de Flavio Josefo, observa, con mucha lógica: «Eso era en el año 66, pero la decisión de Nerón de dar Cesarea a los griegos *debió de ser anterior*». (*Op. cit.*, Éditions du Rocher, Mónaco, p. 155.) Y es algo evidente, si se tienen en cuenta todos esos espacios de tiempo y esas esperas que evocábamos antes. Si contamos un año para ir de Cesarea a Roma, y un año para volver, incluyendo la estancia en la capital y la espera de la decisión imperial, es decir, dos años en total, nos encontramos en el 64 de nuestra era. Más aún cuanto que el incendio de Roma en el 64 no debió de reducir los plazos de espera... Entonces se plantea una pregunta inevitable: *¿esperó realmente Menahem la decisión de Nerón para entrar en guerra?* ¿O simplemente inició la ofensiva apenas los sirios y los griegos partieron para Italia? Conociendo el estado de espíritu de los zelotes, la respuesta viene dada por sí misma.

Hagamos, pues, ahora el inventario de los personajes que podían tener un interés cualquiera en el *incendio* de Roma, y que fueran lo suficientemente influyentes como para poder *poner en acción a los servidores del palacio imperial*. (Cf. Suetonio, *Vida de los doce Césares: Nerón*, 38.)

No revelaremos más que siete nombres:

1) *Nerón:* Hemos demostrado que no era posible; no estaba en Roma, no se enteró del incendio hasta cuatro días más tarde, y no tenía ningún interés en la destrucción de los templos donde residía la vida espiritual y oculta de todo el imperio, siendo él, además, tan supersticioso como era.

2) *Popea:* Sólo hacía dos años que era la esposa de Nerón. ¿Qué interés podía tener en semejante atentado? Ninguno, evidentemente. Además, estaba también en Antium, con Nerón.

3) *Burro:* El prefecto del pretorio había muerto en el año 62. ¿Y qué interés podía tener en dicho atentado?

4) *Tigelino:* Sustituía a Burro en sus funciones, y podía haber organizado ese incendio a fin de desacreditar a Nerón, de quien tenía motivos para querer vengarse, es cierto, pero a quien temía terriblemente. Por otra parte, jamás fue favorable a los judíos mesianistas. Y entonces, ¿cómo justificar que ese atentado sobreviniera exactamente para respaldar la insurrección de Menahem en Judea? ¿Y cómo justificar la elección de la fecha que coincidía con el aniversario del apresamiento de Juan el Bautista por parte de esos romanos sin escrúpulos y sin espiritualidad?

5) *Séneca:* Si ya era hostil al progresismo de Nerón, por conservador, imbuido de los principios de superioridad de Roma, justamente por esas mismas razones no podía ser favorable a esa nueva revolución judía, y las objeciones hechas en el caso de Tigelino pueden aplicarse igualmente a Séneca. Y este estoico reaccionario no podía cargar con la responsabilidad de destruir los templos romanos más sagrados.

6) *Saulo-Pablo:* Amigo de infancia de Menahem; forma parte con él del *kahal* mesianista de Antioquía (Hechos, 13, 1); es amigo de Séneca, quien es amigo de los conspiradores antineronianos, es miembro del complot de Pisón y es, *secretamente*, el sucesor de este último (*infra*, p. 279). Saulo-Pablo cuenta con afiliados a su doctrina y a su secta entre los servidores del palacio imperial, en Roma: «*Los de la casa de César os saludan...*» (cf. Epístola a los Filipenses, 4, 22). Y en el próximo capítulo encontraremos otros motivos de sospecha, ya que pudo muy bien ejecutar con todo detalle lo que Séneca y Tigelino deseaban secretamente, aunque sin atreverse a decidirlo y a hacerlo ejecutar. Además, las extrañas coincidencias entre la fecha precisa de ese incendio y la vida del Bautista, sin omitir el conocimiento de la revolución de su ex *suntrôphos* Menahem, son otras tantas observaciones acusadoras.

7) *Un jefe zelote desconocido:* Todo lo que se ha dicho en el caso de Saulo-Pablo puede aplicarse, evidentemente, contra ese extremista anónimo, todo, *excepto la posibilidad de hacer actuar a los servidores del emperador, «los de la casa de César»...* Para que éstos hubieran asumido la responsabilidad de declarar públicamente que estaban cubiertos por órdenes (cf. Tácito, *Anales*, XV, xxxviii), era preciso que fuera cierto. Esa secreta protección les venía de Séneca, a través de su amigo y cómplice Saulo-Pablo, *su jefe indiscutible*.

Pero quedan otras pruebas, más sutiles, aunque igual de explícitas, sobre la responsabilidad directa de Pablo en el incendio de Roma. Veámoslas ahora algo más de cerca.

Primero, ante las evidentes contradicciones que existen sobre lo referente al *mes* en que se produjo el siniestro, conviene determinar quién tiene razón, basándonos en el texto atribuido a Séneca en el siglo IV por san Jerónimo y san Agustín, o en el texto atribuido a Tácito, en los manuscritos más antiguos que poseemos de su obra, y que son de los siglos IX y XI.

Séneca nos dice *marzo del año 64*, Tácito nos dice *julio del año 64*, pero nos precisa, imprudentemente, que Nerón estaba en Antium, su ciudad natal, a la que amaba tiernamente, y que avisado al cuarto día del incendio, adoptó todas las medidas necesarias para mejorar la suerte de la población romana, pero que, no obstante, se le imputó a él la responsabilidad de aquél.

Primera conclusión: para Tácito, transcrito por los monjes copistas, Nerón se encuentra en Antium, y *por lo tanto en Italia, en julio del año 64, fecha del incendio*. Pero eso es falso...

Sabemos, en efecto, por Suetonio (cf. *Vida de los doce Césares: Nerón*, XXII) que Nerón participó en los juegos Olímpicos, en las carreras de carros, y eso antes de que se lanzara a las exhibiciones teatrales, las primeras de las cuales tuvieron lugar en Nápoles.

Observemos, antes que nada, que los célebres juegos se celebraban en Olimpia, en Grecia, *e invariablemente en el mes de julio*. Tenían lugar cada cuatro años, y su intervalo constituía una *olimpiada*. Tomemos el calendario de las olimpiadas del período considerado, y señalemos los años en que tuvieron lugar los juegos durante el corto reinado de Nerón. Veremos que fue en julio del año 60, en julio del 64 y en julio del 68 de nuestra era.

Podemos descartar ya julio del 68, dado que el emperador murió en Roma el 9 de junio del 68 del calendario juliano, lo que da el 20 de junio del gregoriano.

Quedan entonces julio del 60 y julio del 64.

Descartaremos también julio del 60, ya que Nerón fue por primera vez a Grecia *antes de las exhibiciones de Nápoles*, según Suetonio, *que tuvieron lugar a comienzos del año 64*; no nos queda, pues, sino *julio del 64*, para verlo participar en las carreras de carros en Olimpia. ¡Y ésa es, desafortunadamente, la fecha que se pretende endosar a Tácito! Y es evidente que Nerón no podía encontrarse en Antium y en Olimpia al mismo tiempo.

Porque para ir de Roma a Grecia, por tierra y por mar, en aquella época, se necesitaban unas doce semanas, recorrido que han verificado ciertos historiadores. Las literas y los carros de la caravana imperial no efectuaban un recorrido diario superior a los 25 km; en cuanto a los trirremes, que iban a la vez a remo y a vela (galeras de esclavos), ese tipo de navegación no podía representar más de cien kilómetros al día para esos pesados y torpes navíos. La velocidad de *punta* alegada por Tito Livio para las *galeras de combate* no sobrepasaba, por ejemplo, los treinta y cinco kilómetros por hora.

Todo esto excluye que Nerón hubiera podido ir a los juegos olímpicos y regresar a tiempo para estar en Roma el 20 de julio del año 64, día en que se declaró el incendio,[21] según Tácito, revisado y corregido en la Edad Media por los monjes copistas. Por lo tanto, el texto y la fecha que nos da Séneca son los verídicos, y fue en *marzo* cuando Roma ardió, cuando Nerón estaba todavía en Antium.

Se impone, pues, una primera conclusión.

Si se esfuerzan por sustituir julio por marzo, es porque esta última fecha, por su concordancia con la de la insurrección de Menahem, *hermano de leche de Pablo* (Hechos, 13, 1), podía atraer las sospechas hacia este último.

Y acude en seguida a la mente una segunda conclusión.

Y es que los monjes copistas que alteraron visiblemente el texto inicial de Tácito, lo hicieron a fin de eliminar las pruebas de esta complicidad. Porque si Tácito hubiera afirmado la responsabilidad de la colonia judía de Roma, en sus elementos zelotes, libres o esclavos, nuestros monjes copistas medievales, inevitablemente antisemitas teniendo en cuenta la época, se hubieran sentido extremadamente felices de subrayarla.

Pero como, por el contrario, de esta manera se ponía de manifiesto la de Pablo, jefe reconocido de los cristianos de Roma, sustituyeron marzo del año 64 por julio.[22]

Desafortunadamente para ellos, no se les ocurrió expurgar del mismo modo a Suetonio, y hacer desaparecer esa participación de Nerón en los Juegos de Olimpia.[23]

21. Más aún cuando se considera que regresó de Grecia en febrero del año 68.

22. Importa poco el hecho de que Pablo hubiera decidido provocar el incendio para hacer cuadrar los acontecimientos con el Apocalipsis o si simplemente, como miembro de la conspiración de Pisón y de Séneca, aceptó intentar desacreditar a Nerón, cosa que contribuiría a hacer creer los «rumores» divulgados por «los de la casa de César», sus fieles del palacio imperial.

23. Sobre la participación de la servidumbre del palacio imperial en el incendio de Roma, citaremos una vez más a Suetonio: «Varios consulares, al sorprender a algunos esclavos de la cámara imperial en sus propiedades, no se atrevieron a levantar la mano contra ellos». (Cf. Suetonio, *Vida de los doce Césares: Nerón*, xxxviii.)

Aquí tenemos a «los de la casa del César», a los «santos» de los que habla Saulo-Pablo en su Epístola a los Filipenses (4, 22); sin olvidar a Epafrodito, relator del Consejo de Estado de Nerón, y probablemente el discípulo de Saulo-Pablo citado en la misma *bajo el mismo nombre*.

20

Psicología de los incendiarios

> La muerte en las llamas es la menos solitaria de las
> muertes. Es, verdaderamente, una muerte cósmica, donde
> todo un universo se aniquila con el pensador. La hoguera
> es un compañero de evolución.
>
> G. BACHELARD, *Psicoanálisis del fuego*

¿Accidentes o crímenes? Los incendios forestales habrán sido demasiado numerosos durante el verano y el otoño de 1970, y habrá habido demasiadas coincidencias como para que no pueda verse en ello alguna intención de causar daño. Por eso el sociólogo Roger Caillois pudo recordar, en un artículo del *Express* del 31 de agosto de 1970, que en otros tiempos hubo en Roma otro incendio y otros incendiarios: aquél del que se acusó a los cristianos, los cuales esperaban, conforme a sus escrituras secretas, un fuego purificador del hombre, al menos tal como ellos lo imaginaban. Así es como nos lo dice Roger Callois: «De los incendios que han devastado este verano el Var y los Alpes Marítimos, algunos eran criminales. Fueron detenidos algunos sospechosos. Hubo algunos que confesaron, *peor aún, que se vanagloriaron* de ser los autores de los siniestros. Eran iluminados, que pretendían obedecer las órdenes de Dios. Con una enorme hoguera habían purificado la Provenza de las indecencias que la mancillaban, de las ignominias que, cada día más numerosas y más escandalosas, ofendían gravemente a la decencia, la virtud y al Cielo».

Y Roger Callois evoca a este respecto la misma reacción fanática de los cristianos de Roma: «Esas llamas que traducen la voluntad divina, y que consuman la aniquilación de la Gran Prostituta, sin duda constituye un sacrilegio combatirlas [...] Además, no es inútil observar que los barrios consumidos fueron los del Circo y del Palatino, donde se encontraban los templos más antiguos de Roma, el santuario que Servio Tulio había consagrado a la Luna, el de Hércules Redentor, dedicado por el legendario Evandro, el aliado de Eneas, el de Júpiter Estator, consagrado por Rómulo, el de Vesta, que albergaba los Penates del pueblo romano. Quizá no fuera más que una coincidencia, pero proclamaba que se golpeaba a Roma en sus dioses protectores, cuya impotencia al fin se había demostrado. Tácito proporciona un catálogo de todos los santuarios destruidos...».

«¿Se imaginan las reacciones que suscitarían los hippies o los izquierdistas si, durante los oficios en la Madeleine o en Notre-Dame, tuvieran la ocurrencia de romper o pisotear los objetos de culto?...»

Y esto, no obstante, era algo bastante frecuente durante los primeros siglos. Eusebio de Cesarea narra unas intervenciones de «candidatos a mártires» penetrando en un templo cuando un dignatario de Roma se disponía a ofrecer un sacrificio o una libación, oponiéndose a ello reteniéndole el brazo, o incluso derribando el altar con las brasas ya encendidas...

Renan, quien para hacerse perdonar su *Jésus*, por ser demasiado heterodoxo para la época, toma la defensa de los cristianos, en su *Antéchrist* rechaza con indignación la hipótesis de que éstos hubieran incendiado la capital del Imperio romano. Pero los textos que enumera para intentar demostrar cómo pudo la opinión pública de la época orientarse tan fácilmente contra ellos, a pesar suyo irán más allá de lo que él intentaba establecer: «Quizá los discursos de los cristianos sobre la gran conflagración final, sus siniestras profecías, su afición por repetir que el mundo acabaría pronto, y *acabaría con fuego*, contribuyeron a hacer que se les tomara por incendiarios. Ni siquiera es inadmisible que varios fieles hubieran cometido imprudencias, y que se hubiera dispuesto de pretextos para acusarlos de haber querido, al preludiar las llamas celestiales, justificar a todo precio sus oráculos». Y afirma, testarudo, que ellos no prendieron el fuego, «pero seguramente se alegraron», dado que anunciaban sin cesar, *y deseaban, la destrucción de la sociedad*.

Eran, en efecto, como veremos pronto, *incendiarios en potencia*, fanatizados incesantemente por los mismos temas de la combustión final, purificadora y a la vez probatoria. Renan los califica de «*incendiarios del deseo*». ¿De deseo? Nosotros diríamos más bien que *obsesionados por el incendio*. Y aquí tenemos la prueba. Tomemos el Nuevo Testamento:

«Todo árbol que no dé buen fruto será cortado y arrojado al fuego...» (Mateo, 3, 10.)

«Quemará la paja en fuego inextinguible...» (Mateo, 3, 12.)

«El que dijere loco a su prójimo será reo del fuego de la gehenna...» (Mateo, 5, 22.)

«¡Apartaos de mí, malditos! Al fuego eterno, preparado para el diablo y sus ángeles...» (Mateo, 25, 41.)

«Quiero recordaros [...] cómo Sodoma y Gomorra y las ciudades vecinas, que, de igual modo que ellas, se entregaron a la impudicia y a los vicios contra natura, fueron puestas para escarmiento, sufriendo la pena del fuego eterno...» (Epístola de san Judas, 7.)[24]

«¡Porque todos han de ser salados al fuego!...» (Marcos, 9, 49.)

«Yo he venido a echar fuego en la tierra, ¿y qué puedo desear sino que se encienda?...» (Lucas, 12, 49.)

«Su obra quedará de manifiesto, pues en su día el fuego lo revelará...» (Pablo, I Epístola a los Corintios, 3, 13.)

«Si una tierra produce espinas y abrojos, es reprobada y está próxima a ser maldita, y su fin será el fuego...» (Pablo, Epístola a los Hebreos, 6, 8.)[25]

«Mientras que los cielos y la tierra actuales están reservados por la misma palabra para el fuego, para el día del juicio y para la perdición de los hombres impíos...» (Pedro, II Epístola, 3, 7.)

«Tomó el ángel el incensario, lo llenó del fuego del altar y lo arrojó sobre la tierra. Y hubo truenos, clamores, relámpagos y temblores...» (Apocalipsis, 8, 5.)

«Y hubo granizo y fuego mezclado con sangre, que fue arrojado sobre la tierra; y quedó abrasada la tercera parte de la tierra, y quedó abrasada la tercera parte de los árboles, y toda la hierba verde quedó abrasada...» (Apocalipsis, 8, 7.)

«Y los que montaban a caballo tenían corazas de color de fuego, y de jacinto y de azufre [...] Y de la cabeza de los caballos salía fuego, humo y azufre...» (Apocalipsis, 9, 17.)

«Con las tres plagas perecieron la tercera parte de los hombres, es a saber, por el fuego, y por el humo, y por el azufre que salía de su boca...» (Apocalipsis, 9, 18.)

«Vivos fueron arrojados ambos al lago de fuego, que arde con azufre.» (Apocalipsis, 19, 20.)

«La muerte y el infierno fueron arrojados al estanque de fuego. Ésta es la segunda muerte, el estanque de fuego. Y todo el que no fue hallado inscrito en el libro de la vida, fue arrojado en el estanque de fuego...» (Apocalipsis, 20, 14-15.)

«Los cobardes, los infieles, los abominables, los homicidas, los

24. Se dicen inspirados por Dios, y en su cerrado fanatismo ignoran que la homosexualidad es función de un equilibrio glandular y hormonal, que todos los seres (y esto está científicamente probado) pasan, en el curso de su existencia, por variaciones de la polarización sexual, generalmente relegadas a las profundidades del inconsciente, y que el priapismo, la ninfomanía, la homosexualidad, son afecciones que corresponde tratar al médico, y no al verdugo. Y algunos sucesores de semejantes ignorantes quieren y pretenden regir la sociedad.

25. Hay que comprender a Saulo-Pablo. Sus orígenes principescos y sus primeras actividades de soldado feudal, con su hermano Costobaro II, recordadas por Flavio Josefo (*Antigüedades judaicas*, XX, viii), no le predisponían a la jardinería ni al conocimiento, aunque sólo fuera elemental, de los abonos. Jesús no se lo había enseñado todo durante sus entrevistas en el tercer cielo (II Corintios, 12, 2).

fornicadores, los hechiceros, los idólatras y todos los embusteros tendrán su parte en el estanque, que arde con fuego y azufre, que es la segunda muerte...» (Apocalipsis, 21, 8.)

«Y será atormentado con el fuego y el azufre delante de los santos ángeles y delante del Cordero...» (Apocalipsis, 14, 10.)

¡Encantador! Y nosotros añadiremos: «Dulce Jesús...».

Ese fuego y ese azufre, que hace todavía más dolorosa la quemadura del primero, a través de todo ese conjunto sacado de las escrituras se observa que constituye simplemente una *obsesión* en el psiquismo de los cristianos. Hablan de ellos, sueñan en ellos, los desean, son verdaderos exutorios de su odio, que deriva inconscientemente de su aislamiento, inevitable en la sociedad de su época.

Son, de hecho, auténticos *pirómanos*, pero *pirómanos razonados y conscientes.*[26]

Aquí cederemos la palabra a Gaston Bachelard, en su penetrante *Psicoanálisis del fuego*:

«La psiquiatría moderna ha elucidado la psicología del incendiario. Ha demostrado el carácter sexual de sus tendencias. Recíprocamente, ha sacado a luz el grave traumatismo que puede recibir un psiquismo ante la visión de un molino o un techo incendiados, de una gran llamarada sobre el cielo nocturno, en la infinidad de la llanura labrada.

»Casi siempre, el incendio en los campos es la enfermedad de un pastor. Como portadores de siniestras antorchas, los hombres de la miseria transmiten de generación en generación el contagio de sus sueños de aislados. Un incendio determina un incendiario casi tan fatalmente como un incendiario provoca un incendio. El fuego se incuba en un alma con más seguridad que bajo las cenizas.

»El incendiario es el más disimulado de los criminales. En el asilo de Saint-Ylie, el incendiario más característico es muy servicial. Sólo hay una cosa que pretende no saber hacer: ¡encender una estufa! Aparte de la psiquiatría, el psicoanálisis clásico ha estudiado profundamente los sueños de fuego. Se encuentran entre los más claros, más netos, cuya interpretación sexual es más segura. No insistiremos, pues, sobre este tema.

»De hecho, volviendo al problema del fuego, la psiquiatría ha reconocido la frecuencia de los sueños de fuego en los delirios alcohólicos. Ha demostrado que las alucinaciones liliputienses se hallaban bajo la dependencia de la excitación por el alcohol.»

Resumamos, pues, las causas profundas que crean al *pirómano*:

a) *rechazo sexual*, suscitado por un puritanismo ardiente, la ver-

---

26. El diario *France-Soir* del 16 de febrero de 1970 relataba en su página 2 el incendio del Centro Comercial de Parly 2, en donde un desconocido prendió fuego a unos embalajes de cartón almacenados en dos de los almacenes, luego telefoneó en seguida para precisar sus motivos: «Primer aviso. ¡Respetad el día del Señor!». Ese tipo de cretino criminal no es sino la repetición del de aquel año 64. No importa la Iglesia particular o la secta a la que pertenezca.

güenza de la sexualidad, de la desnudez, y que conduce a una intoxicación físico-psíquica por la no eliminación espermática. Ese sería el caso de los solitarios (pastores, ascetas, etc.), o de los puritanos; es el caso de los cristianos de los primeros siglos; se observará, además, que la piromanía es una tara esencialmente masculina. Esto explica lo siguiente: la mujer, designada esotéricamente como *Agua*, tiene miedo del *Fuego*. El hombre, designado por este elemento, se convierte en poseso si no lo elimina. Bachelard se acercó a este misterio;

b) *traumatismo psíquico*, provocado por la contemplación de un incendio. Este es el caso del bombero pirómano, lo mismo que el del rebelde zelote que vio arder su casa, su pueblo. También es el caso del pastor solitario, perdido en la contemplación de su fuego de leña, a lo largo de las estaciones. Y también el de aquél que ha permanecido en un cierto infantilismo, y que admira las llamas. A este respecto, el cristiano de los primeros siglos, impregnado por la lectura o la audición de sus Escrituras «incendiarias», es un pirómano en potencia, condicionado por esas citas;

c) *Impregnación alcohólica*, como era el caso de ciertos cristianos en el curso de los *ágapes* rituales. Escuchemos a Pablo: «Y cuando os reunís, no es para comer la cena del Señor, porque cada uno se adelanta a tomar su propia cena, y mientras uno pasa hambre, otro está ebrio». (Pablo, I Epístola a los Corintios, 11, 20-21.) Y Judas, en su única carta, nos dirá lo mismo: «Estos son los que mancillan vuestros ágapes; cuando con vosotros banquetean sin recato, hombres que se apacientan a sí mismos». (Epístola de san Judas, 12.)

Como algunos se mostrarán remisos a admitir que la embriaguez estuvo al orden del día en los piadosos «ágapes» de los primeros siglos, nos limitaremos a señalarles este comunicado de la *Ciudad del Vaticano*, con fecha del lunes 26 de octubre de 1970, y reproducido al día siguiente en el periódico *France-Soir*: «Unas pinturas murales inconvenientes han sido descubiertas este año en las catacumbas de Roma. Muestran a los primeros cristianos bebiendo y festejando durante unos funerales. Al revelar el sábado este descubrimiento, el *Osservatore Romano*, órgano del Vaticano, subraya que esas pinturas no tienen nada en común con otros frescos cuyo tema es la celebración de la misa por cristianos reunidos alrededor de una mesa. Lo ''inconveniente'' para el *Osservatore Romano* es *en especial* ''la abundancia de botellas en pie o tumbadas'' representadas en esas escenas de banquete».

Evidentemente, nos gustaría saber qué evoca el término «*en especial*».

Conviene observar, por cierto, que tampoco Jesús escapó jamás a esa reputación. Leemos, por ejemplo, lo siguiente en los evangelios canónicos: «Porque vino Juan, que no comía ni bebía, y decían: Está poseído por el demonio [...] Y vino el Hijo del Hombre, comiendo y bebiendo, y dicen: Es comedor y bebedor de vino, amigo de publicanos y de pecadores». (Mateo, 11, 18, y Lucas, 7, 33.)

San Jerónimo, en su *Vulgata* latina, versión oficial de la Iglesia católica, emplea el término *potator*, que significa «saco de vino». Pero es evidente que una reputación, aunque ampliada o exagerada, necesariamente tiene un fondo de verdad. El que Jerónimo utilizara los términos de *tragón y borracho* puesto en boca de los adversarios de Jesús implica, en el mejor de los casos, que comía enormemente y bebía en la misma proporción. Cosa que no es propia de la vida ascética para la que se nos propone a él siempre como modelo.

Esta obsesión del fuego impregnará durante siglos a las gentes de la Iglesia por los mismos motivos. Y así el monje Bernard Gui, inquisidor, que vivió del año 1261 al 1331, y autor de la célebre *Practica officii Inquisitionis heretice pravitatis*, declara en dicho tratado, verdadero manual del inquisidor: «La finalidad de la Inquisición es la destrucción de la herejía. La herejía no puede ser destruida sin que los herejes lo sean también, y eso no puede hacerse sino de dos maneras: mediante su conversión o mediante la *incineración carnal* tras su abandono al brazo secular».

Pero fue sobre todo en el siglo XV, en España, donde el *fuego purificador y correctivo* recibió una aplicación casi litúrgica.[27]

Las incineraciones de los herejes, de los judíos, de los ocultistas, fueron calificadas de *autos de fe*. Hubo holocaustos de éstos cada año, a fecha fija. A esas ejecuciones entre las llamas, y de periodicidad anual, se las llamó *autos de fe particulares*. Por ejemplo, el viernes de Cuaresma que precedía al Viernes Santo se celebraba con una ejecución de este tipo. Aquí no se trataba ya, por lo tanto, de una ejecución judicial, sino de un *sacrificio humano*, de un *holocausto de propiciación*.

Hubo asimismo *autos de fe generales*, con ocasión del advenimiento de los soberanos, de su matrimonio, del nacimiento de cada uno de sus hijos. Algunas de esas ceremonias en varias ciudades de España a la vez podían permitir la incineración de un centenar de condenados. En Sevilla se había establecido al efecto, fuera de la ciudad, un patíbulo permanente, de piedra, sobre el que se erguían cuatro estatuas, en honor a los cuatro evangelistas. Esas estatuas estaban huecas, y tenían un nicho en su interior. Dentro de ellas se encerraba, debidamente encadenadas, a las víctimas, a las que así se

---

27. A este respecto, el 8 de septiembre de 1971, ante los peregrinos presentes en una audiencia pública en Castelgandolfo, el papa Pablo VI recordó que el Concilio Vaticano II había confirmado el dogma absoluto concerniente a la existencia del infierno y a la de la condena a las llamas eternas. Discutir semejantes afirmaciones nos parece superfluo.

quemaba a fuego lento, amontonando leña alrededor de la estatua hueca.

Sólo en España, la Inquisición hizo quemar de 1480 a 1808 a 34.638 personas. El número de las que murieron antes en su mazmorra, a consecuencia de la tortura, o que consiguieron afortunadamente evadirse, y que fueron incineradas *en efigie*, se eleva a 18.049 personas. (Cf. J. Français, *L'Église et la Sorcellerie*.)

Para el resto de Europa es difícil dar una cifra. Sabemos, no obstante, por Barthélémy de Spins (cf. *Quöestio de Strygibus*, 1523, y *In Ponzinibium de Lamis Apologia*, s. d.), que sólo en la provincia de Lombardía se quemó aproximadamente a un millar de mujeres de las que se sospechaba que eran brujas, cada año, durante veinticinco años. Esto supone veinticinco mil mujeres en un cuarto de siglo.

Al azufre por entonces lo asociaban con el fuego, conforme a las Sagradas Escrituras, ya que se revestía a los condenados con una camisa untada de azufre, se les colocaba una mitra de pergamino, también embadurnada de azufre, y el cuerpo también era untado previamente con una pomada de azufre, sobre la base de manteca de cerdo.

Así pues, al aliar el *azufre* con el *fuego*, los jueces eclesiásticos obedecían a las prescripciones del santo libro del Apocalipsis, del que se había proclamado autor Jesús: «Revelación de Jesucristo, *que Dios le confió* para manifestar a sus siervos lo que ha de sobrevenir en breve [...] Bienaventurado el que lee y los que oyen las palabras de la profecía, y *los que observan las cosas en ella escritas*, porque el tiempo está próximo». (Apocalipsis, 1, 1 y 3.)

Estas cosas nuestros inquisidores las conservaban piadosamente en su corazón. Por eso, cuando las llamas de las hogueras alcanzaban al fin el cuerpo del condenado, lo hacían sobre quemaduras ya profundas, causadas por la repentina combustión de la mitra y de la camisa de azufre, avivando así las primeras quemaduras.

Haciéndolo así, no podía decirse que los versículos ya citados del Apocalipsis no afectaran a aquellos a los que iban dirigidos. La profecía era verídica, al menos en el plano terrestre.

De todo lo que precede podemos sacar ahora una conclusión, a saber, que esa obsesión por el *azufre* y el *fuego*, esos cuadros grandiosos y trágicos, en los cuales, como un fresco dantesco, se pintaba la destrucción del viejo mundo mediante un gigantesco incendio, todo eso condicionó criminalmente a la fracción fanática del cristianismo, y fueron, efectivamente, cristianos los que, llenos de odio, incendiaron Roma.

Hay alusiones bastante claras para aquel que posea la suficiente intuición y perspicacia para penetrar, como un juez de instrucción, en las intenciones que movían a un escriba.

La confesión inconsciente de Simón-Pedro, supuestamente muerto en Roma en el año 64, o más bien de aquel que, bajo su nombre, redactaría más tarde su primera epístola, la tenemos en el cuarto capítulo de ésta: «No os extrañéis de ese *incendio que arde en medio de vosotros*, ordenado a vuestra prueba». (I Epístola de san Pedro, 4, 12.)

Las versiones de Segond, Osterwald, Synodale, hablan de una *hoguera*, pero es lo mismo. Pero esa alusión a un *peligro por el fuego*, para los cristianos, demuestra que Simón-Pedro no fue el autor de esa Epístola. Porque si murió en Roma en el año 64, inmediatamente después del incendio y de la primera persecución que se abatió sobre la comunidad cristiana de la ciudad, no tuvo tiempo de redactar esa carta, destinada a ser copiada en múltiples ejemplares, ya que iba dirigida a «los elegidos extranjeros de la dispersión en el Ponto, Galacia, Capadocia, Asia y Bitinia». (*Op. cit.*, 1, 1.) La policía romana no habría permitido que saliera.

Y no podía hablar antes de un *peligro por el fuego*, ya que ignoraba que después del incendio Roma castigaría *por el fuego* a los cristianos de dicha ciudad, según la ley que castigaba a los incendiarios.

En realidad, la epístola fue redactada mucho después de la segunda mitad del siglo II, es decir después del año 150. Ésta es también la opinión de Charles Guignebert, que observa que no se trata sino de una simple repetición de las teorías de Pablo, lo que prueba que es posterior a éstas.

Pero esta epístola, atribuida falsamente a Simón-Pedro, no sólo alude al peligro de muerte por fuego que amenaza a los cristianos, sino que implica para éstos una reputación de incendiarios: «Porque ninguno de vosotros ha de *padecer como homicida o ladrón, o malhechor, o como entrometido en lo ajeno;*[28] pero si padece *como cristiano, no se avergüence*, antes glorifique a Dios *en este nombre*». (I Epístola de san Pedro, 4, 15-16.)

Es fácil constatar que, una vez eliminados los diversos modos de cometer fechorías corrientes, no queda a los cristianos más que un solo campo donde puedan dañar a los paganos, *el de incendiarios*.

Y este epíteto permanecerá tan bien ligado a la calificación de *christiani*, que mucho tiempo después del incendio del año 64, se continuará calificando a éstos de *sarmentarii, sarmentici*, es decir, *«que huelen a herejía»*, y de *semaxii*: «pilares de hogueras» (cf. Tertuliano, *Apologeticon*, 50). Porque si todas las actividades que puedan causar daño evocadas en la epístola les están prohibidas a los cristianos, en cambio no se les prohíbe el incendio, ya que este

---

28. Alusión a las acusaciones de «seductores de mujeres» lanzadas habitualmente contra los cristianos.

último está previsto por las profecías, y haciéndolo el incendiario actuará «por la gloria de Dios».

Releamos una vez más al sombrío Tertuliano: «Estamos en todas partes, somos numerosos [...] ¡Si no fuéramos sino tan sólo un pequeño grupo, una sola noche y algunas antorchas nos bastarían!». (Cf. Tertuliano, *Apologeticon*, XXXVII, 3.)[29]

Por nuestra parte, está entendido.

29. Hemos resumido aquí un capítulo de Tertuliano. Aquí está el texto latino exacto: *«Quid tanem de tam conspiratis umquam denolatis, de tam animatis ad mortem usque pro injuria repensatis, quando vel una nox panculis faculis largiter ultionis possit operari, si malum malo dipungi penes nos liceret?» (op. cit.*, XXXIII, 3).

Recordemos también el verso célebre de los *Oráculos sibilinos*: «Arderán el mar profundo, *la propia Babilonia*, y la tierra de Italia». (*Oráculos sibilinos*, 5, 159.)

Según el R. P. Jean Daniélou, se trata de textos judíos, posteriormente manipulados por un cristiano.

Esa Babilonia, repitámoslo, no podía ser la antigua *metrópoli* de ese nombre, la Babilonia de Mesopotamia. Flavio Josefo (*Antigüedades judaicas*, XV, 2) y Filón de Alejandría (*Legatio ad Caium*, 282) atestiguan que dicha localidad estaba todavía habitada a principios de nuestra era, aunque había perdido toda su importancia. Los judíos (Filón *dixit*) la abandonaron hacia el año 50 de nuestra era para ir a establecerse a Seleúcia. Sin duda estaban al corriente *de que una Babilonia* iba a resultar totalmente destruida por el fuego. Como ignoraban cuál era la que ardería, prefirieron ese éxodo catorce años antes del incendio de *la verdadera Babilonia* de sus profecías.

En cuanto a la Babilonia de Egipto mencionada por Estrabón (*Geografía*, XVII, 30) y por Flavio Josefo (*Antigüedades judaicas*, II, xv, 1), consistía en un simple campamento militar que las legiones romanas habían erigido en los alrededores de la ciudad actual de El Cairo. No tenía ningún interés anunciar proféticamente su incendio. Tanto más cuanto que «la tierra de Italia» evoca ya sea Roma, ya sea *un incendio generalizado de todas las ciudades en una misma noche*...

258

21

Nerón

Alimentada por treinta generaciones de dramaturgos y
de poetas, la visión de Nerón tañendo la cítara sobre las
ruinas de su propia ciudad (cuyo incendio había sido ordenado por él), me movió a investigar.

J.-C. PICHON, Saint-Néron[30]

Los historiadores oficiales nos presentan a un Nerón que fue una
mina para los novelistas baratos, los cineastas que sabían aliar el
erotismo popular y la imaginería cristiana, y los dramaturgos deseosos de producir secuencias inflamadas. Ernest Renan, en su afán de
hacerse perdonar un *Jésus* poco conformista, preocupado quizá por
no cortar del todo los puentes con un universo católico, todavía muy
poderoso en su época, nos ofrece un *Antéchrist* que es la antítesis
perfecta de su Jesús ingenuo y dulce, algo así como el contraste del
jarrón de la izquierda con el de la derecha sobre la repisa de una
chimenea. Pero la realidad es infinitamente más compleja. ¿Por qué
caminos misteriosos *Lucius Domitius Ahenobarbus*, emperador bajo
el nombre de Nerón César, pasó a ser, del hombre dulce y pacífico
que era, al personaje escandaloso de los últimos años? Vamos a dar
ya la respuesta, pues así el lector comprenderá mejor el desarrollo de
este trágico destino.

«Nerón nació en Antium, nueve meses después de la muerte de
Tiberio, dieciocho días antes de las calendas de enero,[31] precisamente
al salir el sol, de tal suerte que sus rayos lo tocaron casi antes que a la
tierra.» (Cf. Suetonio, *Vida de los doce Césares: Nerón*, VI.)

30. Cf. J.-P. PICHON, *Saint-Néron*, Robert Laffont édit., París, 1962. Esta obra fue
reeditada en 1971 con el título: *Néron, ou les origines du christianisme*.
31. Esta fecha corresponde al año 37 de nuestra era.

Antium es una ciudad situada un poco al sur de Roma, a unos cincuenta kilómetros. Dieciocho días antes de las calendas de enero significan el 14 de diciembre, pero del calendario juliano. Añadamos once días para encontrar la fecha gregoriana exacta, y tenemos el 25 de diciembre, día de la gran fiesta anual de Mitra, el dios protector de las legiones romanas, el «Sol invictus», el que avanza delante de sus banderas.

La hora natal de Nerón, en la latitud de Antium, es, pues, las 7.30 de la mañana, y el Sol se encuentra en el cuarto grado de Capricornio. Damos a pie de página el tema astrológico del individuo, para aquellos lectores a quienes interese este aspecto del estudio. Observemos, de paso, que el tema *dado por Julevno* en el *Tratado de Astrología* (tomo I) es falso.[32]

En la casa IX del cielo encontramos la estrella Zosma, *delta* de Leo. Según la tradición clásica, hace prever: «Egoísmo, impudor, inmoralidad, *peligro de envenenamiento, perturbaciones cerebrales*».

Y ahora volvamos a leer a Suetonio en su cuarto libro, consagrado a Calígula: «No obstante, algunas veces, presa de un súbito desfallecimiento, apenas podía andar, mantenerse en pie, volver en sí, sostenerse. En cuanto a su desorden mental, él mismo se había dado cuenta, y más de una vez proyectó retirarse para despejarse el cerebro. *Se cree que su esposa Caesonia*[33] *le hizo tomar un filtro, y que éste le hizo enloquecer.*[34] Sufría especialmente de insomnio, ya que no dormía más de tres horas por noche, y ni siquiera ese reposo era completo, sino turbado por extrañas visiones. Una vez, entre tantas, soñó que conversaba con el Espectro del Mar. Por lo común, harto de estar acostado y en vela, pasaba gran parte de la noche sentado en la cama, o vagaba a través de los inmensos pórticos, esperando e invocando incesantemente al día». (Cf. Suetonio, *Vida de los doce Césares: Calígula*, libro IV, 50.)

32. Para el público, cada vez más numeroso, que se interesa por la astrología, damos a continuación las posiciones planetarias y la domiciliación del cielo natal de Nerón, según los datos de Suetonio: AS: 3º46 de Capricornio — II: 14º Acuario — III: 26º Piscis — FC: 29º Aries — V: 23º Tauro — VI: 14º Géminis — VII: 3º46 Cáncer — VIII: 14º Leo — IX: 26º Virgo — MC: 29º Libra — XI: 23º Escorpión — XII: 14º Sagitario — Sol: 3º55 Capricornio — Saturno: 10º Capricornio — Marte: 22º Acuario — Neptuno: 9º Piscis — Luna: 9º Leo —Venus: 5º Libra — Urano: 21º Libra — Júpiter: 17º Escorpión — Mercurio: 19º Sagitario — ARMC: 13 h 46, T. S.: 18 h 16 — Latitud: 41º54. Obsérvense cuidadosamente en este tema los antiscios y contraantiscios; son importantes. Así, el antiscio de Venus en la cúspide de la casa III del cielo muestra que el individuo *amará a sus hermanos*, lo que confirma que no fue Nerón quien mandó envenenar a Britannicus, su hermano.

33. Caesonia fue asesinada de una estocada, y su hijita aplastada contra una pared, en el curso del asesinato de Calígula por los conjurados que iban mandados por Caerea y el tribuno de las cohortes Cornelio Sabino. (Cf. Suetonio, *op. cit.*)

34. Ya Lucrecio, el poeta latino nacido en Roma en el año 99 antes de nuestra era, y muerto en el 55 también antes de nuestra era, a los cuarenta y cuatro años de edad, había sido víctima de un filtro que le hizo ingerir una amante celosa, y que lo volvió loco. Durante un período de lucidez, dándose cuenta de su decadencia, el autor del *De natura rerum* se suicidó.

En aquella época había en Roma una célebre envenenadora, Locusta. A ésta la condenarían a muerte en el año 68, bajo el reinado de Galba. Antes de morir confesaría, bajo tortura, que había hecho perecer a Britannicus. Como no se le pidieron detalles sobre sus relaciones con Caesonia, no existe sino una presunción de que también ella proporcionara el veneno que volvió loco a Calígula.

Observemos, de todos modos, que las solanáceas ocupaban una parte importante de la composición de los filtros mortales, ya que provocaban unos trastornos previos que podían hacer creer en una enfermedad cerebral. Pero si el filtro era insuficiente, si el individuo, tratado a tiempo, podía escapar a la muerte, quedaban no obstante secuelas graves, de las que siempre resultaban perturbaciones mentales. Lo mismo sucedía con la ingestión de venenos a base de mercurio, que dañaban lenta pero irreversiblemente el cerebro.

Pues bien, haciendo caso omiso de lo que dice el tema astrológico de Nerón, la amenaza de *muerte por parte de su madre*, representada por la Luna en la casa VIII del cielo, oponiéndose a Marte, señor por «exaltación» del Ascendente, no deja de ser cierto que esta madre, sedienta de dominación y de poder, no vaciló para llegar a sus fines en intentar seducir a su propio hijo, yendo a ofrecérsele en pleno día engalanada y con atavío propio para el incesto (cf. Tácito, *Anales*, XIV, 2), esa mujer que, ya en su infancia, se había prostituido a Lépido por ambición de reinar, y luego, por la misma razón, al liberto Palante, que había organizado el asesinato de Claudio, y luego el de Britannicus; esta mujer empezará a odiar a su hijo a partir del momento en que se le prohíbe inmiscuirse en los asuntos del Estado. Todos la saben capaz de cualquier crimen, y Séneca y Burro, que fueron los preceptores de Nerón y luego sus consejeros, le advierten sin cesar del peligro que corre. Burro, prefecto del pretorio, razona como un guerrero, y Séneca como un filósofo: de la reina madre o de él, uno debe desaparecer.

Pero antes de que ese demonio en forma de mujer pudiera reducirse a un estado en que no pudiera causar más daño, éste ya estaba hecho. Claro que Agripina quizá no quería la muerte de su hijo. Sabía que un nuevo emperador no le dejaría ninguna posibilidad de reinar. Pero si Nerón, demente a causa de un veneno bien compuesto, perdía todo el control y se alejaba del pueblo, bastaría con dejarle sumergirse cada vez más en el desenfreno y la embriaguez para poder gobernar el imperio en su lugar. Pero ese plan no logró su fin más que a medias; cuando Nerón se resignó a hacer desaparecer al monstruo que tenía por madre (y a quien, no obstante, tanto había amado), ya era demasiado tarde, y el golpe había sido ya asestado.

Lo que es cierto es que la ejecución de Agripina en una época en que tales medidas eran cosas normales y corrientes, jamás le sería reprochada a Nerón. A su regreso a Roma, el pueblo aclama al emperador, y el Senado lo glorifica por su decisión, ya que Agripina era objeto de un odio general.[35]

Así pues, podemos disociar ya la vida de Nerón en dos partes: una cubrirá sus años de buen juicio, la otra los de su locura.

En la primera parte se sitúa la misteriosa muerte de Britannicus. Esta fracción de la vida de Nerón se extiende hasta el año 64, fecha del incendio de Roma. De este comportamiento dirá Séneca: «Te has propuesto, César, una meta que ningún príncipe ha alcanzado jamás: la inocencia de todo crimen». ¿Entonces? Nerón respondió un día, apaciblemente, a los rumores que pretendían que él había hecho envenenar a Britannicus:[36] «Si yo hubiera temido a mi hermano, ¿por qué no habría de haberlo condenado abiertamente? ¿Por qué habría de temer yo a la ley?».

De hecho, ese crimen hay que imputarlo a Agripina. Tácito y Suetonio precisan que el veneno había sido preparado por Locusta. Pero para que esta mujer pudiera seguir en Roma, a pesar de su terrible reputación, era preciso que estuviera protegida por poderosas influencias, muy por encima de las leyes. Por otra parte, fue Locusta quien, por orden de Agripina, había procedido al envenenamiento de Claudio. Locusta era de la reina madre, no de Nerón.

Acabamos de demostrar, en nuestra opinión, que Nerón no intervino para nada en la muerte de Britannicus; hemos demostrado que la ejecución de Agripina, deseada por el Senado y el pueblo romano, había sido aconsejada por dos conciencias íntegras, las de Séneca y de Burro; hemos demostrado que el incendio de Roma fue obra de cristianos fanáticos, y que Nerón, ausente de Roma durante los cuatro primeros días (estaba en Antium), al principio ignoraba el hecho. La muerte de Popea, a consecuencia de una patada en el vientre, fue accidental, y Nerón ya estaba a veces medio demente.

Ahora vamos a partir en busca del joven emperador que, de no haber tenido una madre demoníaca, quizás hubiera eclipsado a Marco Aurelio, si no por sus escritos, sí por sus actos.

Porque a esta madre él la había amado enormemente. La noche misma del asesinato de Claudio (organizado por Agripina), después de su propio «triunfo», dio a la guardia pretoriana como contraseña: «La mejor de las madres», en latín «Optimae matris». (Cf. Tácito, Anales, XIII, ii.)

---

35. No olvidemos jamás que, efectivamente, tampoco se hizo reproche alguno a Augusto por el exilio de Julia, su hija libertina, ni a Tiberio por la muerte de Sabino, de Germánico y de tantos otros. No se reprochó a Claudio haber ordenado ejecutar a Mesalina por sus desenfrenos nocturnos en los lupanares, ni a Calígula por haber hecho matar a Gemelo. La alegría del pueblo romano ante la ejecución de Agripina, y la del Senado romano, no deben pues sorprendernos.

36. Britannicus era el hijo de Claudio y de Mesalina. Nerón era sólo el hijo *adoptivo* de Claudio, que, a su vez, también dudaba mucho de ser el padre de Britannicus. Como se ve, no eran en modo alguno hermanos.

El período fasto del reinado de Nerón se extiende, pues, del año 54 al 63 inclusive. Tal como observa con bastante justicia Jean-Charles Pichon en su *Saint-Néron*: «En primavera del año 64, Nerón todavía no era ese sádico y ese criminal que se pretende ver en él. Al enterarse del suicidio de Torcuato,[37] el emperador dijo: "Aunque era culpable, habría vivido si hubiera esperado la clemencia de su juez". Pero ya era, indudablemente, ese increíble histrión cuyo único placer parecía ser el de sorprender a sus amigos, escandalizar al pueblo e irritar al Senado».

Hay que decir, en efecto, que en todo ese período que va del año 54 al 63 no se encuentra ningún rastro de las orgías tan bien utilizadas por el cine. Ni Suetonio ni Tácito nos hablan de ellas. Cuando Nerón se aburre, regresa a Antium, la ciudad de su infancia, la ciudad mimada a la que embellece sin cesar, donde pinta, esculpe, redacta y compone poemas y cantos, en la paz y la dulzura de vivir. Porque Nerón fue realmente un artista, lo que explica su dulzura innata, su horror ante la violencia, la sangre. A veces incluso sueña con abdicar, lo que le permitiría vivir de sus dones, como un hombre libre, como un esteta. Y por poco no sucedió así un día, después de una escena violenta que le hizo Agripina, porque acababa de expulsar del palacio al liberto Palante, su amante. Su sueño era retirarse a Grecia, patria de las artes y la sabiduría, a sus ojos.

Pero, se alegará ¿qué hay de los suplicios infligidos a los cristianos después del incendio de Roma en el año 64? Hay dos modos de resolver este enigma.

O bien la investigación fue llevada a cabo *ipso facto* por las autoridades romanas, sin haber tenido que referírselo al emperador, según correspondía a sus funciones y sus responsabilidades, así como al crimen cometido. Detenciones, interrogatorios, nuevas detenciones de gentes denunciadas, condenas automáticas de los incendiarios, a las que seguían ejecuciones legales. Y lo que la legislación romana preveía en el caso de pirómanos era la muerte en la hoguera. No fueron innovadores con los cristianos.

O bien no conocemos la verdad sobre este asunto. Porque, repitámoslo, los manuscritos originales de Suetonio y Tácito se han perdido, sólo poseemos copias medievales, obras de monjes copistas, e indudablemente censuradas e interpoladas.

Porque, a pesar de todo, hay una cosa muy curiosa: ni Tertuliano ni Orígenes nos hablan de esos cristianos cosidos en pieles de animales recién despellejadas, contra las que se lanza jaurías de perros feroces, ni de esos otros, embutidos en ropas embadurnadas de materias inflamables y ardiendo como antorchas en los jardines imperiales. Y Eusebio de Cesarea, en su *Historia eclesiástica*, menciona a Nerón como al

---

·37. Torcuato Silano, esperando a ser detenido tras haber sido acusado de conspirar, se abrió las venas. (Cf. Tácito, *Anales*, XV, 35.)

primer emperador que persiguió a los cristianos, pero no cita esos detalles, sino que lo hace vagamente, mencionando sólo la muerte de Pablo y de Pedro. Es más, *permanece mudo en lo que respecta al incendio de Roma*. Y Flavio Josefo, al hablar de Nerón, al criticarlo, hace lo mismo: *también ignora el incendio*.

Sobre esta persecución que siguió al incendio de Roma, observemos que sólo se aplicó a los cristianos *de la ciudad*, y no se extendió a los de la provincia. En cuanto a su importancia, Tertuliano nos dice simplemente que «bajo Nerón se hizo perecer *por la espada* a un *pequeño número* de cristianos». (Cf. Tertuliano, *Apologeticon*, V, 3.) Nos hallamos muy lejos de las habituales películas de propaganda...

El silencio de Tertuliano (quien redactó su *Apologeticon* hacia el año 197 de nuestra era, es decir 133 años después del incendio), el de Orígenes (muerto en el año 254) y el de Eusebio de Cesarea (muerto en el año 340) sobre un acontecimiento tan grave como el incendio de la capital del Imperio romano, *imputado a los cristianos*, fuente y causa de la primera persecución, no pueden explicarse sino de una sola manera. *Todos hablaron de ello*, y Tertuliano más que los otros, pues ya había hecho alusión a ello en su *Apologeticon*, con su amenaza: «... ¡Una sola noche y algunas antorchas bastarían!» (*op. cit.*, XXXVII, 3), *pero todos hablaron de una manera poco ortodoxa* a los ojos de los monjes copistas que los transcribieron más adelante. Y se limitaron a suprimir los pasajes que consideraron «escandalosos», por citar a san Jerónimo censurando a Orígenes.

Así pues, censuraron a Tertuliano, a Orígenes y a Eusebio, e interpolaron a Suetonio y a Tácito. De donde esa contradicción en los testimonios de estos autores. Porque en la época en que pusieron al gusto del día a los autores antiguos, tanto paganos como cristianos, de lo que se trataba era de poner de manifiesto que el cristiano barbudo, melenudo y ovejuno, triunfaba simplemente con su dulzura y resignación sobre el paganismo persecutor, lo que demostraba, sin discusión posible, la intervención divina en favor de la nueva religión.

En cuanto al fanático de la realidad histórica, tanto si se trataba del zelote judaico como del cristiano exaltado por la promesa del «regreso» de Jesús sobre las nubes, muy cercano, según las sagradas escrituras, no hay que hablar más de él. Ese tipo particular debe desaparecer discretamente de la historia, sólo debe permanecer el mártir, que pasa tiernamente la mano sobre la crin del león que le arranca el brazo.

Volvamos a Nerón. Suetonio nos cuenta que Tiberio había pronunciado estas terribles palabras: «¡Qué después de mí, arda Roma!». (Cf. Suetonio, *Vida de los doce Césares: Nerón*, 38.) Y Roma había ardido, devastada por un terrible incendio que había consumido el Circo y todo el Aventino. Y Tácito nos dice que «ese desastre se tornó en gloria para Nerón, quien indemnizó todas las casas incendiadas». (Cf. Tácito, *Anales*, VI, 45.)

Nada parecido sucede con Nerón. No sólo no es el autor del incendio, no sólo no está en Roma y lo ignora durante los cuatro primeros días, sino que luego adopta todas las medidas en favor de las víctimas. Pero la clase dirigente de Roma, se servirá del incendio para hundir al hombre al que odia, y para intentar aniquilar a una secta que le parece extremadamente peligrosa para sus intereses y sus tradiciones.

Y aquí tenemos al verdadero Nerón, lector. No se parece en nada a la caricatura que le ha sido presentada hasta ahora en las pantallas...

Un día, al principio de su reinado, Agripina obtuvo de él una condena de muerte. Ante todos los asistentes, estupefactos, y que luego darían testimonio de ello, Nerón depositó el «estilo» con el que se disponía a firmar, y murmuró, abatido: «¡Ay! ¡Por qué me enseñarían a escribir!». (Cf. Suetonio, *Vida de los doce Césares: Nerón*, 10.) Y eso que aquel hombre era verdaderamente un criminal.

Su madre era odiada tanto por el Senado como por el pueblo. Para protegerla mejor, le dio una guardia germánica, más segura que la guardia personal de Agripina, compuesta por romanos, según nos sigue diciendo Tácito.

Sila, cuñado de Octavia, primera esposa de Nerón, fomentó una conjura, sin duda de acuerdo con ésta, y proyectó asesinar al emperador para hacerse con el poder. Unos hombres armados atacaron la escolta de Nerón, en el camino que tomaba habitualmente para regresar al atardecer al palacio. Pero el emperador, aquella noche, se había quedado visitando los jardines de Salustio, en el Princius. No se enteró del atentado frustrado hasta su regreso, de boca de los supervivientes de la matanza. Contra todas las reglas más elementales de la justicia, contra la opinión de Séneca y de Burro, sus sabios consejeros, *contra su deber de emperador*, se negó a mandar juzgar a Sila, y se contentó con alejarlo de Roma y colocarlo en Massilia (Marsella) en residencia forzosa, donde éste, con toda tranquilidad, pudo proseguir con sus conspiraciones, que, claro está, un día tuvieron éxito.

Cuando se vio obligado a permitir que suprimieran a su madre, a causa de los perpetuos complots de ésta contra su propia vida, se retiró a Baules para llorarla, y luego la vería, en sus sueños, persiguiéndole con un látigo.

No regresó a Roma hasta otoño del año 59, con el fin, según dijo, de luchar contra los juegos crueles y salvajes del Circo, y allí instituyó unos *Juegos* que llevarían su nombre. En ellos se celebraría la poesía, la música y los deportes armoniosos, como en Grecia. Para eso mandó construir un recinto especial en el Campo de Marte. Esta innovación causó escándalo. Bajo el pretexto de que los combates sangrientos del Circo y la despiadada crueldad de los espectadores formaban virilmente a la juventud, la aristocracia romana y los elementos conservadores le reprocharon que los ablandara. Llegaron hasta hacerle responsable de lo que sucedía, al caer la noche, después de esos *Juegos Florales* anticipados, entre jóvenes muchachos y muchachas.

Plauto, nieto de Druso y bisnieto de Tiberio, y por consiguiente con derecho a aspirar al imperio, hombre muy reaccionario, organizaba conjuras sin ocultarse lo más mínimo. Nerón, avisado y puesto en presencia de las pruebas de dicha conjura, se negó a entregarlo a la justicia. Se contentó con decirle que se alejase de sus malos consejeros y que se retirase a sus dominios de Asia Menor. Plauto continuó allí con sus conspiraciones durante tres años, en los que mantuvo correspondencia con sus cómplices, y levantó a tropas mercenarias clandestinas, hasta tal extremo que Nerón, en el año 62, tuvo que abandonarlo a la justicia, que le condenó a muerte. Y Tácito observa: «Cuando no puede impedir una condena, ¡da tantas largas que el acusado tiene tiempo de morir de viejo!». (Cf. Tácito, *Anales*, XIII, 33.)

Ese mismo año 62, Sila, libre en Marsella de continuar con sus conjuras (también él, como Plauto, aspiraba al imperio, ya lo hemos dicho), conspira con los tribunos de las legiones acuarteladas en la Galia. Gasta una verdadera fortuna para formar un ejército. La justicia romana ni siquiera puede apresarlo, ya que es prácticamente inaccesible y está muy bien protegido. Para deshacerse de él, Nerón tendrá que permitir que sea asesinado por asesinos a sueldo, contratados por el prefecto del pretorio.

Ante las conspiraciones de su cuñado, Nerón se resigna al fin a alejar a su esposa, Octavia, a repudiarla y a casarse con Popea, su amante. Exilio dorado: Octavia está colmada de riquezas, y posee un palacete en pleno centro de Roma. Todo en vano, porque tres semanas después, la tarde en que tuvo lugar el matrimonio de Nerón y de Popea, Octavia arengó a las multitudes desde la terraza de esta mansión, maldiciendo a Nerón y condenándolo a las Furias. Y este último punto habría permitido entonces que se le aplicara la *Ley de las Doce Tablas*, lo que implicaba la condena a muerte.

Popea se entera de que Octavia planea asesinarla o envenenarla. Se queja de ello a Nerón. Éste, una vez más, rehúsa cortar de raíz y entregar a Octavia a la justicia, sabiendo que ésta aplicará la misma *Ley de las Doce Tablas* con todo su rigor. Se limita a colocar a su ex esposa en residencia obligatoria en la isla de Pendataria, al este de Baules, y le da la suntuosa mansión en la que había habitado Julia, la hija de Augusto. El encargado de conducirla allí será Aniceto, almirante de la flota imperial. A su regreso, éste, horrorizado, irá a confesar a Nerón que, durante la travesía, Octavia le halagó, le embriagó y se entregó a él, antes de pedirle que fomentara una rebelión en la flota romana y asesinara al emperador.

Esta vez Nerón no pudo escapar a sus responsabilidades. El 9 de junio, unos mensajeros llevaron a Octavia la orden de poner fin a sus días. Como ésta se negó, unos médicos tuvieron que sujetarla tendida, atada, y abrirle las venas. Según la costumbre legal de la época, llevarían su cabeza al emperador, quien se negó a verla. Sólo Popea la contemplaría, largamente, en silencio.

En materia de política interior la acción de Nerón fue excelente. En el año 63, un año antes del incendio de Roma, y de las pretendidas atrocidades contra los cristianos de la ciudad, Nerón hizo admitir a la ciudadanía romana a los habitantes de los Alpes Marítimos. Mandó lanzar al mar el trigo estropeado que vendían los traficantes sin escrúpulos, y paralelamente prohibió aumentar el precio de los cereales. Censuró a los príncipes vasallos del Imperio romano cuyos dispendios sobrepasaban los ingresos. Decidió pagar cada año al Estado una suma de sesenta millones de sestercios, sacados de su propia fortuna.

Nerón, apasionado por la justicia, sensible a las desgracias de la infancia, prohibió las adopciones ficticias, simuladas o provisionales, mediante las cuales los solteros tenían derecho a compartir las cuesturas y los cargos gubernamentales reservados a los padres de familia. «Porque las promesas de la ley no son sino una pura irrisión, desde que se atribuye las ventajas de una paternidad real con la ayuda de esos niños, que no cuestan nada, y a los que luego se pierde sin ningún pesar», declaraba.

Illium, Apamea y Bolonia habían sido destruidas por incendios (cf. Tácito, *Anales*, XII, 58). A petición de Nerón, Bolonia recibió una ayuda de diez millones de sestercios, Apamea fue descargada de todo tributo durante cinco años. La isla de Rodas obtuvo su independencia municipal (cf. Suetonio, *Vida de los doce Césares: Nerón*, 7.)

El emperador se granjeó un poco más la enemistad de la clase pudiente y dominante al decretar que el prefecto de Roma, a partir de entonces, debería dar curso a las querellas que le presentaran los esclavos, por causa de la injusticia o los malos tratos de sus amos. A este respecto mostraremos como paralelismo las decisiones del Concilio de Reims, que, en el año 625, decretó en uno de sus cánones que «los esclavos no serían recibidos como acusadores» (cf. Migne, *Dictionnaire des Conciles*, tomo II.)

Que no nos digan que ese concilio fue de poca importancia, ya que agrupó a 41 obispos, cinco de los cuales fueron luego santificados por la Iglesia. Recordemos el nombre de esos que se consagraron al deber de ser menos humanos que Nerón: san Sindulfo, obispo de Viena; san Sulpicio, obispo de Bourges; san Modoato, obispo de Tréveris; san Cuniberto, obispo de Colonia, san Donato, obispo de Besançon.[38]

Nerón habría querido suprimir todas las tasas sobre las mercancías, pero el Senado se opuso. Ordenó entonces que los recaudamientos olvidados no fueran exigidos transcurrido el plazo de un año. Ordenó, asimismo, un descenso importante de las tasas percibidas en ultramar por el transporte de trigo. (Cf. Tácito, *Anales*, XIII, 50.)

---

38. Recordemos asimismo que el papa León X, el de la «fábula» de Jesús, había declarado legítima la esclavitud para los negros, ya que, como no eran cristianos, no estaban «calificados para ser libres». Además, la revelación del Evangelio «les compensaría la pérdida de su libertad». Por eso es por lo que, hasta el año 1813, en Córdoba, Argentina, los *Misioneros de la Fe* se dedicaban a la cría de hermosas mestizas que, educadas y adiestradas, eran luego vendidas por ellos a los ricos propietarios de haciendas.

Nerón, como se sabe, tenía horror a la sangre. Prohibió a los gobernadores de provincia que dieran combates de gladiadores, y Suetonio reconoce que, en toda su vida, Nerón no dio sino un único combate, en el que prohibió matar a nadie, ni siquiera a condenados. (Cf Suetonio, *Vida de los doce Césares: Nerón*, 12.) Todo esto hizo que la plebe, entusiasta de los salvajes juegos circenses, se volviera contra él.

Se apasionó también por las teogonías extranjeras, se documentó sobre la religión y las doctrinas de los druidas, conversaba con un filósofo alejandrino, un poeta griego. A pesar de la severidad de las leyes romanas, toleró la extensión de una religión extraña en su propio palacio, cerrando los ojos a la acción de los propagandistas cristianos entre su servidumbre. Cuando Séneca deseó abandonar la corte imperial, asustado por el odio que Nerón acumulaba en torno suyo a causa de esas medidas que, aunque le hicieran honor, chocaban contra los intereses egoístas de tantos privilegiados y privaban a la plebe de sus salvajes diversiones en el Circo, Nerón no le dejó marchar. Y para mantenerlo cerca, tuvo unas palabras de rara elevación para sus veintiséis años: «Todo lo que mi situación reclamaba de ti, lo has hecho. Tu razón, tus consejos, tus preceptos, han rodeado con solicitud mi infancia, luego mi juventud. Y los servicios que me has hecho permanecerán presentes en mi corazón mientras viva. Me da vergüenza recordar los nombres de libertos cuya fortuna se eleva visiblemente por encima de la tuya. Me siento incluso enrojecer al pensar que tú, el primero en mi ternura, no superas todavía en fortuna a toda esa gente [...] Pero el vigor de tu edad alcanza todavía para los asuntos y las ventajas que dan, mientras que yo, yo doy mis primeros pasos en la carrera imperial [...] Porque, si es cierto que a veces puedo resbalar por la pendiente que arrastra a la juventud, ¿no estás tú ahí para detenerme? ¿Por qué no sostener con tus consejos a la fuerza que yo debo a la edad? ¿Por qué no dirigirla con más celo que nunca? [...] Aun cuando se alabe un día tu desinterés, jamás le estaría bien a un sabio perder un amigo de reputación para asegurarse la gloria». (Cf. Tácito, *Anales*, XIV, xvi, 56.)

Cuando se quemó Roma, en el año 64, sus actos fueron los de un verdadero emperador: «Para tranquilizar al pueblo, que erraba sin asilo, Nerón le abrió el Campo de Marte, los monumentos y sus propios jardines. Ordenó que se construyeran abrigos provisionales para los más indigentes, hizo llegar mobiliario de Ostia y de las ciudades vecinas, y mandó reducir el precio del trigo a tres sestercios». (Cf. Tácito, *Anales,*, XV, xxx, 39.)

Rechazó las estatuas de oro que el Senado romano quería erigirle en testimonio de gratitud por la grandeza de su reinado.

Pero el odio que los aristócratas y los plebeyos enriquecidos sentían hacia Nerón, por esas medidas que lastimaban su orgullo y alteraban sus costumbres, no cedió. Y vemos cómo Suetonio, en su sexto libro, le reprocha esas mismas medidas en favor del pueblo miserable y de la higiene (porque Nerón fue un excelente urbanista): «Y para no perder ni siquiera esta ocasión de recoger tanto botín y despojos como pudiera, prometió que haría retirar gratuitamente los cadáveres y los despojos, y no permitió que nadie se acercara a los restos de sus bienes. Luego, no contento con aceptar contribuciones particulares, las exigió, con lo que redujo casi a la ruina a provincias y a particulares». (Cf. Suetonio, *Vida de los doce Césares: Nerón*, 38.)

La avaricia de la alta sociedad romana era legendaria; salvo para algunos libertinos como Petronio, el oro apresaba a las almas. Y de ahí su juicio sarcástico: «El universo está en manos de los romanos victoriosos; poseen la tierra y el doble campo de los astros, pero jamás están saciados. ¡Cada nuevo imperio, cada tesoro, suscita una nueva guerra! Los gozos, una vez puestos al alcance de todos, ya no tienen encanto, los placeres se han desgastado en goces plebeyos, y el mármol que tú acaricias, un simple centurión lo ha acariciado antes que tú [...] ¿De qué sirven esas perlas que te son tan queridas? ¿De qué te sirve tu gema india? ¿Es para que una madre de familia, ornada de colgantes marinos, levante sus muslos sin pudor sobre un rico cobertor de Oriente? ¿Para qué la verde esmeralda? ¿Para qué deseas los fuegos que arroja la piedra de Cartago? Indudablemente, ¡no para que tu virtud resplandezca a la luz de los diamantes! [...] ¿Es justo revestir a una mujer casada con unas ropas que no son sino un soplo, y que se muestre desnuda bajo una nube de lino?». (Cf. Petronio, *El Satiricón*, 55.)

De modo que todas esas medidas en favor de la ciudad en ruinas, y sobre todo en favor de esos seres humildes a los que los romanos no concedían siquiera una mirada, todos esos gastos que ellos consideraban inútiles, no se los perdonarán a Nerón.

Pero la debilidad del emperador hacia aquellos que, sin cesar, conspirarán contra su vida, terminará por dar la razón a la vigilancia de que era objeto por parte de sus amigos más abnegados. En un solo año, de otoño del año 65 a otoño del 66, encontraremos la conspiración de Cayo Longino, ex gobernador de Siria, y de Lucio Silano, descendiente de Augusto; la de Antistio Veto y de todos los suyos; la de Escápula, prefecto de las cortes pretorianas, y de Publio Anteio, antiguo familiar de Agripina; la de los supervivientes de la conspiración de Pisón, en la que participará Petronio. Éste, al ser denunciado por uno de sus esclavos, y al recibir una orden de Nerón de no acompañarlo a Nápoles, adonde debían ir juntos, tuvo miedo y se abrió las venas.

Dicha debilidad está ligada al temperamento artístico y sensible de Nerón. «No mandaba buscar a los autores de los epigramas injuriosos, e incluso, cuando algunos de ellos eran denunciados ante el Senado, prohibía que se les castigara severamente.» (Cf. Suetonio, *Vida de los doce Césares: Nerón*, 39.)

Luego, hacia el final de su vida, se humilla; podría creerse que había leído la Epístola a los Romanos de ese Saulo-Pablo a quien la clemencia imperial había absuelto una primera vez: «Dejaos atraer por lo que es humilde y no aspiréis a lo que es elevado». (*Op. cit.*, 12, 16.) Lleva los cabellos largos, como los judíos, él, que antaño se hacía cortar y modelar los cabellos a diario, a la usanza romana. Se muestra en público sin cinturón, descalzo, con un simple pañuelo anudado al cuello. Trabaja con los picapedreros, manejando la azada y llenando de tierra y de piedras el cuévano que luego transportará también él mismo. (Cf. Suetonio, *Vida de los doce Césares: Nerón*, 23-24, 51, 19.)

Esto no hará sino conseguir que la aristocracia romana le odie un poco más. Y, sobre todo, no le perdonará las medidas que adopta en favor de los esclavos. En efecto, Nerón había retirado a los amos el derecho de vida y de muerte sobre esos desgraciados, y prohibió asimismo el abandono o el repudio lejos de la ciudad del esclavo demasiado viejo o enfermo, y que, por ese motivo, no se quiere seguir alimentando más.[39]

Esa humildad, esa dulzura, esa renuncia a la gloria imperial, ese horror ante el sufrimiento y el derramamiento de sangre, todo eso desembocará, a través de una especie de masoquismo mórbido, en un afeminamiento que causará escándalo. Nerón tendrá aventuras homosexuales. Pero en eso no hace sino seguir las costumbres de su época, costumbres de las que los emperadores que le precedieron no se privaron jamás. No podría, pues, reprochársele tal cosa.

De todos modos, cansado de la incomprensión de una plebe a la que quiere aliviar de sus males y liberar de su crueldad, harto del odio de que es objeto por parte de la alta sociedad romana y los advenedizos enriquecidos, Nerón se abandonará. Incomprendido por todos, se refugia en la bebida. Si se tiene en cuenta ese desorden psíquico que se va agravando de mes en mes, vemos que el beber no arregla nada. El veneno surte efecto, el esplín también, y sólo el desenfreno y las orgías permiten al emperador olvidar un momento esa túnica de Neso en que se ha convertido para él la púrpura imperial. Y es esa decadencia, sabiamente alimentada por sus desconocidos adversarios, la que conducirá al emperador a su fin.

Tres efigies de Nerón hacen comprender esa progresiva degradación. A los veinte años, un rostro sereno, con la barba como collar, nos ofrece al discípulo dócil y lleno de admiración, de Séneca. Lleva la bondad y la indulgencia en su sonrisa tímida. Luego le vemos algunos años más tarde: se ha afeitado la barba, el rostro está rejuvenecido, no aparenta apenas su edad y la sonrisa es todavía más abierta, es la sonrisa de un hombre bueno, que ama profundamente a los hombres. Por último, la postrera imagen del emperador nos muestra a un Nerón borroso y amazacotado, con la mirada vaga, vuelta

39. En Roma, la isla Tiberina o la isla de Esculapio, en medio del Tíber, recibía a los esclavos que se había decidido abandonar. Y allí morían, de enfermedad o de hambre, bajo la mirada indiferente de la población.

hacia el cielo, como si presintiera que, para él, estaba a punto de terminar su papel aquí.

Porque Séneca había muerto en el año 66, implicado en el complot de Pisón. Burro también había muerto, en el 62, cuatro años antes que su amigo Séneca. Se dice que envenenado. Mandaba la guardia pretoriana, como prefecto del pretorio. Era el juez imperial de todos aquellos que habían hecho la «apelación al César». Fue él quien absolvió a Saulo-Pablo durante su primer proceso.

Ahora era Ofonio Tigelino, un antiguo traficante siciliano, quien se hallaba al mando de los pretorianos, y también era responsable de la seguridad del emperador. Fue el amante de Agripina en tiempos de Calígula, y por eso conoció el exilio. Cuando ésta se convirtió en esposa de Claudio César, se apresuró a hacer volver a Roma a su antiguo amante, convertido ahora en su cómplice. Y éste destruyó poco a poco, en el alma de Nerón, las enseñanzas de Séneca. Era su consejero en materia de placeres y de vicios. No obstante, como temía al emperador, y como se acordaba de su exilio, le dejaba creer en la felicidad de las gentes, jamás le reveló los progresos del odio que, cada día más, acechaba al palacio imperial, incluso tras las fronteras. Quizás incluso le animó por este camino que adivinaba que a un César le resultaría fatal, ya que un día, en sus locas esperanzas, Nerón diría: «No se sabe cuánto le es posible a un príncipe». Ignora que los únicos amigos sinceros que le quedan son esos esclavos y esos libertos a los que él sacó del sufrimiento y de la miseria.

Esa benevolencia que manifestó para con todos los romanos, Nerón la hizo extensiva a todo un pueblo extranjero. El *discurso de Nerón en Corinto*, grabado en una lápida conmemorativa, fue descubierto en Karditza en 1888. Y en ese discurso, Nerón añade todavía más gloria a Roma, al igual que a la majestad imperial: «Vosotros todos, helenos, que habitáis en Acaya, o en la tierra llamada hasta ahora del Peloponeso, recibid, con la exención de los tributos, la libertad que en los días más afortunados de vuestra historia no habéis poseído jamás todos juntos, vosotros que fuisteis esclavos, de los unos o de los otros. ¡Ay! ¡Si yo hubiera podido, en los tiempos prósperos de la Hélade, dar este curso a mis bondades para poder ver gozar de ellas a un número mayor de hombres! Estoy molesto con ese Tiempo que, al adelantárseme, menguó la grandeza de semejante buena acción [...] Pero doy gracias a Dios, cuya protección siento siempre, tanto en tierra como en el mar, por haberme dado a pesar de todo la ocasión de realizarla. Ha habido ciudades que han recibido de otros príncipes su libertad [...] Nerón se la concede a toda una provincia». (Cf. Maurice Holleaux, *Le Discours de Néron à Conrinthe.*)

El emperador vuelve a Grecia en febrero del año 68. Tiene en su mente un gran proyecto. Obtiene de los propietarios a los mejores de sus esclavos, a los que elige entre los más cultos. Procede a fijar un impuesto sobre el capital, y deduce de los propietarios el valor de un año entero de alquiler. Obtiene de este modo una suma enorme, que asciende a dos mil millares doscientos millones de sestercios. (Cf. Tácito, *Historias*, I, 10.) *Y la distribuye entre los humildes, es decir, entre los libertos y los esclavos*, mientras él mismo se ve en la obligación de diferir la paga de los legionarios y las pensiones a los veteranos. (Cf. Suetonio, *Vida de los doce Césares: Nerón*, 32.) A los esclavos que sacó de las casas de los ricos propietarios *los manumite*, y forma con ellos cohortes de milicias que tienen por objeto reprimir y castigar a los malos amos que tiranizan, o incluso martirizan, a sus esclavos, a los avaros que regatean sus óbolos a los templos religiosos, etcétera.

Es todo un mundo, corrompido y despiadado, lo que Nerón pretende reformar. La respuesta no se hará esperar. Al igual que toda empresa de este género, los elementos reaccionarios confiarán al ejército la tarea de barrer a los «repartidores». Y tendrá lugar la insurrección de Cayo Julio Vindex, gobernador de la *Gallia Lugdunensis*, la Galia lionesa. El Senado decreta que Nerón será ejecutado según la antigua costumbre romana: con el cuello agarrado en una horca, y la espalda curvada en dos, desnudo, será flagelado hasta que se produzca la muerte, con látigos de plomo.

Nerón huirá de Roma el 9 de junio del año 68, y se refugiará en los suburbios. Decide darse muerte para evitar ese terrible suplicio, pero vacila. Entonces Epafrodito, su relator del Consejo de Estado, que probablemente fue el auxiliar de Saulo-Pablo citado en la Epístola a los Filipenses (2, 25, y 4, 18), se precipita sobre él y le hunde un puñal en la garganta.

En el mismo instante, fuerzan la puerta de la vivienda y entran los legionarios en la estancia. El centurión que las manda se precipita hacia Nerón y, con su manto de reglamento, intenta detener la sangre y obturar la herida: «Demasiado tarde, murmura Nerón, ¿ésa es tu fidelidad?». (Cf. Suetonio, *Vida de los doce Césares: Nerón*, 49.)

El emperador tuvo unos funerales dignos de la púrpura imperial, como sigue relatando Suetonio: «Se envolvió su cadáver en los cobertores blancos recamados de oro que le habían servido el día de las calendas de enero. Sus restos fueron encerrados por sus amas de cría, Eglogé y Alexandria, ayudadas por la concubina de su adolescencia, Acté,[40] en la tumba de la familia de los *Domitii*, que se ve desde el Campo de Marte, en la colina de los Jardines».

Hubo en esa tumba un sarcófago de pórfido, coronado por un altar de mármol de Luna, y rodeado de una balaustrada de piedra de Thasos.

Mucho más tarde, una vez muertos sus enemigos y extinguidos los odios, con sus soplos maléficos, le hicieron justicia.

40. Acté era cristiana, según nos dice Juan Crisóstomo; por lo tanto también ella era «de la casa de César», y *no obstante no se había inquietado después del incendio del año 64*. Nerón la había amado mucho, y ella le permaneció fiel.

Un liberto de *Patrobius el Neroniano* compró la cabeza de Galba a los palafreneros del ejército que la paseaban al extremo de una pica, por la suma de cien piezas de oro, y fue a arrojarla al lugar donde su «patrón» había sido ejecutado por orden de Galba, *porque era amigo de Nerón.* (Cf. Suetonio, *op. cit.*, *Galba*, 20.)

Otón le había quitado a Nerón su amante, Popea, que éste le había confiado, y se había negado a devolvérsela. Nerón se contentó con enviarlo a la provincia de Lusitania (Portugal), en calidad de gobernador. (Cf. Suetonio, *op. cit.*, *Otón*, 3.)

Proclamado emperador, Otón añadió a su nombre el de Nerón. Mandó restablecer las estatuas y las imágenes de este emperador, y devolvió a sus agentes y libertos sus antiguos cargos. (Cf. Suetonio, *op. cit.*, *Otón*, 7.)

Vitelio Germánico ofreció en el Campo de Marte, en Roma, con numerosos sacerdotes de los cultos oficiales, un sacrificio a los manes de Nerón. En un festín solemne hizo cantar varios poemas extraídos del *Dominicum*, y cuando el citaredo entonó los cantos de Nerón, él fue el primero en aplaudir. (Cf. Suetonio, *op. cit.*, *Vitelio*, II.) Más aún, Dion Cassius, en su *Histoire Romaine*, nos dice que «ponía como ejemplo para todos la vida y las costumbres de Nerón».

Por último, Domiciano condenó al suplicio capital a Epafrodito, su relator del Consejo de Estado, que también lo había sido de Nerón, porque se decía que había «ayudado» con su propia mano a Nerón a darse muerte cuando se vio abandonado por todos. (Cf. Suetonio: *op. cit.*, *Domiciano*, 14.)

Todas esas medidas no cambiaron en nada el curso de la historia. Los escribas cristianos pasarían por ahí, y, para hacer olvidar mejor esc crimen inexpiable que fue el incendio de Roma, trucarían sabiamente los manuscritos de los autores antiguos, para hacer de Nerón el autor de dicho incendio. Y habrá que esperar al siglo XX para ver al fin aparecer obras imparciales, frutos de una investigación profunda, como las de Arthur Weigall y Jean-Charles Pichon, que devolverán a *Lucius Domitius Ahenobarbus*, emperador bajo el nombre de Nerón César, su verdadero rostro, el de un ser desgraciado, odiado por incomprendido, y a quien la perversidad de una madre indigna orientó, mediante el veneno, hacia la demencia progresiva y una muerte prematura, *a los treinta y un años* de edad...

. Y a pesar de todo eso, nos dice Suetonio, durante largos años Nerón tuvo fieles que adornaron con flores su tumba, en primavera y en verano. Se expuso su imagen en la tribuna de las arengas, revestidas con la *toga pretexta*. Es más, a veces pegaron edictos, aparecidos misteriosamente, en los que anunciaba, como si todavía estuviera con vida, su próximo regreso. Y para subrayar mejor aún el prestigio que conservó aun después de muerto, los partos veneraron su memoria. Y por último —lo que prueba que no se avergonzaban en absoluto de haberlo tenido por emperador— aparecieron tres falsos Nerones, en los años 70, 80 y 88. (Cf. Suetonio, *Vida de los doce Césares: Nerón,* 57.)[41]

Y Trajano, el gran emperador, declaró cuarenta años más tarde que la primera época del reinado de Nerón se cuenta entre las más grandiosas de la historia de Roma.

¿Qué más puede decirse?

41. Es probable que fueran también los cristianos los que, periódicamente, publicaran en Roma el anuncio del *regreso de Nerón*. A fin de hacer creer a los ingenuos militantes de sus comunidades que *el de Jesús* estaba igual de cercano, y con él, *el fin del Mundo por el fuego*, evidentemente. Basta para convencerse con releer los célebres *Oráculos sibilinos*: «Y Belias (el demonio) descenderá de su firmamento en forma de un rey de iniquidad, asesino de su madre». (*Oráculos sibilinos*, IV, 121.) La *Ascensión de Isaías*, compuesta al parecer a finales del siglo I de nuestra era, pero cuyos originales se han perdido, insinúa lo mismo en su capítulo IV, versículo 2. Los dos textos pertenecen al judeocristianismo. Los primeros, con gran astucia, ponen en escena a las *Sibilas* paganas, en lugar de·los personajes bíblicos habituales, como Enoc, Noé, etcétera.

22

El fin del sueño

Soy como el gamo, al acecho sobre el risco, que gime de
miedo, palpita y se hunde en la hierba, porque siente venir
la flecha del arquero.

LECONTE DE LISLE, *Poemas bárbaros*

Generalmente se dividen las numerosas expediciones de Saulo-
Pablo a través de todo el Imperio romano en tres grandes «viajes
misioneros», que son:
— *Primer viaje:* Chipre, Antioquía de Pisidia, Iconio, Listra, Derbe,
Attalia, Antioquía de Siria.
— *Segundo viaje:* Galacia, Tróade, Macedonia, Tesalónica, Atenas,
Corinto, Éfeso, Cesarea de Palestina, Jerusalén.
— *Tercer viaje:* Antioquía de Siria, Galacia, Tiana, Sásima, Cesarea
de Capadocia, Frigia, Lidia, Éfeso, Troas, Macedonia, Corinto, Éfeso,
Tróade, Filipos, Corinto, Illiria, Jerusalén.
Aquí tenemos pues, transcrito *de forma aproximada*, lo que sabemos
oficialmente de los viajes misioneros de Pablo, que serían tres, según la
versión oficial.
Sin embargo hubo muchos otros, que se mantienen cuidadosamente en la sombra, y que han desaparecido porque proporcionaban
una clave muy peligrosa de las actividades de Saulo-Pablo. Monseñor
Ricciotti hace una alusión muy discreta a ellos en su *Saint Paul,
apôtre*. Porque, a pesar de todo, es difícil hacer desaparecer los propios textos del interesado, en los que revela ingenuamente la realidad
de esos otros viajes.
A aquellos se añaden, pues, dos «viajes de cautividad» y el de España:
— *Cuarto viaje:* Jerusalén, Cesarea, Sidón, Mira, Malta, Siracusa,
Regium, Puteoli, Roma.

275

—-*Quinto viaje:* de Roma (desde su puerto de Ostia) junto a Galba, en España, y regreso.[42]

— *Sexto viaje:* la huida de Roma tras el incendio del año 64, hasta Troas, en la Tróade, seguida por el apresamiento en esta ciudad, y de regreso a Roma, en su

— *Séptimo viaje:* de Tróade a Roma. Itinerario desconocido. Por lo tanto, vamos a estudiarlos.

No se habrá dejado de observar que los Hechos de los Apóstoles, atribuidos oficialmente a Lucas, se acaban bruscamente en el momento de la instalación de Pablo en Roma, muy cómoda en su *custodia militaris*, en una vivienda elegida por él, entrando y saliendo cuando quiere, dado que: «Dos años enteros permaneció Pablo en una casa alquilada, donde recibía a todos los que venían a él, predicando el reino de Dios y enseñando con toda libertad y sin obstáculo todo lo referente al Señor Jesucristo». (Cf. Hechos de los Apóstoles, 28, 30-31.)

Así terminan los citados Hechos de los Apóstoles.

Ahora bien, tomemos la segunda epístola dirigida por Pablo a Timoteo. En el último capítulo leemos lo siguiente:

«En cuanto a mí, a punto estoy de derramarme en libación, y es ya inminente el momento de mi partida. He combatido el buen combate, he terminado la carrera, he mantenido la fe. Por lo demás, ya me está preparada la corona de la justicia, que me otorgará aquel día el Señor, justo juez, y no sólo a mí, sino también a todos los que habrán aguardado con amor su advenimiento.

»Date prisa en venir a mí, porque Demas me ha abandonado por amor a este siglo y se marchó a Tesalónica; Crescente a Galacia y Tito a Dalmacia. Sólo Lucas queda conmigo. A Marcos tómale y tráele contigo, que me es muy útil para el ministerio. A Tíquico le mandé a Éfeso. *El capote que dejé en Tróade, en casa de Carpo,*[43] *tréelo al venir, y también los libros, sobre todo los pergaminos.*

»Alejandro, el herrero, me ha hecho mucho mal. El Señor le dará el pago según sus obras. Guárdate tú también de él, pues ha mostrado gran resistencia a nuestras palabras.

»En mi primera defensa nadie me asistió, antes me desampararon todos. No les sea tomado en cuenta. Fue el Señor quien me asistió y me confortó, para que por mí sea cumplidamente anunciada la predicación y la oigan todos los gentiles. Y fui librado de la boca del león. El Señor me librará de todo mal y me salvará, para hacerme entrar en su reino celestial. A Él sea la gloria por los siglos de los siglos. Amén.

»Saluda a Prisca y Aquila y a la familia de Onesíforo.

42. Clemente de Roma hace morir a Pablo en España: «Después de haber enseñado la justicia al mundo entero, y tras alcanzar los límites del Occidente, sufrió su martirio ante aquellos que gobiernan...» (cf. Clemente de Roma, *Epístola a los Corintios*, V, 7). Esto a fin de ocultar la muerte en Roma, y los motivos reales de ella.

43. Sobre ese misterioso Carpo, en cuya casa se alojó Saulo-Pablo en Troas, no sabemos nada.

»Erasto se quedó en Corinto. A Trófimo le dejé en Mileto enfermo.

»*Procura venir antes del invierno.* Te saludan Eubulo, Pudente, Lino, Claudia y todos los hermanos.

»El Señor sea con tu espíritu. La gracia sea con vosotros.» (Cf. II Epístola a Timoteo, 4, 6-22.)

De esta carta se desprende la certeza de que Saulo-Pablo fue detenido en Troas, capital de la Tróade, situada a la entrada de los Dardanelos, frente a la isla de Tenedos, y a la que se llamaba asimismo Alejandría de Troas, o Alejandría de Tróade. Era la antigua Ilion, la Troya de la *Odisea* y de la *Ilíada.* Había sido colmada de privilegios por parte de los miembros de la *gens Julia,* porque Julio César afirmaba que su genealogía se remontaba a Eneas. Por eso, durante un tiempo había pensado en transferir a esa ciudad la capital del Imperio romano. Y, en efecto, una profecía misteriosa afirmaba que Troya, que había sido destruida por un gigantesco incendio cuando fue tomada por los griegos, sería restaurada *por un hombre procedente de Roma.* Mucho más tarde, Constantino —en parte debido a eso mismo— crearía Constantinopla (Bizancio) en esa misma región, y la convertiría en la capital.

Pues bien, Saulo-Pablo había pensado en un imperio religioso del que fuera a la vez pontífice y rey. Y, para su espíritu de beduino supersticioso, bastaba con *ir de Roma a Troas* para realizar la profecía, o al menos para poner en marcha el misterioso *dinamismo* que rige los destinos de los hombres. Desafortunadamente para él, las circunstancias de su partida, que analizaremos pronto, no permitirían que se realizara el sueño paulino.

Volvamos a su estancia en Roma. Al cabo de dos años, en los que vivió cómodamente, compareció ante el tribuno imperial, es decir, ante Burro, prefecto del pretorio, si no fue ante el propio Nerón, teniendo en cuenta su calidad de príncipe de una dinastía vasalla leal. Y fue absuelto. Inmediatamente partió hacia España, y eso es casi seguro, los historiadores católicos lo reconocen. Clemente de Roma afirma que Pablo: «... después de haber enseñado la justicia al mundo entero, y haber venido *a los confines de Occidente,* dio testimonio...»

Por otra parte, el *Fragmento de Muratori,* redactado hacia el año 180 aproximadamente, habla en términos explícitos de ese viaje de Pablo a España. Asimismo, los *Hechos de Pedro* y los de *Pablo,* y diversos Padres de la Iglesia: Atanasio, Epífano, Juan Crisóstomo, Jerónimo, etc., confirman todos ese viaje.

En su *Saint Paul, apôtre,* monseñor Ricciotti reconoce que ese viaje, «llevado a cabo quizá por vía marítima, no exigió mucho tiempo; al cabo de algunos meses, Pablo debía de estar ya de regreso en Roma». (*Op. cit.,* p. 469.)

Teniendo en cuenta la lentitud de la navegación en aquella época, los retrasos causados por los vientos, las tempestades, la relativa escasez de navíos que efectuaban los viajes, «algunos meses» implican una estancia muy breve en Iberia. Por lo tanto no se trató de una campaña de propaganda doctrinal religiosa, que habría requerido mucho más tiempo. Y así monseñor Ricciotti puede decir que: «Se fue a España poco después de su liberación en el curso del año 63, y regresó a Roma en la primera mitad del año 64». ¡Eso no da pocos meses, sino un año! Nuestro autor quiere descartar toda posible alusión a lo que vamos a encontrar ahora. Porque algunos meses son cuatro o cinco, todo lo más. Pablo estaba de nuevo en Roma en el invierno 63-64. Y se encontraba allí en marzo, cuando se incendió Roma, ya que la carta, extremadamente precisa, que le dirige Séneca a este respecto, *está fechada del 28 de marzo del año 64*.

Pero ¿qué había ido a hacer a España? La romanización de esa provincia era muy superficial, y se limitaba aproximadamente a la costa mediterránea. Y allí, para representar a Roma, estaba Servio Sulpicio Galba, antiguo procónsul de África, entonces gobernador de la España Tarraconense. No se le ocurrirá a nadie suponer que Pablo pudiera introducirse en el interior, entre los pueblos primitivos y salvajes, y constituir allí comunidades cristianas que no encontraremos, con alguna realidad, hasta el siglo II, hacia los años 175-190, es decir, más de cien años después del viaje de Saulo-Pablo.

De hecho nuestro hombre fue a ponerse en contacto con Galba, de parte de su amigo Séneca,[44] quien, como estoico conservador, e incluso reaccionario, ahora era el adversario de Nerón, y sobre todo de sus medidas revolucionarias. Un día se lo dijo por escrito: «No te apruebo ya, César».

Se estaba tramando también una conspiración desde hacía mucho tiempo: la de Pisón. A Galba le advirtieron unos oráculos que podía esperar acceder al Imperio. Para eso llegó incluso a intentar que se asesinara a Vespasiano, por entonces en Judea, en plena campaña contra la rebelión zelote, en el año 66 (cf. Suetonio, *Vida de los doce Césares: Galba*, 33). Por el momento, en los años 63-64, Galba espera su hora. Sabe que se acerca.

Ahora bien, si Séneca era estoico, lo era sobre todo de palabra. Era avaro, rígido y ambicioso. Aspiraba incluso a llegar muy alto. Júzguese: «Había corrido el rumor de que Subrio Flavo (tribuno de una cohorte pretoriana), secretamente de acuerdo con los centuriones, había decidido (y Séneca no lo había ignorado), que una vez fuera asesi-

44. En su Epístola a los Romanos, Pablo evoca ya su futuro viaje a España, donde gobierna Galba, procónsul de Roma, el hombre que derrocará a Nerón: «Una vez cumplido esto, cuando les entregue este fruto, pasando por vosotros, me encaminaré a España». (Cf. Epístola a los Romanos, 15, 28.) Por lo tanto, a través de Galión, hermano de Séneca, y procónsul de la Acaya, está ya al corriente de las primicias de la conspiración de Pisón, a la que se asociarán rápidamente Galba y Julio Vindex. Porque, de no ser así, ¿qué otro motivo podía atraerle de Palestina a España, región totalmente desconocida y, para su pseudoapostolado, sin ningún interés particular?

nado Nerón por la mano de Calpurnio Pisón, Pisón sería a su vez asesinado, y el imperio le sería entregado a Séneca, como un hombre designado para el rango superior por el esplendor de sus virtudes, lo que les haría a ellos irreprochables. Incluso se repetían aquí y allá unas palabras de Subrio Flavo: "... que para vergüenza del Estado, daba lo mismo sustituir a un citaredo por un trágico". Y, en efecto, si Nerón cantaba acompañándose de la cítara, Pisón lo hacía vestido de comediante». (Cf. Tácito, *Anales*, XV, I, xv.)

Es lógico admitir que, si los conjurados del complot de Pisón habían creído conveniente asegurarse la ayuda de Cayo Julio Vindex, magistrado de la Galia Sequana bajo Nerón, es más lógico aún suponer que hubieran intentado asegurarse la de Galba, *ya que Vindex se sublevó justamente en favor de Galba en el año 68, durante el derrocamiento de Nerón por parte de éste...* Sólo que reconocer que Galba estuvo involucrado en el complot de Pisón, cuando se encontraba en España, es establecer una relación entre el viaje de Pablo allá y la participación de este último en el citado complot; es mostrar el verdadero rostro de ese mismo Pablo.

Entonces tiene lugar la represión de la conjura de Pisón. La investigación debió de empezar, en secreto, en el año 64, y se hizo pública en el 65. En abril de ese mismo año, Pisón y Séneca se abrían las venas, al igual que otros senadores comprometidos en este mismo asunto. Por lo tanto es seguro que los lazos de amistad entre Pablo y Séneca, su viaje a España, desplazamiento no justificado a los ojos de Roma, y a una región gobernada por Galba, probablemente también sospechoso ya, permitieron a la policía de Nerón abrir un expediente a Saulo-Pablo. Ya existía otro, el de su participación probable en el incendio de Roma, en marzo del año 64. Probablemente había también los del caso de Pafos, con el atentado contra Elimas-bar-Jesús, el amigo del procónsul Sergio Paulo; el expediente (por instruir todavía en ese momento) de la querella del Sanedrín de Jerusalén contra ese agitador, «jefe de la secta de los nazarenos». Y eso de cuatro expedientes. Su estudio reveló a los magistrados investigadores que, en los cuatro casos, se trataba siempre del mismo personaje, sólo que con nombres diferentes: *Shaul, Saúl, Saulo, Paulos, Paulus*, príncipe herodiano auténtico, idumeo judaizado por una circuncisión que el Sanedrín no reconoció como válida, titular de la ciudadanía romana, y beneficiario de numerosas ventajas e indulgencias o de protecciones localizadas. A ese hombre le había protegido, inexplicablemente, el procónsul Galión, hermano del conjurado Séneca. Fue absuelto por Burro, prefecto del pretorio, amigo de Séneca (muerto a finales del año 62).

¡Pero, inmediatamente después del incendio de Roma, ese hombre se había esfumado!

Esa huida, añadida a esos apabullantes expedientes, movilizarían a la policía romana en busca de Saulo-Pablo. *Tardarían dos años en encontrarlo*, y lo conducirían *a Roma mismo* para que fuera juzgado. Y

279

la persecución que se desencadenó en el año 64 sobre la comunidad cristiana de Roma (muy pequeña entonces) no se extendió fuera de la capital del imperio, y menos aún por sus provincias. Duraría muy poco. Pero si a Pablo le apresaron muy lejos (en seguida veremos dónde), y si fue llevado de nuevo a Roma para ser objeto de un proceso, eso significa que no fue en el curso de una persecución local, porque en ese caso habría sido ejecutado allí mismo. En cambio fue conducido a Roma porque era en la propia Roma donde tenía que rendir cuentas. Con bastante embarazo, monseñor Ricciotti dice: «De improviso, Pablo reaparece prisionero en Roma, de donde enviará su último escrito: la Segunda Epístola a Timoteo (1, 17). Las circunstancias que rodean su segundo apresamiento son muy oscuras; por lo demás, es casi seguro que no tuvo lugar en Roma, sino *en algún lugar lejano, donde a Pablo le dio alcance la policía imperial, que lo buscaba desde su desaparición en Roma*». (Cf. Giuseppe Ricciotti, *Saint Paul, apôtre*, p. 470.)

Y monseñor Ricciotti sugiere Troas..., lo cual es también nuestra opinión.

Se embarcó clandestinamente en un puerto de Italia, después de una estancia secreta allí, posiblemente sin salir para nada, en casa de discípulos de confianza, *y se dirigió a Troas procedente de Roma, asolada por el fuego*. A sus ojos, la realización de la profecía comienza ya. Pero la policía romana es paciente, y dispone de medios para hacer hablar a la gente, la habitual «tortura» judicial, que subsistirá oficialmente hasta la Revolución francesa como forma legal de interrogatorio. Y probablemente será en la calle donde le detendrán de improviso los *auxiliarii*, los policías romanos, pues en la Segunda Epístola a Timoteo, al final, se queja de haber dejado en Troas, en casa de Carpo, donde él se alojaba, su capa, sus libros y sus pergaminos (cf. II Epístola a Timoteo, 4, 13). Y en Roma disponen de la acusación de Alejandro, el herrero, a quien él había «encomendado a Satanás» con Himeneo (cf. I Epístola a Timoteo, 1, 20). Y eso constituye un elemento de acusación más, a cargo de la *Ley de las Doce Tablas*, por lo que se refiere a la magia maléfica.

Ni siquiera los propios términos de su carta se libran de despertar las sospechas de los magistrados romanos.

En efecto, Saulo-Pablo reclama con insistencia que antes del invierno Timoteo vaya a Troas, a casa de Carpo, y traiga a Roma el manto de Pablo, sus libros y sus pergaminos. ¿Qué pretende decir? Si tiene necesidad de un manto, en Roma hay todo lo que uno pueda necesitar, nuevo o de ocasión, y sus discípulos podrían proporcionarle uno. No hay ninguna necesidad de imponerle a Timoteo el viaje de Éfeso, donde se encuentra, hasta Troas, y luego de Troas a Roma. Porque Pablo no se halla abandonado de todos en su prisión, y todos los cristianos de Roma no han perecido en la batida consecutiva al incendio del 64: «Sólo Lucas queda conmigo [...] Te saludan Eubulo,

Pudente, Lino, Claudia, *y todos los hermanos*». (Cf. II Epístola a Timoteo, 4, 10-21.) Estos últimos están, pues, libres.

Entonces es evidente que ese manto no es como los demás. Es un manto revestido, por una sacralización particular, de un carácter oculto indiscutible, será una «protección» en su defensa frente a los magistrados de Roma. Ese tipo de manto «mágico» lo encontramos en todas partes: en el chal de oración del judaísmo, en el manto ritual del martinismo, en los mantos «de orden» de las grandes hermandades caballerescas, y en los rituales ocultistas, donde multiplica la protección de las ropas rituales del mago. La dalmática sacerdotal del rito latino o de la ortodoxia constituye un último ejemplo.

Pero, especialmente, es un rito de magia cabalística. El *Sepher Ha-malbusch*, manuscrito del Museo Británico, o «*Libro sobre la atracción y la práctica del Manto de la justicia*», ofrece el ritual de la fabricación de una especie de casulla de piel de ciervo, que lleva escritos, con la tinta especial de la Tora, los *nombres secretos* de Dios.[45] Ese manto da al adepto «un poder oculto irresistible». Saulo-Pablo, prisionero de honor, libre, pudo servirse de él durante su primer proceso, que acabó en una absolución. En el segundo, al ser un prisionero ordinario, no pudo utilizarlo, ya que los acusados, según disponía la ley romana, debían comparecer *vestidos de sórdidos harapos* proporcionados por la prisión, con el fin de rebajar la arrogancia de algunos y al mismo tiempo para incitar a la piedad de los jueces.

Y los hermanos de Roma que están libres, ya que únicamente Lucas se halla en prisión con Pablo, ¿no tenían la posibilidad de proporcionarle uno, nuevo o usado? Eso significa, implícitamente, confesar que Saulo-Pablo hacía uso de la magia, que los libros y pergaminos no eran evangelios corrientes (porque los discípulos de la comunidad de Roma también los poseían, es evidente), sino que tratan de materias que Saulo-Pablo es el único que conoce. Ahí encontramos al personaje «iniciado» que se ha intentado hacer desaparecer bajo el velo de Simón el Mago...

Y esos manuscritos y esos pergaminos misteriosos pudo procurárselos antaño en el curso de aquellos actos de pillaje a los que eran aficionados su hermano Costobaro y él.

Apostamos a que ese imprudente final de la carta pudo ser discretamente leído por los magistrados, que lo habrían tenido en cuenta en sus acusaciones. Porque es poco probable que Pablo hubiera podido mantener libremente correspondencia desde su prisión con uno de sus lugartenientes inmediatos, que entonces se hallaba en Éfeso, y que también había sido encarcelado en Roma cuando tuvo lugar el primer proceso de Pablo.

---

45. Esa casulla era equivalente, de hecho, al *ephod*, utilizado por los sacerdotes de todos los antiguos cultos semíticos, y luego por los de Israel. Y es una prueba más de que Saulo-Pablo estaba al corriente de las tradiciones mágicas del Oriente Medio.

Sobre el cautiverio de este último durante su segundo proceso, disponemos de datos concretos sobre su naturaleza. Ya no se trataba de la *custodia militaris* honorífica, en que el prisionero se halla casi libre en la ciudad, alojándose y viviendo a su gusto, con la única vigilancia de un legionario pegado a sus pasos. Ahora de lo que se trataba era de la *custodia publica*. Saulo-Pablo, como conspirador, agitador, jefe de incendiarios, mago, asesino, esta vez es encarcelado en la prisión Mamertina.

La *Carcer Mamertinus* estaba cerca del Foro y del templo de la Concordia, y se componía de tres plantas. En la planta baja se hallaba la prisión pública común. En el primer sótano estaba la *Carcer Mamertinus propiamente dicha*, una amplia sala en el centro de la cual se hallaba un agujero circular que daba a un segundo sótano. Allí se situaba la *Carcer Tullianum*, otra sala abovedada, de donde uno no podía escaparse si no era por el techo. Era una mazmorra especial, destinada exclusivamente a los malhechores más temibles y a los enemigos de Roma antes de su ejecución. Yugurta, el cruel y astuto jefe númida, después de haber sido capturado por Mario, fue introducido allí, donde se le dejó morir de hambre. Vercingetórix pasó en ese lugar seis años, antes de ser estrangulado, después de haber figurado entre los «triunfos» de Julio César en su desfile, con otros prisioneros ilustres: Arsinoé de Alejandría, y Juba de Mauritania. Catilina también murió en el siniestro *Tullianum*, así como Simón-bar-Ghiora, después de la toma de Jerusalén por Tito. Éste, después de haber sido sacado de allí y de haber figurado en el desfile triunfal de Vespasiano y de su hijo Tito, azotado a lo largo de todo el recorrido con varas, fue estrangulado cerca del mercado principal.

¿Conoció Saulo-Pablo ese calabozo, esa cloaca que era el *Tullianum*? Seguro que no. Su rango se lo evitó, así como la perpetua misericordia de Nerón. Además, en su II Epístola a Timoteo, Pablo se nos muestra como un preso con derecho a mantener correspondencia, a recibir visitas,[46] y que esperaba ayuda, libros y pergaminos. Ésa es otra prueba de que gozaba de medidas privilegiadas. Que no se nos objete lo de su ciudadanía romana, ya que Vercingetórix también era *civis romanus*, y también lo era Catilina, patricio de vieja estirpe.

¡Evidentemente, sólo faltaba que Simón-Pedro, crucificado en Jerusalén en el año 47, figurara también entre los huéspedes ilustres de la prisión Mamertina! La leyenda, como es obvio, no dejó de inscribirlo. Y lo que es más, encontró el medio de hacer que, en el

46. «Que el Señor extienda su bendición sobre la familia de Onesíforo, porque muchas veces me ha consolado, y no se avergonzó de mis cadenas. Antes bien, cuando vino a Roma, me buscó solícito hasta hallarme.» (Cf. II Epístola a Timoteo, 1, 16-17.)

fondo del *Tullianum*, convirtiera a sus carceleros, llamados Proceso y Martiniano (¡se saben incluso sus nombres!), y, como faltaba agua, Simón-Pedro hizo brotar allí una fuente, a fin de poder proceder a su bautismo. Un milagro más.[47]

Pero el lector se preguntará cómo pudo encontrarse Pablo en la obligación de respaldar la revolución mesianista de Menahem, él, que recomendaba con insistencia la sumisión a las autoridades, cuando dio la orden de incendiar Roma, en marzo del año 64.

Hay una respuesta para esto.

Recordaremos antes que nada que había sido criado con el citado Menahem (Hechos de los Apóstoles, 12, 1), y que entre ellos existían lazos afectivos e ideológicos. Por otra parte, los zelotes conocían perfectamente la aventura de Pafos y la ejecución de Elimas-bar-Jesús, ya que eran ellos quienes habían impuesto esta misión a Saulo-Pablo, para probar su sinceridad. Y además, con esta aventura y sus consecuencias, lo tenían en sus manos. Él pudo bien haber cedido a un chantaje: o bien obedecía una vez más y mandaba incendiar Roma a sus fieles («Los de la casa del César os saludan», Filipenses, 4, 22), esos fieles que habían sido reconocidos a veces como servidores de Nerón, en el curso de las jornadas del incendio, o se haría llegar su «biografía» a los magistrados de Roma.

Por otra parte, como amigo de Séneca, y probablemente mezclado en la conspiración de éste y de Pisón, veía en este incendio —que se organizó sabiamente, a fin de hacer recaer las culpas sobre Nerón (que no estaba en Roma), *para destruir mejor y de forma más definitiva el concepto que tenían de él las gentes, y en especial el pueblo, donde contaba con los amigos más seguros*— un medio de tener acceso a la confianza de aquél que sucedería a Nerón, en este caso Galba, y a quien él había ido a sondear en España, apenas hacía un mes. Y el conservadurismo absoluto de Pablo no podía sino reprobar el progresismo de Nerón, de acuerdo con su amigo Séneca.

Además, pudo haber pasado por un período de desaliento. Iba envejeciendo poco a poco, apartado de su familia y de su patria. La propaganda divulgada por todo el Imperio no había dado los resultados apetecidos, y estaba todavía muy lejos de detentar el poder espiritual y temporal del pontífice de Israel.

La tradición apocalíptica, por otro lado, rezaba que la *Parousia*, es decir el «regreso» de Jesús sobre las nubes, la instalación en la tierra del «reino de Dios», en una palabra, el Juicio Final, tenía

47. De hecho, no era posible salir de la *Carcer Tullianum* salvo por el techo. Es decir, que la leyenda de Simón-Pedro escapando de ella y luego encontrando a Jesús («*Quo Vadis, Domine?...*»), y por último regresando a entregarse, es otra impostura histórica más.

que ir precedida del final del Imperio romano, y este desmoronamiento vino anunciado por el incendio de la capital.

Esta curiosa creencia duraría mucho tiempo, ya que Tertuliano podría decir más tarde: «Sabemos que el fin del mundo, con todas las calamidades con las que castigará a los hombres, se ha suspendido con el curso del Imperio romano. Al pedir a Dios que retrase esta horrible catástrofe, solicitamos que se prolongue la duración del Imperio romano». (Cf. Tertuliano, *Apologeticon*.)

Por consiguiente, al provocar el incendio de Roma se desencadenaba el dinamismo del destino, a lo que seguía el derrumbamiento del Imperio, que, *fatalmente*, iba seguido del «regreso» de Jesús y del reino de Dios. Ahí Pablo creía estar seguro de hallarse bien situado. Si esto no sucediera, significaría que la profecía era falsa, lo cual era impensable para él. Era un iluminado, en el sentido peyorativo del término, no lo olvidemos, y su carácter de heterosifilítico no arreglaba las cosas.

Es obvio que todas estas razones no actuaron juntas. Pero es seguro que algunas de ellas incitaron a Pablo a dar la fatal orden. Su huida de Roma, su embarcamiento clandestino a Troas, los dos años en los que estuvo oculto en casa de Carpo y que era buscado por la policía romana, su inesperada detención en Troas, su regreso a Roma para ser juzgado *allí* (lo que implica que no delinquió en Troas y sí en Roma), todo contribuye a hacer de Saulo-Pablo el verdadero responsable del incendio de la ciudad, obra de cristianos fanáticos como ya hemos demostrado en los capítulos precedentes.

Y el lector se preguntará ahora: ¿qué hacía Costobaro II durante esos años de agitación? Pues bien, el hermano Costobaro, más sabio y más prudente que su hermano mayor Shaul, se había contentado con seguir con su existencia de pequeño terrateniente turbulento y rapaz. Fue enviado sucesivamente, en el año 68, a la provincia de Acaya, al lado de Nerón, con Filipo, ex general del rey Agripa. Luego formó parte de la delegación enviada al procurador Gessio Floro. Eso es lo que nos dice Flavio Josefo. Y precisamente para disimular la ruta divergente tomada por su hermano mayor, nuestro Shaul, los monjes copistas del Medievo añadieron el nombre de aquél al de éste, en la obra de Flavio Josefo, que fue censurada, mutilada e interpolada. Pero en esos años 63-66, en los que se cita a Costobaro, *iba a hacer pronto ya veinte años que el destino de ambos hermanos los había separado*. Volvamos, pues, a Saulo-Pablo.

Lo que sigue es bien conocido: fue condenado a muerte, pero no obstante se benefició de su condición de *civis romanus* en lo que se refería al modo de ejecución. Legalmente, Pablo debería haber sido quemado vivo, como incendiario y mago, autor de diversos maleficios sobre hombres. Al haberse convertido en judío podía también haber sido crucificado, en su condición de vasallo de César que había participado en una rebelión, y con la cabeza abajo, según la costumbre romana. También pudo haber sido condenado a las fieras, como criminal de derecho común. Sus orígenes principescos, su carácter de miembro de una familia que siempre había servido lealmente a Roma, la probable intervención de su prima Salomé II, quizá también la del segundo esposo de ésta, Aristóbulo III, rey de Armenia, favorito de Nerón, la de Epafrodito, discípulo de Pablo, relator del Consejo de Estado de Nerón, la repugnancia de éste por los suplicios, todo eso concurrió para proporcionarle una ejecución sin dolor, y Pablo fue simplemente decapitado.

Ahora bien, la pena de muerte repudiaba de la comunidad romana al condenado. Y eso significaba para él, al igual que para todo condenado a la pena capital, la obligación de pasar previamente por los *flagella*, látigos de fibras con plomo. También en este caso Pablo pudo muy bien, como incendiario, haber sido sometido a los terribles *flagra*, látigos metálicos, hechos de cadenitas de bolas de bronce, previamente calentadas hasta el rojo vivo en un brasero. Y de eso no hubo nada.

Fue sacado de la prisión, conducido por el camino de Ardea, a la izquierda y no lejos del camino de Ostia, a unas tres millas romanas, lo que da unos cuatro kilómetros y medio, ya que la milla romana vale mil pasos (1.472 m).

El lugar, cuya autenticidad fue atestiguada ya a partir del siglo II, recibe el nombre de *Aquas Salvias*, pues cuando la espada justiciera hubo cortado, rápida como un rayo, la cabeza de Saulo-Pablo, ésta, al caer, rebotó tres veces, y en cada una de ellas se produjo, evidentemente, un milagro. Pero todavía se discuten algunos puntos de detalle: unos dicen que en cada uno de los puntos en que la cabeza tocó el suelo brotaron tres fuentes nuevas, otros aseguran que del cuello, cortado en seco por el acero, brotó leche en lugar de sangre. ¡Milagro!

A ese lugar se le conoce como *Tres Fuentes*. Saulo-Pablo había comenzado su carrera itálica en *Tres Tabernas*. La coincidencia no deja de ser curiosa. Podría incitar a los cabareteros modernos a adoptarlo como patrón.

La ejecución tuvo lugar probablemente entre el mes de abril del año 67 y junio del 68. Eusebio de Cesarea, en su *Chronicon*, libro II, *Olympiad*, 211 (Migne, *Patrologie grecque*, XIX, 544), nos dice que Pablo murió en el curso del año catorce del reinado de Nerón, entre junio del 67 y junio del 68. Jerónimo, en su *De viris illustribus* (V), indica asimismo este año 14. El mismo Jerónimo, en la misma obra, precisa además que Pablo murió dos años después que Séneca (*ibid.*, XII). Como Séneca murió en abril del año 65, podemos considerar confirmada la fecha del 67 para la ejecución de Pablo, y la primavera.

Nosotros nos adherimos personalmente a esa fecha, aunque sin ignorar que algunos historiadores pertenecientes a la crítica liberal se inclinan por el año 64, inmediatamente después del incendio de Roma. Pero se trata de aquellos que, precisamente, consideran que la II Epístola a Timoteo no es de Pablo, sino que fue redactada con fines apologéticos mucho después de él. Lo que, evidentemente, suprime el episodio de la detención en Troas relatada por él mismo.

Creemos que si Pablo hubiera sido apresado en el año 64, *inmediatamente después del incendio de la capital del Imperio*, el número de víctimas y la destrucción de los edificios más sagrados de la religión y de la historia romana no le hubiesen evitado el castigo reservado a los incendiarios, es decir, la hoguera. El odio contra los cristianos era entonces demasiado grande, en ese ambiente de catástrofe inaudita, para que un simple idumeo, y para colmo circuncidado, se beneficiara del privilegio reservado a un *civis romanus*.

No obstante, esa ejecución, por su severidad, implica la certeza por parte de los magistrados en lo que se refiere a la grave culpabilidad de Pablo. Una simple «supresión» como medida de prudencia no implicaba la terrible flagelación previa. En efecto, en Tácito leemos el relato sobre la ejecución de Calpurnio Galeriano, hijo de Pisón: «Por orden de Muciano, Calpurnio Galeriano fue rodeado de soldados, y por miedo a que su muerte, si se producía en Roma, causara sensación, la guardia lo condujo a cuarenta millas de Roma, por la vía Apia, donde perdió la vida con la sangre de sus venas». (Cf. Tácito, *Historias*, IV, xi, 7.)

Por consiguiente, ese joven no fue ni flagelado «*en número ilimitado de golpes*», ni decapitado. Simplemente le abrieron las venas unos médicos legales. El caso de Pablo fue muy distinto.

Y éste fue el fin de aquel extraordinario aventurero de la mística, que a consecuencia de un amor desafortunado se convirtió en uno de los «pilares» del cristianismo. ¿Volvió Pablo a ver, al morir, la imagen de aquella por quien lo había dejado todo? ¿Sopesó el papel exacto de ese amor que había trastocado toda su vida? ¿Perdonó a Gamaliel o a los sanedritas que le habían vetado a la joven? ¿Recordó, si los conocía los versos de Safo, la poetisa de Mitilene, en su *Oda a Anactoria*?

> *Tú me has arrebatado a la virgen de las dos ánforas,*
> *más querida por mi corazón y más bella a mis ojos*
> *que el alba naciente y todas las estrellas*
> *que giran en el cielo...*

El pesado manto de los siglos se abatió sobre esta historia. La Iglesia se esforzó por borrar todo rastro de un amor humano en la vida de su apóstol. Y en el silencio crepuscular de los fúnebres «valles» del Scheol es donde unas sombras evanescentes y vagas, Shaul-bar-Antipater y Bath-Gamalia ven todavía cruzarse a veces sus caminos. Y así, como decía Propercio: «Con las lágrimas de la muerte purificamos los amores de la vida». (Cf. Propercio, *Elegiae*, Cintia.)

Porque si los manes de aquellos que fueron privados de la justa y decente sepultura así como de los ritos fúnebres liberadores van errando por los laberintos de los limbos y puerta del tiempo, ése debió de ser su caso. La hija de Gamaliel conocería, sin duda alguna, los horrores de la «guerra judía» de los años 66-70, y los del sitio de Jerusalén. *Y Pablo no tuvo derecho a la paz del sepulcro.*

Porque aquí se plantea un problema, cuidadosamente evitado por los historiadores oficiales, y es el de la autenticidad de las «reliquias» de Saulo-Pablo, y, sobre todo, el de la tradición relativa al lugar de su ejecución.

En Tácito leemos, por ejemplo, lo siguiente: «Como los condenados a muerte, además de la confiscación de sus bienes, *eran privados de sepultura*, mientras que los que se ejecutaban a sí mismos recibían las honras fúnebras y sabían que sus testamentos serían respetados, valía la pena precipitar la muerte». (Cf. Tácito, *Anales*, VI, xxxv.)

Nuestro autor da esta precisión refiriéndose al suicidio de Pomponio Labeón, antiguo gobernador de la Mesía, y de su esposa Paxea. Así pues, si ambos no se hubiesen abierto las venas, hubieran sido ejecutados, y, por ese mismo hecho, privados de sepultura, es decir, arrojados a la *fossa infamia*, que en Roma consistía en los *puticulae* del cementerio del monte Esquilino, al este de la ciudad (véase plano de Roma, p. 000).

En cambio, monseñor Ricciotti, en su *Saint Paul, apôtre*, interpretando libremente los textos de Eusebio de Cesarea y de otros padres, en soporte de la *tradición* paulina, declara audazmente lo que sigue:

«Inmediatamente después del martirio, el cuerpo fue transportado a un lugar más próximo a Roma, a algo más de una milla de distancia de la ciudad, a lo largo de la *Visa Ostiensis*, y allí fue enterrado en un cementerio al aire libre, recientemente descubierto, que ofrecía unos *columbaria* bien conservados. Esta tumba se convirtió en seguida, para los cristianos romanos y extranjeros, en un objeto de particular veneración. Lo mismo sucedía con el apóstol Pedro.

»Hasta el siglo IV ninguna construcción particular recubrió las dos tumbas. Los cristianos las reconocían por otros medios; no sabemos cuáles, pero es evidente que se trataba de signos visibles, y no exentos de una cierta solemnidad.» (Cf. Giuseppe Ricciotti, *Saint Paul, apôtre*, § 672.)

Formularemos a este autor unas cuantas preguntas embarazosas:

1) ¿Cómo se sabe que Pablo fue inhumado en ese cementerio, próximo a la *Via Ostiensis*, si este último, *a cielo abierto, «no fue descubierto hasta hace poco»*?

2) ¿Cómo imaginar que hasta el siglo IV, es decir, *durante cerca de trescientos años, cuando ninguna construcción particular abrigaba sus restos*, en una fosa común sin medios de identificación (cf. G. Ricciotti, *op. cit.*), los cristianos hubieran podido conservar un medio de identificación del cuadrado anónimo de tierra?

3) ¿Cómo tuvieron la posibilidad los cristianos, en medio de las batidas que siguieron al incendio de Roma, de conservar el cadáver de Simón-Pedro *durante tres años*, para luego, y después de la ejecución de Pablo, transferirlo e inhumarlo al lado de éste?

4) ¿Por qué inhabitual violación de las costumbres legales habría sido decapitado Pablo en la carretera de Ostia, a cuatro kilómetros y medio de Roma, si las ejecuciones tenían lugar o bien en el Circo, o en el cementerio del monte Esquilino? El hecho de que Calpurnio Galerano fuera conducido fuera de Roma para *abrirle las venas*, Tácito lo relata precisamente debido a su carácter inhabitual, y da los motivos: evitar alborotos populares. En cambio, no se temía nada de eso en el caso de Pablo.

De todas esas contradicciones y anomalías, y que un historiador serio jamás admitiría sin pruebas válidas, nos queda una triple hipótesis:

a) Si Saulo-Pablo fue ejecutado *judicialmente en la carretera de Ostia*, y si tuvo derecho a una tumba honorable, es que se había abierto libremente las venas, o, de algún otro modo, había dado fin *él mismo* a sus días, según la costumbre judicial romana recordada por Tácito en *Anales*, VI, xxxv.

b) Si, por el contrario, nuestro personaje fue *decapitado por un verdugo*, la cabeza y el cadáver fueron entonces arrojados en la *fossa infamia* del monte Esquilino, y no hubo, pues, la posibilidad de transferirlo a una tumba honorable, pues eso habría constituido una violación de la ley romana. *Y fue en el cementerio Esquilino donde debió de morir*.

c) Si Pablo fue ejecutado en el Circo (cosa muy improbable, dada su calidad de ciudadano romano) los restos fueron entonces arrojados a las fieras, como se hacía con los condenados a muerte destinados a perecer en dicho Circo.

Nosotros nos adherimos, por lo tanto, a la segunda hipótesis, porque hay pocas posibilidades de que este hombre, que era un beduino, recordémoslo una vez más, se suicidara a la manera romana.

Curiosamente, treinta años separan la muerte de Jesús y la de Pablo. Dos de las ciudades más prestigiosas del mundo antiguo les sirvieron de marco fúnebre: Jerusalén y Roma, ambas signos antípodas de un mundo a punto de extinguirse. ¡Y el más misterioso de los intersignos escapó a la intuición de los aurúspices! Como una señal lanzada por los dioses cuyo reino se acababa, y en la curva del *litus* augural, las llamas de Roma se habían elevado en el cielo los primeros días de primavera. Y seis años más tarde, Jerusalén ardía en llamas a su vez, pero esta vez fue durante los primeros días de otoño.[48]

Sin embargo, los hombres no comprendieron el mensaje de los dioses.

48. Roma fue incendiada hacia los días 21-23 de marzo del año 64, y Jerusalén lo fue el 15 de agosto del año 70 en el calendario juliano, lo que da el 26 en el gregoriano.

Anexo

Ulteriormente a la composición de este libro hemos encontrado los rastros de un primer matrimonio de Saulo-Pablo en la *Guerra de los judíos* de Flavio Josefo. En la versión griega puede leerse:

Hacia la época en que Menahem, nieto de Judas de Gamala se apoderó de la ciudad de Jerusalén y de la realeza davídica, a continuación de las diversas y recíprocas matanzas entre judíos, romanos, sirios y griegos, los primeros fueron a asediar Escitópolis, ex Beth-Shean, ciudad situada al este del Jordán, en la Decápolis helenística, y por lo tanto poblada por griegos, pero con una colonia judía de unas doce a trece mil almas.

Los judíos de la ciudad se unieron a los griegos para su defensa, y a los judíos los idumeos que estaban mezclados entre ellos. Flavio Josefo nos dice que entre éstos se encontraba un curioso personaje al que los griegos, después de haber terminado con los judíos, se dispusieron a «liquidar» también, junto con los otros idumeos: «Entre aquellos que perecieron en esta jornada por una tan horrible traición, creo que debo contar cuál fue el final de *Simón, hijo de Saúl, cuya raza era tan noble*. Tenía una fuerza tan extraordinaria y un valor tan grande, que al haber empleado una y otro en favor de los escitopolitanos contra los de su nación, nadie les resultaba tan peligroso como él. No pasaba ningún día sin que matara a varios cerca de Escitópolis, a veces ponía en fuga a una gran tropa, y parecía como si su valor constituyera toda la fuerza de su partido. Pero al fin fue castigado como lo merecía su crimen de haber derramado tanta sangre, y sangre que tenía que haberle sido tan querida». (Cf. Flavio Josefo, *Guerra de los judíos*, II, xxxiv.)

Y en lugar de ser asesinado por los griegos, Simón-bar-Saulo tomó su espada y atravesó con ella sucesivamente a su suegro, su suegra, su esposa y sus hijos, antes de hacerse justicia a sí mismo.

Es evidente que ese Simón, «hijo de Saúl, cuya raza era tan noble», es el hijo de nuestro personaje, que era hermano de Costobaro, «príncipe de sangre real», como ya hemos dicho, nieto de Herodes el

Grande. Y es impensable suponer ni por un instante que un judío se aliara con los asesinos de sus compatriotas. Precisamente porque era idumeo es por lo que lo hizo. Pero los monjes copistas que en la Edad Media «arreglaron» el texto de Flavio Josefo, hicieron de él un judío, del mismo modo que hicieron de los padres de su esposa su padre y su madre, olvidando que el hebreo antiguo utiliza el mismo término para designar a padre y suegro, madre y suegra, yerno e hijo. Y, les gustara o no, Idumea y Judea no constituían, en efecto, sino un solo reino, una sola nación.

Esos acontecimientos se producían en el año 66 de nuestra era, y un año más tarde, Saulo-Pablo moría a su vez en Roma, decapitado.

Esta obra se terminó de imprimir
el día 27 de marzo de 1991
en los talleres de
Tipográfica Barsa, S.A.
Pino 343 Local 71-72 México 4, D.F.
La edición consta de 3 000 ejemplares

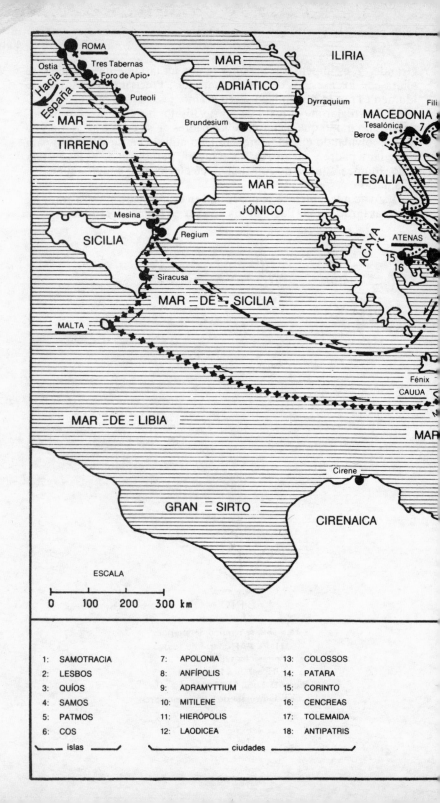

ROMA
Ostia
Tres Tabernas
Foro de Apio
Hacia España
MAR TIRRENO
Puteoli
MAR ADRIÁTICO
ILIRIA
Dyrraquium
Brundesium
MACEDONIA
Tesalónica
Beroe
Fili
7
TESALIA
MAR JÓNICO
ACAYA
ATENAS
15
16
Mesina
SICILIA
Regium
Siracusa
MAR DE SICILIA
MALTA
Fénix
CAUDA
MAR DE LIBIA
MAR
Cirene
GRAN SIRTO
CIRENAICA

ESCALA

0   100   200   300 km

1:	SAMOTRACIA	7:	APOLONIA	13:	COLOSSOS
2:	LESBOS	8:	ANFÍPOLIS	14:	PATARA
3:	QUÍOS	9:	ADRAMYTTIUM	15:	CORINTO
4:	SAMOS	10:	MITILENE	16:	CENCREAS
5:	PATMOS	11:	HIERÓPOLIS	17:	TOLEMAIDA
6:	COS	12:	LAODICEA	18:	ANTIPATRIS

islas   ciudades

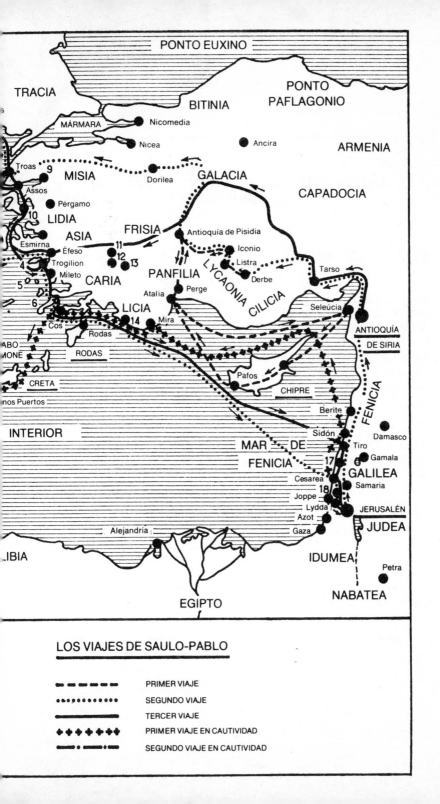

PONTO EUXINO

TRACIA

BITINIA

PONTO
PAFLAGONIO

MÁRMARA Nicomedia

Nicea Ancira ARMENIA

Troas 9 MISIA Dorilea GALACIA CAPADOCIA

Assos

Pérgamo

10 LIDIA

ASIA FRISIA Antioquía de Pisidia

Esmirna

Éfeso 11 Iconio

12 13 Listra Tarso

Trogilion Listra Derbe

Mileto CARIA PANFILIA LYCAONIA CILICIA

5 Atalia Perge Seleúcia

6 LICIA ANTIOQUÍA

Cos 14 Mira DE SIRIA

Rodas

RODAS Pafos

CRETA CHIPRE FENICIA

nos Puertos Berite

INTERIOR Sidón Damasco

MAR DE Tiro Gamala

FENICIA 17 GALILEA

Cesarea Samaria

18 JERUSALÉN

Joppe

Lydda

Alejandría Azot JUDEA

Gaza

LIBIA IDUMEA

Petra

NABATEA

EGIPTO

ABO
MONÉ

LOS VIAJES DE SAULO-PABLO

– – – – – –	PRIMER VIAJE
••••••••••	SEGUNDO VIAJE
——————	TERCER VIAJE
✛✛✛✛✛✛✛	PRIMER VIAJE EN CAUTIVIDAD
—•—•—•—	SEGUNDO VIAJE EN CAUTIVIDAD

Colección Enigmas del Cristianismo
En preparación

LOS SECRETOS DEL GÓLGOTA
Robert Ambelain

La teoría se confirma: en la misma línea que *Jesús o el secreto mortal de los templarios* y *El hombre que creó a Jesucristo*, Robert Ambelain analiza los códigos coptos de Nag Hammadi, los escritos del romano Flavio Josefo, etc., para consolidar el origen zelote de Jesús, su padre Judas de Gamala y su hermano, el llamado Bautista, entre otras desmitificaciones. Un libro excepcional que desvela misterios hasta ahora ignorados.

SANGRE SAGRADA, GRIAL SAGRADO
Michael Baigent, Richard Leigh y Henry Lincoln

Los autores, periodistas de la BBC, se han pasado diez años buceando en bibliotecas y entrevistando a enigmáticos personajes, a fin de viajar a través del catarismo, el enigma de los templarios, las leyendas artúricas del Grial, los escritos gnósticos y las últimas investigaciones peligrosamente desmitificadoras del Cristianismo, para descubrir una orden secreta que parece encadenar, como eslabón perdido de un darwinismo de lo esotérico, la complicada malla de la tradición judeocristiana de nuestra civilización. Las hipótesis que surgen de sus investigaciones son extraordinarias.

Obras de Juan G. Atienza

La búsqueda del Grial
Atienza en un nuevo libro con
las más atrevidas teorías.

Los dioses del diluvio nos
dejaron sus huellas.

Un castillo templario es
un mensaje secreto.

¿Somos un rebaño conducido
por seres desconocidos?

¿Qué misterio envuelve a
los monjes guerreros?

La historia ignorada e insó-
lita de nuestro planeta.

LAS MÁS FAMOSAS GUÍAS ESOTÉRICAS

Con mapas, planos y fotografías

Guía de la España mágica

Rutas turísticas por los lugares mágicos de la península.

Segunda guía de la España mágica

Nuevos itinerarios de la España misteriosa. Con las rutas del camino de Santiago.